21世纪中国纪实文学大系

2007卷

顾问：钱谷融
主编：桂国强

十年回眸

文匯出版社

编委会名单

总序

21世纪是一个非同寻常的世纪。尽管这个世纪至今仅仅走过了十多年的历程，但在与人类朝夕相处的地球上，却已经发生了诸多惊天地、泣鬼神的重大事件，令世界格局发生了错综复杂的变化，给全世界留下了难以泯灭的记忆。

对于正在不断崛起的中国而言，21世纪无疑是一个机遇与挑战并存、成就和困难共现的世纪——这已在中国社会的各个层面展现出来。

在刚刚过去的十多年里，中国正式加入WTO，成功举办2008年北京奥运会和2010年上海世博会，国际地位显著提高；中国全面实施西部大开发战略，青藏铁路顺利开通，“西气东输”工程全线推进，高速铁路亦成功运行，国家建设硕果累累；中国高度重视科学发展，包括航天科技、农业科技、石油勘探等在内的科学技术取得了举世瞩目的辉煌成就；中国的新农村建设卓有成效，农业税费制度改革进一步推进，农村义务教育经费保障机制有力推行，农民的生活不断改善；中国的两岸关系有所突破，厦门金门实现直航，两岸春节包机适时通航，大陆居民赴台旅游更加便捷，两岸“大三通”已然实现……勤劳而智慧的中国人准确把握机遇，用自己的行动赢得了世界的尊重。

当然，在新世纪已经过去的十数年里，中国也面临着诸多挑战，遭遇了不少困难。譬如：2003年的“非典”，2004年的“禽流感”，2008年的四川汶川大地震及这一年全球金融危机给中国带来的负面影响，2010年的青海玉树地震，2011年湖北、湖南、江西等地出现的大面积干旱……此外，还有环境污染、食品造假、海峡那边陈水扁的“台独”闹剧等等，凡此种种，都给中国的前进之路带来了挑战。

成就也好，挑战也罢，时至今日，都已在新世纪所发生的重要事件中显现出来。这些事件，有些已经成为历史，有些却还在延续。历史是一面镜子，对于后人，可以起到“以史为鉴”的作用；现实是当下的存在，研究它可以积累经验，帮助我们寻找到人类发展的正确路径——基于此，我们有必要将这些已经过去的或仍在延续的事件以及与这些事件有着密切关联的人物——用一种最为世人接受的文字形式记录下来，为今天和明天留下一份可供借鉴与启迪的珍贵资料。

我们之所以选择纪实文学作为承担“记录”重任的文字形式，是因为这种文体乃涉猎文学和新闻两大领域的一种独特的艺术样式，是兼具新闻真实和历史真实品格的艺术真实，它在很多方面弥补了现实新闻报道无法反映的空白，达到了相当的深度和广度——正是由于它能比一般的新闻报道更深地切入现实、切入人心、全景式地反映变革过程中某些本质的东西，因而，随着时间的推移，也就更能凸显其无可争辩的文献史料价值和文学欣赏价值。

新世纪以来，中国的纪实文学蓬勃发展。国家综合实力的提升，国际多边交往的频繁，国民生活水平的提高……都为纪实文学提供了丰富的创作素材，激发了纪实文学作家和各类媒体记者的创作热情，从而创作出一批又一批展示波澜壮阔历史画面、描绘跌宕起伏现实场景的精品力作，为反映中国的现实、记录中国的历史、繁荣中国的文学立下了不朽的功勋。

现在，呈现在读者面前的就是新世纪以来（自2000年开始）中国优秀纪实文学的精选、精编本。入选的文章中，有的获得中国报告文学奖，有的获得鲁迅文学奖，有的则荣获了各种类别的年度新闻奖……由于诸多事件的发生、发展都会经历一定的时间，有些还会延续几年甚至更长；从创作规律来说，一篇成功纪实文学作品的采访、创作和发表也需要相当的时间，很难保证当年的文章能与当年的事件完全同步。因此，在对文章的选择中，我们首先考虑的是能够反映该年度的重要事件及其相关人物，至于其具体的发表时间，则应当服从于事件和人物。

我们计划一年精编一本，每本都能比较客观、全面、及时地反映该年度中国所发生的重要事件及与之相关的重要人物，从而能凸显其独特的史料价值；我们同时又希望，书中所精选的纪实文学作品能给予读者朋友有益的启迪和思考，充分享受阅读的愉悦，从而真正领略纪实文学的艺术魅力。

迈着稳健而充满活力的步伐，向着明确而富有挑战的目标，中国依然在前进，中国的大地上依然在发生着历史性的深刻变化。因此，用文字记录中国、展示中国，依然是我们今后相当一段时期内义不容辞的重要任务。我们将不辱使命，勤奋工作，努力选编好一年一度的《21世纪中国纪实文学大系》，为广大读者奉献上兼具史料和文学双重价值的精神产品。

（主　编）

2007年纪实文学概述

总体上，2007年的纪实文学创作保持了平实的风格：回顾历史，总结经验，记录时代风云，展现如火如荼的当代生活图景。另外，2007年的纪实文学延续了关注国计民生的传统，深入大众生活，展示平民视角，透析社会生活的方方面面，构建和谐精神家园。

一

香港回归10周年，中国人民解放军建军80周年，中国恢复高考30年，2007年的纪实文学在记录这些历史征程的风风雨雨、坎坷艰辛和收获喜悦的同时，又带领读者们展望更美好的将来。

长江撰写的《晚来香港一百年》，以独特的视角，挖掘了香港的历史文化，全方位地展现香港市民的生活。长江作为中央电视台的驻港记者，八年来对香港社会进行了广泛调查。上至李嘉诚、曾荫权，下至笼屋里的笼民，她都有过接触，这些采访的真实感受，在她的作品中有很好的体现。

为纪念中国人民解放军建军80周年，报告文学作家撰写了不少军史题材的作品。如铁流的《蓝色的畅想——中国海军驱逐舰部队成长纪实》，用生动的笔墨，记录了中国海军驱逐舰部队从建立到发展壮大的历史。与此类似的还有黄传会、舟欲行的《中国海军三部曲》(包括《龙旗》《逆海》《雄风》)，共100余万字。这是迄今为止，唯一一部全景式展示中国海军百年发展历程的长篇报告文学。

2007年是高考恢复30年周年纪念，戴敦峰等在《南方周末》发表的《30年，被高考改变的命运》，关注了1970年代和今天考生的高考命运。1977年高考恢复，改变了很多人的人生道路。作者通过采访1977年第一批高考录取者，真实地再现了当时知识青年内心的渴望和惊喜，描绘出那个时代的校园生活风貌和文化图景。同时，通过对比现在的高考考生和1970年代的高考考生的思想观念的变化，深刻地展现了高考在中国这30年来的变化。

二

2007年的纪实文学作品中，有很多将目光投向考古发掘、科技项目建设、小康社会建设等主题，往往通过一座城市、一个行业或一项工程的建设，来展现丰富多彩、如火如荼的现代化建设图景，高扬刻苦攻坚、坚持不懈的奋斗精神。

2007年1月16日，中国考古工作者前往“南海一号”沉船海域开展打捞前最后一次海底勘查，之后进行了持续九个多月的打捞，终于在12月21日将“南海一号”古沉船成功起吊。杜玉冰撰写的《驶向海洋：中国水下考古纪实》真实记述了中国水下考古工作者挖掘、打捞、起吊“南海一号”的故事，对读者了解什么是水下考古，以及我国水下考古20年来所走过的不平凡道路有所帮助。

2007年10月24日，我国第一颗绕月探测卫星“嫦娥一号”发射升空。报告文学作家胡平敏锐地抓住这一题材，先后发表了《“嫦娥一号”飞天的幕后故事》和《心月何处——欧阳自远与中国嫦娥工程》，讲述了“嫦娥工程”的来龙去脉和许多不为人知的幕后故事。另外，王建蒙以中国探月工程总设计师孙家栋为主人公，创作了《奔月》一书。何建明的《冀东大发现》披露了让温家宝总理“高兴得睡不着觉”的南堡大油田的发现全过程。南堡大油田的发现被称为“40多年来我国石油勘探最激动人心的发现”。作者挖掘了负责勘探南堡大油田的科技工作者的辛酸而感人的故事，凸显了科技工作者坚忍不拔、不畏艰险、追求真理的精神，歌颂了他们浪漫主义的理想情怀和缜密、严谨的科学态度。2007年7月，被称为最难治理的淮河，暴发了1954年以来全流域最大规模的洪水。“千里淮河第一闸”的王家坝首当其冲。为了保住大坝，当地人民顽强奋斗。张守志在《惊天动地王家坝》一文中，对这场抗洪战斗有过惊心动魄的记录。股票市场是中国改革开放以来，民生问题中一个非常重要的方面。阿奎的《喧哗与骚动：新中国股市二十年》，以纪实的手法对新中国股市的发展进行了全景透视。

为迎接即将到来的改革开放30年纪念，2007年的纪实文学作品有不少涉及改革开放题材。如杨黎光的《寻践新路——深圳市落实科学发展观纪实》，真实记录了改革开放排头兵深圳特区在2003年“非典”之后实践科学发展观，实现新的历史转折和飞速发展的情况。张悦、余力的《深圳2007房价暴涨背后的秘密》，从另房价暴涨现象来剖析改革发展中的一些问题。

三

纪实文学的重要功能之一，是揭示与剖析现实生活中的重大问题。2007年的纪实文学在关注社会民生问题，建设和谐社会方面，产生了不少优秀的作品。

教育是立国之本，2007年春季开学之际，教育部宣布：继去年在西部农村地区推行农村义务教育经费保障机制改革之后，今年在整个中部和东部地区全面推行此项惠农教政策。李春雷的《乡村的笑靥》，就是以此为题材创作的报告文学作品。从太行山区一个农村姑娘孙红艳受此政策的恩泽而露出的笑靥中，作者看到了整个中国乡村欢欣的笑靥。养老问题也是2007年度纪实文学作品关注的题材。祁建的《2007，见证中国养老工程》，展现了各种各样的社会养老形式，通过这些探索和尝试，表现出中国人“老有所养，老有所医，老有所乐”的时代进程。

除了教育、养老等重大的社会民生问题之外，一些纪实文学作者还用细致的笔触，深入到百姓生活中的所见所闻。如袁蕾的《你不会懂得我伤悲——杨丽娟事件观察》，讲述了病态迷恋影星的悲剧故事。

（撰稿人：杨扬、王芳）

目录

晚来香港一百年

1842 年 8 月 29 日，一个半世纪前，一艘英国舰船，船的名字叫“康沃利斯”号，在中国江宁的江面上，强迫大清政府和大不列颠签下了不平等的《南京条约》，占领了香港，得到赔款 2 100 万两白银。

1997 年 7 月 1 日，十年前，同样是一艘英国舰船，船的名字叫“不列颠尼亚”号，在中国南海的海面上，载着英国王储、末代港督彭定康及其家人，于零点 47 分驶出了维多利亚港，离开香港，结束了英国人对香港一百多年的殖民统治。

香港如期回归，凭借的是邓小平先生“一国两制”的宏伟设想，“港人治港、高度自治”，这八个字写进《基本法》很容易，但是落实到“治”上，怎么治？什么力量能够构成对这个社会的控制与制衡，更重要的是，如何保持香港这个有着复杂历史背景和特殊价值观念的社会今天的平稳与平静，明天的发展与不断繁荣？

香港为什么不“堵车”？

说句老实话，尽管生活在香港，我最先接受并喜爱的是“叮当车”，但是后来对这座城市慢慢熟悉了，巴士也常坐，只是这一坐不得了，醒了一个意识，再回北京，再看到北京近几年汽车把马路堵的，有时扔了钥匙，不开车，也学着香港人的样子坐起了公共汽车。这种变化在我身上发生，谁也想不到竟然是因为领略了香港，改变了观念。

2006 年冬天我回北京探亲，不知道是什么原因，突然发现北京的马路怎么那么堵啊。西二环不分钟点，也不分是不是上下班的高峰，什么时候都是一片巨大的“停车场”。一次有位路人在我身边突然大喊了一声，整句话都灌进了我的耳朵：“嘿我这爆脾气，咱这北京的马路，××× 还是马路吗？干脆改名得了——换北京小吃——爆肚儿（爆堵）。”惹得我为其言叫绝，同时也回头自然对比起香港——

北京和香港，假使按客观条件来说都是人口拥挤的大城市，都是车满为患，现代化的种种麻烦常常要惹得人肝火旺盛。但是在香港，如果和北京2006年年底我看到的情况相比，这里的马路就可以说不堵，堵也堵得合理，堵得让人能够接受。

2006年11月，北京市市长王岐山在香港出席第十届京港经济合作洽谈会时曾经首次向外界坦言，说北京现在的交通拥挤已经是“老大难”的问题了，有外国记者到北京，管中国的“首都”都不叫首都，干脆改口叫“首堵”。声称要在这方面好好地向香港学习，把香港成功的经验带回去加以借鉴。我偷忖：北京人能向香港学习什么呢？

香港的交通，即使是有吹捧之嫌，我也要说，建设与管理，那可不是一段诗歌，别人想学，背了去就完事。客观地讲，这里的马路大部分都没有北京的宽，一条大道，能容下双向八辆车并排行驶，这简直让香港人做梦都不敢想。然而香港的道路虽窄，车子却跑得不慢，至少是有序。据上网检索，北京城市面积到了2006年已经达到了14 000平方公里，而香港算上87%没人居住、不可能开车上去的荒山，总面积也只有1 103平方公里；那么人口呢？北京2006年人口已达2 700万，香港人口也上升到了700万；北京现有机动车282万辆，香港的数字是50万辆左右（常年稳定）。那么单从人、车的比例上看，香港平均拥有汽车的人数还是要比北京高，但是北京拥有汽车的“有车族”一般都是些什么人呢？“富人”。北京人一富，哪怕是小富，必然买车；而香港的“富人”，家底虽厚，但未必家家都养车。这种情况就拖带出另一个话题，“穷人乍富”。直到今天，北京人（当然也包括大部分的内地人）还把有车、开车看作是一种身份、地位的象征；而香港没有或者说人们已经咂摸透了这份“虚荣”，大多数人开不开车首先是要看成本。为了鼓励“利用公交”这种思维，香港的道路建设成龙配套、设施完备、运转灵活，市民依靠公交，时间成本、金钱成本都绝对要低于养一部私家车。这样就赶得很多人都去利用公共交通，坐地铁、乘巴士，车也就慢慢还原到了它的“工具”身份。

整整十年前，我记得当时北京最早提出了“公交优先”的口号，长安街宽宽的大马路上立刻就辟出了一条专供“大公共”行驶的公交车道。香港这里也讲“公交优先”，但是形式不同。在香港，所有的马路公车、私车都在一块跑，但是即使是在上下班的高峰时间，马路上塞车，这个“塞”也不至于一动不动，用我们常说的话就是不至于“堵死”。这里面的原因究竟是什么？不是车少，也不是道路使用上的应该谁先谁后，而是大家都守规。香港没有司机一急了就乱来，这一点表面上看起来根本不可能缓解车、路紧张的根本矛盾，但是我在香港常坐车、常看景儿，次数多了就不能不认同：人人守规，这可发挥了太大的作用。

还是2006年冬天我在北京，举一个例子：一个普通的日子，中午11点半，我去单位，坐47路公共汽车（从海淀开往西客站），车堵在“豁口”十字路口北侧，27分钟了竟然没有冲过一个红绿灯。当时我再次感叹北京的道路现在怎么堵得连让巴士喘口气的工夫都没有了。“豁口”立交桥南北两侧的行车道规划得不尽合理肯定是一个因素，但是即使是这样，红绿灯儿健在、交通警健在，怎么也不至于大中午的就把路堵得个水泄不通。然后仔细观察，明白另外一个原因更致命，这就是“司机急了谁也不让谁”！

我赶上的那位47路公车司机若论脑筋、手脚，都不算潮，他该直行，但是看到前面要左转的车辆一辆接一辆地见缝儿就钻，一有空儿就硬插到了他的前边，司机忍无可忍便开始大骂：“× 你大爷的，这还有路吗？还他妈往里切呢！”不到十分钟，我听到他嘴里已经把对方所有的家庭成员几乎都 × 了个遍，但是车子还是不动。被逼无奈，这位司机大哥也就不管三七二十一，这年头，谁管谁呀，能往前蹭一尺是一尺，一脚油门先杀进了左转弯的导流区。结果到了红绿灯前他不能再左转了，必须得按公共汽车规定的线路来行驶了，可是此时再想回直行道，哪里回得去？后面左转的车辆好不容易盼到了绿灯，有他挡着，干着急也过不去，于是整个十字路就拧成了越来越大的一片疙瘩，汽车喇叭吼声四起，一群叫驴，看谁嗓门高、时间长。乘客呢？很多人挤在车上；坐也没处坐，站也站不舒服，当

在没有交通灯的路口，香港交通部门会在地面注明“望左”“望右”的字样，提醒人们注意此方向的来车。（黄晓勇／摄，图片来源：新华社）

然觉得堵车备受煎熬。

内地人，最主要的是我们这一代，从小一直受苦，中年才开始享福，所有曾经拥有的梦想，诸如开车、买房，后半生都得以实现，人是好不容易才撇开了自行车，成了“有车一族”，但是我到了香港，以后再回北京，反倒坐起了公交巴士，出现这种“变化”，观念的改变肯定是一个原因，当中还有一个原因不能不提，这就是香港的巴士和北京的巴士条件不同，因此坐公车的概念也就不一样——

在香港，人坐上巴士，一般车上都有座儿，不需要长时间地站立。车里车外到处都很干净。夏天、冬天也都有空调。这样尽管路面上不时塞车，反正大家各自有座儿，“小环境”起码还说得过去，烦恼也就消减了许多。然而2006年我在北京坐巴士，平心而论，尽管这几年我发现北京的巴士数量其实还是在不断地增加，700路、800路、900多路都仿佛一下子涌到了马路上，但是北京人坐公车还是要发愁，为什么？不舒服，难受。有一天我被堵在路上时忽然想到了一个问题：“唉，北京的公共汽车为什么不能像香港那样，把巴士都建成双层的，这样不是就可以把运力轻松地提高一倍？”不过正这么想着，眼前经过了一座桥，一座过街天桥，我一看，哦，傻眼了，桥不够高，司机开上“双巴”，一过桥，个个得砍脑壳。

北京市长王岐山该向香港道路交通学习的地方，照我看可多了去了，20年能不能学得下来都难说——

首先香港的城市交通是立体的，高架桥、双层路，单行线、回转线，设计得尽可能科学合理，这是其一；其二，管理严格，有法必依；其三，香港的司机绝大部分都会照章行驶，没有司机一急眼了就乱来。这样“硬”和“软”的两种建设就共同梳理着香港本来要比北京狭窄、拥挤得多的条条路面。比如很多马路上不值得建置红绿灯的路口或机关、学校的门口，那里也和北京一样，划出了很多带黄色××的禁停区，每次车辆行驶到这样的地方，香港的司机绝不会因为前面的车子已经开不动了就呼啦一下子骑上去，“能往前蹭一尺是一尺”，但是这种情况如果换到了北京，哼，只要没有警察看着，“黄色的××”有屁用？

好几次我在香港最“堵车”的时候坐出租都和司机聊天，有一天一位司机师傅说得好：“当然啦，都乱来，不该堵车的地方也要堵，车乱路才乱；但是大家如果都守规，车子再多也会流，只要流，马路上就不会被堵死，总要好过出事、追尾、刮蹭，是不是？”说完，瞥了我一眼，看出我是内地人，又甩出一句：“对不起，不是我讲你们内地的司机普遍素质太低，不过深圳、广州我都去过，我就是不明白他们怎么就不懂得这个道理？！”

他们？不，我们，怎么就“不懂得这个道理”？我哑口无言，司机师傅末了却“唉”了一声，一副无可奈何、替古人担忧的样子。

一般人住多大的房子？

记得还是到香港的头一天，我被人用车送到了港岛东南一幢又细又高的大厦门前，先生也来接我，下了车，他说：“到了，咱就住这儿——跑马地高尚住宅区的豪宅。”

“豪宅？”我四下环顾，“在哪儿呢？”当时显出好大惊讶：“就眼前这根儿细细的‘筷子’？”

进了大门（二尺宽），大厦的前厅也很窄，只能容下四五个人。

这会儿电梯来了，门一开，我忍俊不禁，先生说：“你别笑，等会再开门，小心把肚皮笑破。”果然说着电梯已经来到了22层，门一开，我的肚皮真要破，为什么？香港的豪宅不仅电梯小，楼道也太小，小得袖珍，出了电梯，伸手就可以把钥匙插进自家的门锁里。于是到了第二天，我和其他六位从北京来的记者，大家议论最多的就是香港的住房，寸土寸金，巴掌大的一块地方也能起高楼，这，简直太好玩了——

香港的情况大家基本都知道，地少人多。这里的老百姓家家所住房屋如果和这个社会高度现代化的规模相比，面积大小不在一个平面，价格更高得吓人。

曾经有人问我在香港买房子贵不贵，我说“不贵”，这里的房价差不多是内地的十倍，在世界也是排行第一。问话的人立刻把舌头都吞回到肚子：“十倍？北京的房价已经够高的了！”我说：“对，香港的房子没法用平均房价来衡量，好房太好，差房太差。十倍的概念只是个比方，如果具体来说，你在北京买一处四千块钱一平方米的房子，那么差不多同样的条件，这个四千块在香港也许就能买到一呎。一呎的面积有多大？大约十分之一平方米，那么十呎不就是四万，价钱不是正好上升了十倍？”

我们中央电视台1997年香港回归前在港岛跑马地买下的成和道18号大厦，如果放到北京，一点“豪宅”的气息也沾不上，但是换到了香港，人们一提你住哪儿，回答是“跑马地”，对方立刻也会“吞舌头”。然而“跑马地”我们住的“豪宅”有多大？50多平方米，客厅还能容下几个人转身，可两间睡房，大小只能分别放下一张双人床和一张单人床。这对在北京虽说也就是近几年才住上了大房子的我，空间的压力也不是一下就能适应。

开始我不相信两室一厅，两口人居住，这样的住房条件在香港人眼里已经是相当令人羡慕，后来住长了，不时也会到当地的朋友家去造访，才知道四五十平方米的房子，香港人一般的家庭却要住上好几口，老少三代同居一处，卧室、客厅，双层床、打地铺，这样的情形很普遍。

记得第一次我去采访一位当地人，选择采访地点时我对被访者说：“就去先生您家吧。”那位先生面有难色，但是碍着我的面子，答应了，嘴里却一个劲地讲：“我家里可是太小，到时候摄像机怕都要支不开。”我哪里相信，他们家有五口人，妻子、孩子，其中两个女儿大的已经21岁，小女儿和儿子一个上中学、一个上小学，这样的家庭怎么也得有个集体活动的空间吧。然而真的走进了他的家，我还真是直嘬牙花子——那房子比想象当中的要拥挤得多，厨房、厕所、两间睡房加上客厅，拢共合在一起才30多平方米。父母的卧室除了床面，墙壁四周到处都是柜子，三个孩子的小屋面积还不足6平方米，三张小床肯定放不下。我看到屋里只有一个窄窄的上下铺，就不太礼貌地问：“你们家不是有三个孩子吗？那么第三个住哪儿？”女主人看我真切关心，就不好意思地说：“抽屉，在床下。”跟着立刻给我示范，上下铺的床底果然让她拉出来了一块大平板：“瞧，儿子的床，晚上拉出来，铺上被褥，早晨推回去，没办法，房间太小，只能这样。”

我从此理解了香港人为什么一般都不会轻易地把客人带回家，我是赶上了一位最豁达、最乐观的被访者——结果那天采访，屋里果然根本支不开摄像机，摄像师不得不把房门打开，将三脚架支在了楼道，这样才勉强做完了访问……

截至2006年3月，据全国工商联房地产商会给出的数字：中国内地人均住宅面积已经达到了26平方米，香港城市居民的平均住房面积则只有7.1平方米，这个标准比小日本的15.8还要“小”去了一半。

如果说特别困难的，有一天我宿舍的空调坏了，漏水，不得不请大厦的管理人员王师傅打电话赶快约来香港的修理工，漏水的空调在两间中大一点的那个房间，王师傅带了工人进来，我看到工人一直在发愁没有地方摆梯子，就十分抱歉地对王师傅说："对不起，这房子太小了，让你们没法作业。"谁知道王师傅立刻爆笑，连连讲："你这房子还算小？我家租的房子和你们家的一样大，那里边可是住着四户家人。"我以为他说的"四户"指的是一个家庭，亲戚上下总共有四口人，但王师傅马上纠正："不是，是四户，完全没有关系的四户人家。"50多平方米，刨去公共面积，内瓤有多大？住四户？我几乎愣了，两只眼睛全是怀疑："真的？"

"真的，"王师傅万分肯定，"大屋、小屋各是一户，客厅被一分为二，住了两户，其中一户人家两公婆还有两个孩子——"

"那怎么住啊？"

王师傅说："想办法呗，香港人在利用居住空间方面照我看比世界哪里的人都聪明，有些人为了节省空间，把家里所有的房门都换成了推拉式，头顶、过道都被利用了起来，打包厢、竖书架，要不怎么办？"

后来我很快发现一个很有趣的现象，这就是香港的家居面积一般不是都很小吗，商店里卖的很多家庭用品型号也跟着变化，都被微缩。锅碗瓢盆的小物件咱就不必去说了，只说沙发和床铺，我从北京带来的沙发靠垫，到了香港往外一拿，顿时成了庞然大物；双人床床单、床罩，最开始铺到床上怎么也不挺括，怎么拉扯前后左右的都往下耷拉，我开始不明白这些东西都是标准货，怎么到了香港就都不合适了？有一天我先生突然一拍脑门儿，说："哦，我忘了，香港的双人床和内地的尺寸不一样，宽不是1米5，而是1米35，长也有变化，也要比正常的短一些。"这就难怪我从北京带来的床单、床罩，为什么没有一个铺出来合适。

内地的老百姓如果只和香港人比住房，"没事偷着乐"，就赶快满屋子跑步、上蹿下跳地庆幸去吧。近几年北京的大小家具城，1米5的标准双人床已经不多见，大有被"1米8"全部取代的趋势，然而"1米8"的双人床，普通香港人脑袋里别说没有这个概念，就是有钱，能买，搬回家往哪里放呢？

香港人怎么去"看病"？

香港住房和内地的相比显得紧巴，不是有钱就可以解决的问题（当然"真正有钱"可以去买house），不过人家看病，公立医院除了挂号、一点点象征性的医药费，其他的都可全免，这种福利让内地同胞，特别是眼下越来越多得不起病、看不起医生的内地“同胞”不能不心生羡慕——

我来港之前对香港的医疗体制小有耳闻，因为要常驻，谁也保不齐会因为气候不合、水土不服，一年四季得点小病，因此关心在香港的看病成本肯定是一种自然的心理。

然而到了香港，我被通知，中央电视台派驻香港的新闻记者，大家尽管已经离开了内地，但是由于工资收入太低，在香港还是可以继续享受原有的医疗待遇，一般偶感风寒，只要到中央政府驻香港特别行政区联络办公室的门诊部去看就行，不需要自己再花钱，因此没有大病，开始我还真没捞着机会去香港的公立医院去“看医生”，所以当内地的朋友问起我香港的医院到底是怎么运转的，老百姓看病是不是真的不花钱时，我很被动，一问三不知，最后真恨不得自己也得场大病，中联办的门诊部看不了，这样我就可以有借口去享受一下香港医疗体制的高福利，也赚他一个心理平衡。

不过，不去香港的公立医院不知道，真的有病去看了，才明白香港人有病“看医生”其实也有自己的一片甘苦天地，这里面可圈可点的东西也是老鼻子了——

2006年11月，我闹心上火，火气在七窍之间来回乱窜，最后几天竟然跑到了肛门，痔疮一发不可收拾。这个病不算大却很难受，刚犯的时候我去中联办的门诊部就请医生给看过，医生说已经形成了血栓，要我去香港的医院或者深圳动手术，我一听“手术”？不愿意去挨那一刀，就借口工作忙，一拖再拖没有去。结果到了月底，家里4套节目的《直通香港》栏目要我为他们制作一期香港如何预防艾滋病的电视专题片，在12月1日“世界艾滋病日”那天应景儿播出。联系好采访的头一天夜里，我后门继续疼得只能趴在床上睡觉，下午要去基金会了，这副德行可怎么好？幸好香港艾滋病基金会的所在地就在香港赛马会筲箕湾诊所的五楼，这样我就想利用两场采访之间的一点点空闲去顺便看看医生。可见我的想法挺智慧，挺能一举两得是吧？谁知道一到了医院挂号处，工作人员竟说：“你怎么现在才来挂号？医生今天有很多的病人噢，要排很长的队，恐怕短时间之内你看不上。”我这才想起香港的公立医院，早就听人讲过，价格虽说便宜，但是死不了人的病，特别是一些慢性病，一般患者都要等待很长很长的时间，这个“长时间”可能是几天、几个月，也可能一等就是数年。我的一位香港朋友要做一个妇科小手术，跑到公立医院，医生说至少要排队等上两年，后来她被介绍到一家私立医院，一个星期就上了手术台（当然收费很吓人）；而另一位朋友的亲戚前列腺肿大也需要做手术，老先生说什么也不舍得去私立医院花大钱，就排队等“公立”，结果据说这位老先生整整等了五年，最后人都死在其他的急症上了，他的前列腺手术还是没有在公立医院做成。

内地人以为香港人看病是一种享受。公立医院收费低，但是要等；私立医院，那里的条件好、速度快，但是香港人并不是个个都是白领，“公”与“私”在香港有天壤之别，老百姓不是个个都舍得，人人都看得起——

根据资料：香港的公立医院遍布港、九、新三地，有几十家之多；而私立的只有12家，不过由私人医生执业开办的普通门诊和专科门诊就多到不计其数。这当中公立医院一般普通门诊挂号费用仅为45元，专科60元；私立医院却要高到200至400元不等。还有，香港的公立医院普通住院费一般每天只收68元，膳食、检验、药物、手术全都包括其中。可是私立医院呢？我们大厦的另一位物业管理人员2006年胃病到了很严重的状态，不得不动手术，因为等不了，就到私立医院，可是一打听，一个手术下来要花费几十万，后来他在香港的公立医院终于解决了（真正的急症还是很快），手术费才花了400多块，你看，这里面的收费是不是有着“大壤之别”？

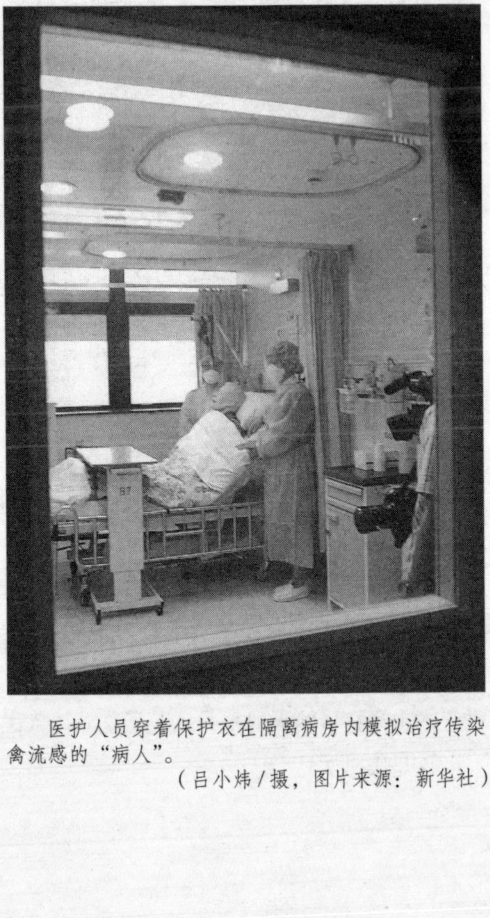

医护人员穿着保护衣在隔离病房内模拟治疗传染禽流感的“病人”。

（吕小炜/摄，图片来源：新华社）

香港人到公立医院排不上队，看私立又花不起钱，市民不约而同就想出了一个对抗的办法，这就是打电话、叫“白车”（救护车）——病人得了急病，看急诊，你公立医院再怎么也不好意思让人家再排长队等待了吧，但是这一招使用的人多了也不奏效，公立医院的“急诊”也有分诊制度，即使你是坐救护车呼啸而来的，护士也要首先给你做初步的检查，经过初检，有必要让你见医生的立刻见，没必要的，或者让人看出来有“破绽”的，护士还是只会给你草草地塞上一点药，然后把你打发回第二天早上的门诊。

2005年我的一个同事，一连几天都在闹牙疼，他自己吃了药，始终不管事，右半边脸已经肿得鼓起了好大一片。这天夜里实在扛不住，就拿出身份证（只有香港居民可以享受到公立医院就诊的优惠）被另外一个同事开车送去了一家位于西环的香港公立医院。事后过了好久，他对我说：“我怎么也忘不了前后两次在香港公立医院看病的复杂经历。”意思是说我想听“故事”，他的经历可谓跌宕起伏——

第一次夜晚来到公立医院，花了100块钱的急诊挂号费，分诊的护士过来了，查看了一下病情，证明他没有耍滑头，真的是在闹牙疼，于是就在一张表格第二栏的“十分疼痛”上给他打了一个钩。这位同事看后心想：“十分疼痛”？这比第三栏、第四栏的“比较疼痛”及“一般疼痛”可要厉害得多，离第一栏的“病情濒危”也就只差一步之遥了，估计大夫很快就会给他看。然而等了40分钟，护士过来叫他，进了屋好不容易见到了医生，那医生并不动手给他检查，只是用嘴“问病”，之后开了一小袋止疼药就让他回去。我的同事脑袋都要气炸了，说：“我现在，这么疼，您，怎么只给我开药而不给我处理呀？要是吃药能行，我从昨天到今天已经吃了一大把的止痛片，但是根本就没用！”医生说：“对不起，不好意思，我们这里只是普通的急诊，不是牙科专科，难道你不知道？香港的所有公立医院哪一家都没有牙科，要看牙，你只能去私立医院或者找私人医生。”

同事捂着腮帮子，越生气牙齿疼得越厉害。虽然他知道香港的私立医院要价很贵，但是这牙疼不看也不行啊，就耐着性子问医生：“那您能不能告诉我，像我这样的情况，到了私人诊所，直到把牙看好，得花多少钱？”医生这才让他张开嘴，向里面望了望，然后说：“哦，是长智齿，并伴有牙龈发炎，要动手术。费用嘛，大致需要5 700到6 000元港币。”

5 700到6 000元港币？没有搞错吧？我这可是自费！

再怎么想，同事也想象不到香港的私立医院看一颗智齿竟要五六千，真是不愿意去当那个“冤大头”。最后又忍了一宿，第二天坐车到深圳住了院，结果在深圳没动手术，只打了两天的吊针，花了220块人民币，第三天，牙好了，不疼了。

这是第一次。

第二次，踢足球把一只脚不小心崴了，又是红肿疼痛。不过这一次因为有了上次看“公立”的经验，我的同事就没有去，依然也不舍得去“私立”，而是想到了香港除了公、私医院以外，还有一些慈善医院和门诊部，这样的医院什么也不要，连挂号费都不用交。

结果到了慈善医院，同事看到，来这类医院享受“免费医疗”的都是些香港的老人，“这些老人不是一般的‘老’，而是个个都到了耄耋之龄。”医生说他们这些人是香港连公立医院都看不起的一些最困难的穷人。医生的话不仅让我的同事、一个大小伙子脸上实在有些挂不住，另外医生还说：“我们这里虽然一切费用都全免，但是你的脚，怕骨折，需要先拍一张X光片，这种服务香港的所有医院可都不附带，你还是得去其他的专门诊所先拍一张片子。”天啊！小伙子一蹦一跳地先去专门诊所拍了片子（还是花了200多港币），然后又一蹦一跳地再回到慈善医院把片子给医生，医生看了，证明没有骨折，给他上了药，让他三天之后再来复查，我的同事三天以后没有去，一来他的脚基本已经好转，另一个更重要的原因他说：“我实在不好意思，不忍心再去和香港的那些穷困老人去抢人家那点本来就已经很有限的慈善资源。”

你说，香港人看病有福可享吗？

“有什么别有病，没什么别没钱”，说了半天，还是想起内地老人常爱讲的那句“大实话”，这才感到是个出路！

香港有没有“黑社会”？

过去我不看香港的电影，不爱看，看不懂，原因很简单，不是痴男怨女，就是低俗搞笑，看了觉得挺掉价。后来出了《无间道》，知道不看不行，不看也太不把香港的正义与邪恶放在眼里，于是就买了票，进了电影院。认真一看，还不错，还挺让人揪心，只是自此留下了香港社会到处都充斥着抢劫、暴力、黑帮、大佬、警匪恶斗的印象，这个印象一直让我觉得香港有“黑社会”，而且“黑社会”遮天蔽日，势力大得几乎无所不在。

然而2004年我来到香港，四下寻找，眼睛都找累了，可是抢劫、暴力在哪儿呢？香港“黑社会”的影子在哪儿呢？满世界迎面走来的人没有一个穿风衣、戴墨镜、嘴里永远都在嚼着口香糖，行为举止不可一世；相反，街面上的秩序十分井然，运钞车开得很自然，像私家车一样，还不如急救车、救火车呼啸而过来得刺激。

上个世纪80年代以后，香港社会渐渐笼罩起了一片文明的气氛，治安情况好转，胸前也很快就挂起了“世界最安全的城市”之一的标牌。半夜12点，单身女子走夜路，丈夫们已经忘记叮嘱妻子千万要多加小心；白天逛商场，手袋（书包）一闪失落在了柜台上，突然想起返身再去寻找，一般情况下包都还摆在原地或者让售货员看见了已经为你妥善保管了起来。进入21世纪，夜不闭户、道不拾遗，用这样的话来赞美香港也许有点夸张，但是深圳、广州与香港挨得多么近，你回到那里去试一试，单身女人别说半夜一个人还敢走夜路，就是白天上街人人都会担心被偷、被抢；书包落在了柜台上，别说丢，一秒钟前刚刚撒手，扭头去挑什么东西了，再回身，没了。有一次我去广州出差，手里拎着个手提箱，重重的，放在路边招手叫出租车，中间的过程最多也不超过五秒钟，可是再转身，偌大的一个手提箱已经消失，那个箱子里面装的全是书，我一个人提着走路都很费劲。

当然，如果话谈“黑社会”，“黑社会”和一个社会的“强盗”“小偷”完全不可同日而语，前者有组织、成规模，存在目的并不是打架斗殴、偷鸡摸狗，而是霸场子、占地盘，控制某个领域或者某些人群。那么香港到了今天到底还有没有“黑社会”？如果有，他们以什么样的形态呈现，又对社会构不构成巨大的威胁呢？

2005年4月的一天，我和同事外出采访，因为要带上机器设备，没法坐公车，就照例在街边喊了一辆出租车。上了车，我坐在前排，忽然发现这位司机师傅的左手怎么有点与众不同，仔细一看，食指几乎齐根断去，他的手又特别大，少了一根指头分外显眼。我一忍再忍，最后还是没忍住发问：“师傅，不好意思，您这手……”司机见我问，并不计较，脸上看上去倒是一腔的豁然大气，嗓门也像洪钟一般：“啊，你是问我这手啊？咳，受过伤，刀伤。过去我是干‘黑社会’的，不小心让人给算计了一回。”

“黑社会”？耳朵，我的耳朵立刻又竖成了兔子。心里咯噔一下。找了半天，还以为香港现在没有这种恐怖了，怎么……转瞬一定神儿，意识到当下自己的身边并无危险，人家“黑社会”的大哥如今不是也已经转行开起了Taxi？情绪就还原如初，但仍不想错过这个难得的机会，于是蹬鼻子上脸，还问：“‘黑社会’？那现在您说，香港还有没有‘黑社会’呀？如果有，我怎么看不到？”

司机大笑：“能让你看到，香港的市面还能这么平静？现如今，哪个社会没有‘黑社会’？你们内地就没有？不过香港眼下的‘黑社会’倒真是少多了，为什么？日子不好过，干‘黑’养不了家，你看，这不连我都已经洗手不干了？”

如果看资料，香港“黑社会”的问题在上个世纪六七十年代的确比较严重，结构稳定，势力范围清楚，那时候香港的警察是帮着“黑社会”抢地盘，摆平纠纷，黄、赌、毒什么都做；只是现在，香港“黑社会”最活跃的组织也就只剩下了12到15家，其中人人皆知的“新义安”“14K”“和胜和”，这些组织也都与从前不同，都变得比较松散，马仔一般也都是些乌合之众，很多人过去是“终身从黑”，现在只是“兼职”……

“终身从黑”？“兼职”？我还是第一次听说。

根据一位香港警署“反黑专家”的解释：香港“黑社会”现在如果从人数上看，还有10万之众，警察却只有2.7万人，但是香港的警察完全可以控制得了局面。为什么？因为现在香港的“黑社会”，要“做事”，一般都得雇“临时工”，长期养一大群马仔的日子已经一去不复返，谁也不再拥有这个实力。

香港的马仔既然是临时被“雇请”的，那么一个马仔被“黑社会”雇用一次要多少钱？

我的问题很直白。

至少一两百港币吧，这个行情还得随着“出场”事件性质的不同而变化，最重要的场合500元，还不包括伙食、交通费、医疗费、律师费及安家费等等其他的费用。所以现在香港“黑社会”武斗一次代价太高，打一场架弄不好要使自己破产，一般的组织都“破费”不起——

2006年年底我去采访一位中资香港公司的董事长，大家谈到保险业对一个社会稳定所能起的重要作用，这位老总回忆起1985年到1992年他在香港第一次常驻时的情景，说：“那个时候香港每个月都能从电视上看到银行被抢、金店被抢的相关报道，可是现在，情况真是好多了，有时一年也不能看到一次。”

香港“黑社会”大面积地消失，我不知道应该归功于这个社会“打黑”力度的空前（其中包括与内地合作）、经济的不断繁荣稳定，还是物价过高，“老大”们根本养不起马仔？不过，香港“黑社会”既然曾经有过“往日的辉煌”，演变到如今，有人说已经进入到了一个“理性”＋“商业性”的时代，是值得我，或许也值得社会学家仔细玩味。其中“理性”，按照一般的规律，我猜想也许直接与成本相连，如果一个“黑社会”的“老大”转行开始做合法生意，资金投入远比过去他“玩儿黑”要来得更便宜，那么“老大”当然也就不必去铤而走险、成年累月地满手离不开“血腥”；但是“商业性”呢，这里的意思指的是什么？是不是就是前边已经说到的“包养”和“散养”方式的变化？

在香港，“黑社会”至今还有一句“行话”叫作“晒马”，英文的字样是show off force，翻译成普通话就是“炫耀武力”。现在香港一年四季很少再发生由“黑社会”出面组织的声势浩大的“黑帮火并”，一般都改为“晒马”。“晒马”的目的当然不是为了武斗，而是要借此方式给接下来双方必然要进行的谈判增加一些“话份”。比照游戏规则：谁能拉来的人多、“阵容”厉害，谁一会儿就会在谈判桌上占到上风。因此被拉来的人虽然也被称为“马仔”，但他们手里一般都没有武器（买武器更贵），彼此之间大部分也都互不相识。这样香港“黑社会”“老大”呼啦啦花钱雇来了成百上千的人，双方“晒马”进入僵持，唯一的出路就是盼着警察大哥早点露面——“黑社会”失去了原有的“本色”，社会很自然地也就很少听到枪声。

2006年8月20日下午3点，55岁的香港民主党副主席、立法会议员何俊仁，在参加完市民反对政府开征“商品及服务税”的游行之后，于下午5点与同伴来到了位于皇后大道的“中航大厦”地库的麦当劳餐厅用餐。突然，四个头戴鸭舌帽、手拿垒球棒的陌生男子快速闪身冲进了店内，在毫无先兆的情况下，挥棒就对何俊仁一通粗暴殴打，逞凶之后迅速逃离了现场。此事在香港社会立刻引起了轩然大波。我在看到这条新闻的第一时间，脑袋里又和“黑社会”发生了某种碰撞，一下子又变得非常警惕：“瞧，憋着、憋着，香港的‘黑社会’到底还是现身了！”然而警方在随后的调查中声明：虽然“殴打何俊仁”的事件是一起“有计划”的暴力行动，但是没有任何迹象表明它和“黑社会”有关。

何俊仁被打得当场口鼻流血，面部肿胀，很快被送往了香港的玛丽医院，然而治疗后没过多久，他也委托同伴向媒体解释：“相信这起事件并不涉及私人恩怨，很可能是与他在立法会或律师楼的公务有关。”何俊仁嘴里也是只字未提“黑社会”。

看来香港“黑社会”，真是形同消失，或者在概念上已经发生了根本的异化？

你会到银行“取钱”吗?

到银行取钱，对成年人，尤其在一个文化普及的社会，不是问题，我这里之所以要幼稚地提出这样的假设，其实想说的并不是人们在内地，进了银行，拿号排了队，候到窗口递进去存折，然后就向营业员说明你的要求，存钱、取钱，完了事走人。这里要说的其实是香港的银行服务。

2004年9月我初到香港，第二天就被人带去银行办理一系列个人业务，这些“个人业务”包括需要立刻建立起一个存折，设立一个工资输入户头，紧跟着，营业员就会问你想不想申请一张自动取款卡、一张个人消费信用卡。我当时并不清楚一个人生活在香港，银行对他有多么重要，只是感到香港的银行工作人员并不多，场地也不大，但是环境却非常洁净静谧，营业员的态度也和内地的有所不同，脸上没有“说吧，你要办什么，快点”的平板，而是笑容可掬，亲切得像你的自家姐妹，起码那天接待我的那位营业员小姐就先把我安排在了她对面的一张桌子前坐下，然后大事小情地一样一样慢慢交代——

香港的银行数量多，多得一上街，没走几步就一家，品种更是涉及港资、中资和外资，给人足够的选择和适用空间。我后来知道香港人外出身上所带现金其实并不多，相反各种“信用卡”却总是把每个人的钱包都插得硬撅撅。第一次“刷卡”，我的感觉好极了，因为我要买东西的那家商店门面并不大，只是一间街头小铺儿，我问老板“刷卡”行不行？老板讲：“行，当然！”一句“当然”把天地顿时撑满了自由。但是第一次使用“取款卡”，我的尴尬就随着不知深浅而来，弄得自己十分狼狈。

香港的各家银行都会在门外或者在街头摆放出很多的自动取款机，也就是我们内地所说的柜员机，这些“柜员机”样子与内地的差不多，但使用起来却有一项重要区别，这就是取钱的方式。比如在内地，如果我要取钱，把卡插进机器、输了密码、挑选了所要支取的现金钱额，然后就守在“出银口”等着拿钱就是了；可是这样的程序在香港就不对，就要“出事”。第一次使用，我不知道这种“不同”，前面的程序都已经做完了，守在“出银口”，甚至已经把手伸过去等着接钱了，可是等了半天，钱却不出。我正不明就里，忽然刷的一声，抬头一看，卡没了，正悠悠地往机器里面缩。你说这叫什么事啊！急忙找来营业员（那天幸好是在银行，要是用街头的柜员机就糟了），人家一听："啊，卡让机器给吞了？"营业员忍不住想笑，但又怕笑会让我怒，连忙控制住自己，安慰我："哦，对不起，没关系。"我说："对不起？你有什么可对不起我的呀？但是没关系？出了这种事怎么能和我没关系？"营业员这才向我耐心解释："香港的柜员机和你们内地的不一样，我们必须先取卡，然后再取钱。不然钱永远也不出来。但是这样做纯粹是为了顾客的安全，免得客人只顾着拿钱、数钱，后面的人，要是有谁动了不良之心，把你的卡一把抢走，就更麻烦了。"

"会吗？"我木在那里，已经陷入了无奈。

"防患于未然嘛！"

"但是我的钱呢？"慢慢回过神儿，我立刻意识到，"刚才我可是已经把钱数输了进去。"营业员说："钱跑不了，机器已经自动打回去。"我将信将疑，她看出我不信，又说："你不信？带存折了吗？"我说带了（那天刚好在包里），对方就帮我把存折输进了柜员机旁边的另一台查询机，果然，不到两秒钟，我的存折里就显示一行当天某时某刻曾经支出过××××元的记录，接着又显示了一行已经再存入了××××元的记录——

小小的柜员机也有"人性"，"人性"得好像不会说话的铁盒子后面随时都站着一位服务生。面对可能出现的小偷，柜员机不卑不亢，但是小偷想找机会下手？那就不行。

然而那张被机器吞掉，不，"保护"了起来的那张卡，营业员告诉我四个工作日以后会寄回到我的住处。以后等了四天，我的卡果然完璧归赵。

曾几何时，我在中央电视台的某套电视节目里看到过这样的一件荒唐事，一位具有"不良之心"的小伙子，看到夜里四下无人，举着榔头就向一台内地某银行的柜员机拼命地砸去，费了好大的一阵子劲，灰糊糊的屏幕终于被他敲开了一个大窟窿，"不良之心"把手伸进去即开始从里面往外掏钱……

这件事我根本不好意思向香港人学舌，学了，人家不仅会笑话，而且会奇怪："怎么，内地会有这样的情况发生？机器不报警？当时现场也没有监视录像吗？"

我心想有监视录像，如果没有，小偷当时的"壮举"观众也就看不到。

银行设立"柜员机"，本初的目的就是从"人性化"的角度出发，为了方便顾客，为了不让顾客只想支取少许的现金也要跑到银行里面去排长队，可是"人性化"的考虑一旦放到了强盗的眼里，立刻就会变味儿，变成他们放纵歹心的世界，大有可为。难道人性化的思想和温暖必须等候时代，等待一个社会普遍形成了文明与自律，否则就可能糟蹋了一副菩萨心肠？

香港与内地，后者需要向前者学习的也许还不是怎样迅速地把人性化的设施建立起来，把人性化的技巧传播开去，而是需要先垦荒，把一个有条件的人性化平台先开辟出来。

我经了一事，想了一天，最后得出这样的结论，心头满是沉甸甸的。

“人性化”的思想从哪里来？

“人性化”的思想，“人性化”的考虑。

即使是几年前在内地，这样的口号其实也广为人知，广为人们所接受，因为“人性化”的温暖对任何一个地方的老百姓都很实惠，不分国家、民族，也不管什么社会制度，哪里的人不需要？

中国先哲早有倡导“勿以善小而不为”。

香港的“人性化”思想大到“中环至半山自动扶梯”，小到“天星小轮”上的木头椅子，贯穿着古老与现今，正像人类追求互助、博爱的思想源远流长。

当然，作为一个现代化的社会，“人性化”的水平和这个社会的富裕程度、文明程度总是息息相关，但是基础是什么？我本能地以为是感情：人与人共同生活在一个地方就组成了一个社会，这个社会人们之间互相关爱、同病相怜则产生了予人方便、予己方便的和谐，这种“和谐”栽种智慧，“智慧”又给人带来了巨大的改善生活的创造力！

有一次我就“人性化”的主题和香港的一位朋友闲来交流，他问我“你认为‘人性化’的基础是什么”？我说是“感情”。

他不同意，说：“起码香港的情况就不尽然。”

我不明所以，虚心请教：香港的情况怎么就“不尽然”了？

他不直说，反倒先来问我：“如果一个社会的‘人性化’按你说的主要是建立在感情的基础之上，那么一旦有些官员没有或者缺乏‘爱民之心’，人性化的延伸是不

此电梯梯级上印有“脚印”的目的是提示乘客的站位，勿阻碍他人通行，但并没有强制要求。
（黄晓勇/摄，图片来源：新华社）

是就会失去了依托？”

我没有考虑，朋友的思考也过于深邃，我不想和他走得太远，只想知道他认为香港的“基础”是什么，就赶快追问：“那么你认为香港的‘人性化’建设主靠的是什么？”朋友说：“另有保障。”

“另有保障？”

朋友的主张在一片原本“爱”的话题中，严肃得好像我俩根本就不是在讨论同一个问题。他解释：比如香港市民遇到了政府应该改善而尚未改善的事情，市民就不满，就会质问，会指责你政府官员“为什么整天拿着那么高的俸禄却还要怠慢纳税人”？如果有些问题是属于私人公司的，市民也会投诉，如果投诉无果，市民就会自我保护、主动反击。

香港人的“主动反击”可以表现在很多方面，其中不给你的“企业信誉”打对钩，不买你的股票，不住你的楼，不进你的货，甚至不上你的饭馆吃饭，逼急了他们还会上街游行。这时候“另有保障”就开始发挥作用，逼得香港社会几十年、上百年都得不断地提升“人性化”的水准……

哦，原来“人性化”的获得不是靠官方或什么人的施舍，而是老百姓自己的权利，朋友的“不尽然”大约主要是想表达这个意思。我终于承认朋友的观点有道理，但这样的思想要把它物化成具体的行动，那得需要一个社会多长时间的培养，老百姓得多警醒、多齐心？

内地离这样的“状态”还远吗？我自己又什么时候才能建立起这样的自卫觉悟？

香港何处不“排队”？

大约是常驻香港的头三个月，那时候我上街买菜怕被人坑，出去采访不认道儿，就是坐上了出租车，心里也总是担心司机会不会把我像个“物件儿”似的往座位上一请，然后就带着我满世界地兜圈子。可是后来我慢慢发现，香港这个社会其实还真不像我和很多内地人担心的那样——出租汽车司机一般都不会故意带着陌生人“兜圈子”，商家一般也不会看人要价，相反，这个社会对外部世界的种种“友好”很多情况下不是出于心地的善良与否，而是职业习惯。比如我在香港因为工作需要经常会打电话联系什么事或有求于什么人，这些事本来都属于只能给对方添麻烦，但是对方不仅不嫌烦，反而总是耐心地告诉我应该这么办、请别怎么办，末了还会抢在我的前面送上来一连串儿的“谢谢”，弄得我这个内地人，手里拿着话筒，一次次傻傻地站在原地，整个人变成了一个巨大的惊叹号——从头到脚都装着“不好意思”，还有“莫名其妙”。

香港的文明，文明的香港，一大特征就是“排队”：

巴士站不管什么时候，不管有多少人在车站等车，大家都会乖乖地排队，从来没有见过公共汽车一进站，男女老少不管三七二十一，呼啦一下子就往车门前挤，谁的个大、力气大，谁就能捷足先登。凡事要排队，这对香港人仿佛天经地义，难道世界走到哪里不都是这个样子？售票处、快餐店、电梯前，甚至公共厕所，香港排队的阵容可谓蔚为壮观。

有一次我乘坐双巴（我说过，香港的巴士基本上都是双层的），那是一辆从起点“跑马地”开往终点“坚尼地城”的1线公共汽车。我坐在车子上层最前面的位子，巴士进入了“山光道”，那时正是早上8点半上班的高峰时间，我从“楼上”往下看，车站排起来的队伍好长好长，一边等他们上车，我就一边开数：10个、20个、30个，最后一直数到了第47位，人们不分男女老幼，也不分白领还是蓝领，都按次序上车。47个人啊，直到车上已经满额，司机不同意再让人上，没有上来的人就又开始继续排，没有一个人张嘴骂街，也没有一个人硬要往上挤，唯有我，坐在车里，像看了一场“西洋景”，唏嘘感慨地忍不住联想起过去在内地，公共汽车有时都已经起步了，门前还是挤着一疙瘩人，有的人的书包、手袋，甚至脚后跟、胳膊、大腿还挂在车外……

香港“排队”的景观构成这个社会一个文明的窗口。

“排队”不仅在地面，而且进入到水中，我这里说的“水”，是游泳池。

许多闷热的日子，有人曾很多次约我去“游水”，我一直都执意不去。为什么？因为想象中香港的地面上人都多得人挨人、肉挤肉，游泳池还不到处都是一锅锅地“煮饺子”？可是2006年9月，一个朋友再约，说：“你到香港都快两年了，还没沾过这里的水，走，去游一次，也感受感受水中的香港。”这次我被说动，一来这个朋友的“动员”精彩绝伦；二来，我那阵子突然“发福”，正着急想办法赶快减肥，于是有一天晚上就来到驻地附近的“摩理臣山游泳池”，一个非常标准、可以用来举办正式比赛的室内游泳场地。

没有进过香港的游泳池，我想象一锅“饺子”那景象一定很让人闹心，然而进来了，发现“饺子”其实很有秩序，怎么讲？游泳的人在水里也“排队”！人在水里怎么“排队”？唉，你听我说：泳池拉开了几条泳绳，不仅有“快游池”、“慢游池”，还有“循环池”，香港所有在泳道里游泳的人，不管大人孩子，都被要求沿着绳边左去右来，首尾衔接，循环往复，这就让人想到路面上行驶的汽车，必须统一靠一侧前进，不准“逆行”，更不许穿越泳绳“横行霸道”。这样游泳池里头的人就是再多，大家也轻易不会迎头相撞，一口气从头游到尾一般都不必担心被人撞翻了自己的行动计划。

有人说，香港人多，凡事多亏了都讲秩序，否则这个社会还不处处都是人与人不断摩擦争抢的“肉搏场”？！此话有理。

2005年11月，我在香港用信用卡花了一笔“大钱”为母亲买药，人还没到家，信用卡公司的电话就已经追问了过来，业务员向我核实：“请问，几分钟前您是不是刚在香港消费了××××元港币？”我说是啊，电话那头就很客气地说：“哦，那就‘达了’(行了)，‘冇嘢了’(没事了)。”这事让我受宠若惊，回到家和老公学舌，说香港的银行还真负责任！老公一点都不感动，说这不是负责任，而是“规矩”。接着过了半年，我又花了一笔数目不小的钱，信用卡公司的电话又追问了过来，这回我没有听见手机响，事后看到有一个“未接电话”，知道是怎么回事，心里很踏实，钱是自己花出去的，就没有回电，结果下一次再用信用卡，在“莎莎”店买化妆品，我的卡突然划不下去，不好使了，当时我还没有反应过来这是信用卡公司在为我实施着常规的保护，因为查询电话一直都没有回音，人家就担心我是不是把卡弄丢了，或者被人盗用？第二天我跑到银行，一边假装绅士地询问工作人员：“哎，不好意思，请问，我的卡突然不能用了，这是怎么回事？”一边肚子里其实已经很粗鲁地在责备：哼，几个月前还夸你们负责任，有规矩呢，可是“勺子不经夸，一夸就漏”。然后工作人员很快帮我接通了信用卡咨询中心，“中心”的负责人一解释，我方才觉醒，不好意思，后悔不迭，因为自己以怨报德，在香港犯了小人之心。

“罚”出来的满岛规矩？

内地人到香港无需太多时日，不低头认输的没几个：看来看去，香港啊，还是

除非在获得允许的情况下，司机在香港行车时绝不能逾越双黄线，否则可能面临重罚。

（黄晓勇/摄，图片来源：新华社）

要比咱内地讲文明。这个判断不是针对某一位绅士、一位淑女，而是就公民的整体素质而言。

同样面对“法规”，香港人脑袋里只知道“执行”，不会去想其他；然而内地人，并不是全体都会这么“老实”。2007年元旦过后，准确地说是从2007年1月1日算起，香港和内地很多城市都开始执行新的立法，比如香港从这一天开始禁烟区域就被大范围扩大；广州从这一天开始则禁止电单车（摩托车）继续上路。我看新闻，同一个时段内，一些不欢迎香港新的“禁烟令”的香港市民只会在嘴上抱怨，例如小饭馆儿的老板就甩甩地说：“我的生意今天都少多了。”但是大家谁也不敢无视法规的存在；可是镜头一换，到了广州，有人摩托车开着照样上路，警察在路中阻拦，一对年轻男女竟然连停都不停，更不减速，一下子就从警察的身边呼啸而过——

那么，香港人为什么比内地人普遍都显得遵纪守法、彬彬有礼？

难道这里的人天生就有好素养？他们一生下来就“局器”？我当然不信。

香港的“规矩”既然是张网，网有经纬，有方圆，总是靠人一梭子一梭子地把它织出。谁织出了这张“网”？当然是管理、是法治。

“法”在立法阶段就已经明明白白地告诉大家“你在香港应该怎样做人、怎么行事”，这一点相对容易；不容易的是执法，常年坚守、一以贯之，直到把几百万香港人的手脚都规范得老老实实。

我们中央电视台香港记者站的居住地——跑马地，不是一处“高尚住宅区”吗？

这里的房子虽然外观并不起眼儿，但是这个地区集中住了很多有钱人和演艺明星倒是不假。人们平日走在大街上，你看不出他们的面孔究竟“高尚”在哪儿，可是他们手里拉着的狗，一条条都是名犬。傍晚家家户户出来遛狗，人人手里都拿着一只矿泉水瓶子，还有一卷报纸，但是自己不喝、不看。好长时间我都奇怪：香港养狗的人怎么都有一样的“毛病”呢？后来日子长了，明白大家都是在守法，矿泉水和报纸都是给狗宝宝预备的——谁家的狗在便道上撒了尿，主人立刻就会拧开矿泉水的瓶盖儿，用水把尿冲开；狗要是拉屎了，主人也必须立刻把报纸放到“狗宝贝儿”的屁股底下，来不及侍候，狗屎已经出来了的，对不起，主人您就得蹲在地上自己把狗屎捏起来，包到纸里，然后再找地方去处理。

2005 年我在香港生活了八个月后第一次回北京，北京原来是我多么熟悉和爱戴的城市啊，但是那一次我已经有点难以适应，因为有一天我在马路上看到了这样的一幕情景：一位司机开着大货车，车被塞在路中，他口里有痰，什么都不顾，推开车门就一口痛快。这件事让我很意外，“意外”之处不在于司机怎么会那么自然而然地就把痰吐在了大路中央，而是我对这种过去司空见惯了的行为，现在已经再也无法忍受，心理上不能，生理上也不能。

也是 2005 年，我的一位同事回内地休假，假期未满就返回了香港，我问他：“你怎么不在家里把假期休完？”这位同事气哼哼地冲着我一个劲儿地摇头：“嗨！怎么说呢？在内地，这 19 天，我从一个地方到另一个地方，但凡求人办事，几乎就没见过一张好看的脸！”

香港的“规矩”是靠立法“规范”出来的，同时也是靠惩罚“管理”出来的——

2006 年 1 月，我在铜锣湾，飘飘地就听到街上有我熟悉的乡音，循声一看，果然是三个北京人，正在和两个穿制服的掰扯着什么。仔细一听，其中一个因为不“局器”，随手往地上扔了一个烟头儿，正被环卫人员罚款。我心生怜悯，也想找机会为他们说说情，可是香港的“规矩”哪里容得下“说情”？穿制服的一边做记录，一边请我帮助翻译：“快点告诉你的朋友，罚款在香港是要到邮局去交的，千万嘱咐他不能逾期，否则对他不好，会被留下记录，以后再到香港就有麻烦。”我感谢“制服”的提醒，但罚款数目说什么也动不了，1 500 就是 1 500。三个北京人站在那里，尤其被罚的，脸上说不清有几种颜色。或许在香港，他是第一次赶上了这种“倒霉事”，或许在北京，他也曾经被人罚过，只是从来没有见过罚款的人态度如此友善、如此自然，没有歧视、没有幸灾乐祸，只有对不起，我们职责在身，法规在前、按章办事，让当事人不会觉得受辱，被罚得太难堪。

什么是香港的“本能”？

2006年1月20日，我为CCTV在香港专访了香港旅游发展局主席周梁淑怡，一位风风光光、被人唤作“周太”的香港女人。如果论年龄，换到内地，“周太”的岁数我想已届“退休一族”，是时候在家里含饴弄孙，无论穿戴。但是香港的“周太”“风光”依旧，就像这里很多的职业妇女，她们浑身上下朝气蓬勃，仿佛永远都不受年龄的羁绊。果然一见面，“周太”留着一头男仔的招牌发型，表达快人快语，一会儿中文、一会儿英文；一会儿粤语，一会儿又换上了普通话。我一上来就对她真诚地表示“不好意思”（因为采访一直拖到了晚上）：“您累不累？现在已经下班了，今天是不是又忙了一天？”她说：“累是有点累，但是没关系，已经习惯了，咱们开始吧。”说完，略显疲劳的脸一进入到采访，立刻就变得精神焕发、笑容可掬。

我们就这样开始了交谈，采访第一个问题，记得我是精心准备的：“听说你们旅发局，特别是您自己经常说，你们虽然搞的是旅游，但推销的产品却是整个‘香港’，这句话什么含义？”周太笑了笑，很快回答：“哦，推销香港？这很容易解释，我们每年想办法把很多的人拉到这里来，这些游客一边玩儿，一边总要购物、消费，同时还会了解香港、认识香港，这样推销了旅游，实际上不就是推销了香港？”“那么，”我又问，“您工作中一向秉承的原则是什么？”“周太”迟疑了一会儿，想了想，选了一个成语：“无孔不入。”

“无孔不入？”

香港巴掌大点儿的地方，旅游资源天然有限，几十年来人们把该想的办法都用上了，到了后期就只有不断挖潜，“无孔不入”——

2005年为了掀起新一波的旅游浪潮，香港政府已经把世界第五座迪士尼乐园摆放到了大屿山依山填海辟出来的一片“土地”上，全世界有多少大国？那些大国有多少土地一望无际，用也用不完，而全球迪士尼“第五”凭什么就让香港人给抢了过来?

按照“周太”的担心，香港早有海洋公园，迪士尼乐园2005年落成，2006年上半年还开发了第三个“主题公园”湿地公园，接下来要想再上新项目，总不能没完没了地填海吧?

没关系，香港脚下没土，头上有天，旅游业的繁荣还可以向空中发展——

“向空中发展”，这是什么想法，什么雄心?

2006年下半年，香港政府果然又有一个旅游的惊人之举于9月18日正式投入了使用，这个项目叫“昂平360”，是目前世界上最特别的一条观光缆车，缆车全长5.7公里，翻山越海，像巨人迈开了脚步，从香港西部的东涌一直架设到了昂平，架设到了大屿山百年古刹“宝莲禅寺”山顶的“如来大佛”脚下。为什么这个新项目取名为“昂平360”？因为游客坐在缆车上可以360度无视线障碍地把香港的大海、山川全方位地看个够，这种“玩儿法”既新颖又刺激，外人还没想到，因此“一招鲜吃遍天”，香港的旅游又可以热热闹闹地火上一阵子。

8月30日，为了介绍和宣传新项目的特殊与魅力，“昂平360”经营者邀请了众多媒体，请各家记者优先乘坐缆车，试玩儿、试胆儿。我是对“昂平360”心仪已久，一直都盼着有机会能早一点坐上去“观光”，所以接到了传真恁是兴奋，当天一清早就跑到了东涌，第一批登上了站台，加着小心侧身走进了缆车。然而，缆车的车门刚刚关上，我还没有来得及缓过神儿来，忽悠一下，一个透明的玻璃罐子就带着我和其他两位内地女记者从起点——一座高高的山头滑入了无边的大海上空。当时我们那个紧张、那个心跳，三个都已经是孩子他娘了的中年妇女，嘴里叽里呱啦地乱叫着，一个个都像把自己重新缩回到了十来岁的小姑娘。

“玩儿的就是心跳”，这一“跳”，我想“昂平360”的成功就有了一个很好的开端。

接着，坐在缆车上，我的眼睛前后左右、头上脚下地赶紧忙活，既看碧蓝的大海，又看从海水里一座座像长出来的青山。看着看着就发现脚下满视野的海面怎么深一块、浅一块，与往日在陆地上看到的有所不同？稍稍一抬头，哦，望见头顶有白云，白云遮住了天上的太阳，将自己多变的身影投射到了海面。

香港“昂平360”四座缆车站分别架设在四个高矮不同的山头上，粗壮的钢缆一弯一弯地搭在每座山峰之间，这样缆车总要一会儿下滑、一会儿上爬，每次起落都给人美滋滋的感觉，都让人感到有惊无险、怡然自得。

二十几分钟以后，一个单程“悠”完，我们走下缆车，心里早已不再害怕，只是觉得还没玩儿够，很想重新再来，这样回程就变得驾轻就熟、轻松惬意，手里的照相机也开始你拍我，我拍你，不知是人忙不过来还是机器忙不过来。之后，我终于腾出精力想了一个问题：“昂平360？”为什么这种新奇的项目又是香港人给抢先设计了出来？这样的“设计”仅仅是为了增添旅游的一个新品种？它的开拓本身难道不体现着香港人的一种心态、一种精神、一种特质？

寸土寸金的家园，谋求发展必须挖空心思，这一“挖”才弥补了很多先天的不足，才使香港有限的天空、大地为勇敢者、勤奋者、智慧者回馈了很多礼物，回馈了一个又一个令外人瞠目赞叹的“意想不到”。

终于我好像有点领悟了“周太”的“无孔不入”：“孔”，虽然比之天地要小，但是拥有了一片美好的梦想，再加上“千里之行，始于足下”的以小见大，以小“奔”大，谁能说香港人眼里的“孔”不比天地还大，不比天地还要辽阔？

香港人“真能整景儿”？

2006年3月，中央电视台香港记者站接到了港府总部新闻组的一个通知，希望CCTV能够派出记者于10日下午2点在湾仔鹰君中心集合，然后乘坐政府的专车去采访香港“可持续发展委员会”资助下的两个项目，传真中写得明确，两个项目其一为“城市绿洲”；其二，名字听着更特别——“21世纪可持续发展社区议程——湾仔版”。

我看了传真，觉得蛮有意思——保护环境，探讨所有老城市都会面临的保护与发展的难题，尤其是“城市绿洲”，据说绿油油地就出现在香港仔。“香港仔”？那不是香港最早的渔村吗？尽管今天的香港已经成为了国际知名的大城市，但是若论起源，“根儿”还在那里，我还没有去“寻”过。

当天下午，我和满车的香港记者几十人首先被拉到了位于一座居民楼里的“香港仔街坊福利会社会服务中心”，先在会议室里听介绍。介绍人是中心的领导。她的背后有一面幻灯屏幕，屏幕上不断地放映着“城市绿洲”的建设和目前已经取得的成果。如果单从介绍上看，“城市绿洲”是个很宏伟的计划，“中心领导”在描述它的意义时，一个“意义”竟被她拆成了一个系列，其中：

社会意义：“透过发展共同兴趣及互助，‘城市绿洲’将令社区人士关系更加紧密。并提倡身体健康，提升小区形象及环保意识，积聚小区资源及资本，以刺激不同的地区推行类似计划，为我们的子孙后代留下一份殷实而有益的厚礼”；

经济意义：“由‘城市绿洲’诞生的‘社区花园’将会成为当地社区中人所共知的地方，并吸引不少区内居民及游人来欣赏这个闹市中的景点，预计售卖绿色产品将能够部分抵消支出，使计划能坚持发展下去”；

环境意义：“通过转换社区荒置或未有指定用途的空地为绿色地带，‘社区花园’将提高社区内绿色地带和城市地带的面积比例，并在社区内培养更强之环保意识……”

这些“意义”讲了足足有半个小时，我一边听一边随手翻开“城市绿洲”一本专门的季刊《绿洲号外》，那上面的“卷首语”看着也非常富有诗意：

“您有没有想过生活在一个树影摇曳、花香飘逸的‘城市绿洲’？或闲坐在紫荆树下的坐椅上沐浴在暖洋洋的阳光中，和风扑面，一面呷着清茶，一面听着鸟语，你的梦想将可成真……”

听了介绍、看了刊物，我相信不仅是我，包括那天到场的所有记者，大家的胃口都被吊了起来，渐渐地都在会议室里有点坐不住，都想赶快到现场去看看宏伟的“城市绿洲”到底会给人带来怎样的惊喜。然而“中心领导”热情洋溢的介绍好不容易才结束，记者们好不容易才被工作人员引领着开始快步向“绿洲”进发，但是我们穿过了一座又一座高楼，“城市绿洲”在哪儿呢？我觉得事情有些不妙，一遍遍地问身边的“导游”小姐，小姐就一遍遍地告诉我“别着急，快到了，快到了”，接着又走出了一个天井，依着户外结实的石阶往下行，她终于用手一指，说：“你看，到了，就在前边，您左手不远的那个平台，三角形的平台——”

“三角形的平台？”那不就是挤在两栋楼之间的窄窄的一块儿三角地吗？

这就是“城市绿洲”？

我的眼睛渴望了半天最后看到的场面究竟是什么？

停下刚才还急火火的脚步，我眼前200米处的前方倒是出现了一片大海，“城市绿洲”所在的居民小区原来是建造在海边的一片山坡之上，高楼一栋挨着一栋，肩并肩脚靠脚地扎成一团，彼此之间本身就没有成规模的空地，一块难得的三角形平

维港夜景被誉为“世界三大夜景”之一。（张燕辉/摄，图片来源：新华社）

台，据说还是防空洞的顶盖儿，人们就在它的帽子上建造起“城市绿洲”？香港人，怎、怎么说呢，也太能整景儿了！

“人口稠密及高耸大厦林立的社区，种植不同品种的植物的绿色花园、草花天堂”？这不是《绿洲号外》上曾经的描述吗？

不错。香港仔的“城市绿洲”的确是出现在“人口稠密及高耸大厦林立的社区”，但是“洲”呢？我眼前的“三角地”，大小看上去也就不过七八十平方米，入口的地方竖起了一个窄窄的木栅栏门，进了门，里面倒也是真的种植了一些“不同品种的植物”，只是这些植物每个品种差不多只有一棵，花花绿绿的被人们侍弄得很水灵、很健康。

我说不上是带着一种什么样的心情走进了栅栏门，问和我一起来的摄像师：“你看见了吗？就这么小的一块地方，咱在这里能拍到什么？这条新闻回去可怎么发？”摄像师也是一脸的苦笑，但是很快就摇摇头：“嗨，香港的情况您还不知道？还不就是这个样子？您回去该怎么发稿就怎么发，我呢，能拍到什么就拍什么。”

在“城市绿洲”，尽管我尽量安慰自己：这块“三角地”也许只是全部“绿洲”的一部分，散在其他地方的菱形、梯形、半圆形、不规则形的绿地可能还有很多（的确还有），但是站在“这一块”被分割了的“绿洲”旁边，我还是“闲”得难受。当地记者在那里一个劲地向中心领导提问，什么“这片绿洲究竟有多大面积”啦，“都有哪些人参与了绿洲的建设”啦，一切都很像那么回事。我就从书包里拿出了一个小本子，开始一一记录下“绿洲”里的花草名称：簕杜鹃、洋紫苏、含羞草、风车草、虾蟆草、蝴蝶兰、蟹爪兰、嘉多利亚兰、金边桂花、四季菊、富贵竹，此外还有桂花、葡桃、芒果、木瓜和发财树……不一会儿，竟然记得手腕发酸。

香港仔的“城市绿洲”，“洲”的概念在内地人看来肯定是徒有虚名，然而正是因为土地稀少，我知道香港人才格外珍惜，连楼群中一小块防空洞的顶盖儿都不放过（实际面积为175平方米），都要利用起来把它变成“绿色花园”“草花天堂”。只有这样想，“洲”在香港人的心里才能够被放大，才能有不同凡响的规模与气势。

据说，侍弄这片“城市绿洲”的小区居民自愿组成了“绿壮士义工行列”，人们利用假期休息成就了这片绿色空间，尽管它和一个城市的“可持续发展”联系在一起总是让人觉得有点夸张，然而“绿壮士义工行列”的心是虔诚的、坚定的。

临离开“城市绿洲”，我用照相机拍下了一张照片，我把取景框对准了一颗“心”，那颗“心”是人们用虾蟆草在防空洞顶盖儿上种出来的一个心形的图案，洗衣盆般大小，嫩嫩的草身细如针发，因为有了人的呵护，它们长势非常喜人，站得整整齐齐，绿得晶莹剔透，除了美丽，还有一种面对世界的无言的骄傲与自豪……

“香港人真能整景儿”，这句话到了后来，我渐渐放弃了开始的轻视，另一样东西漫卷而上——敬仰。接下来再到第二个“景点”——“21 世纪可持续发展社区议程——湾仔版”，记者们又是从一大堆的“意义”开始听起，又给发了一大沓子资料，而后我们被带去参观的也只不过是一个社区的“民间展览”。但是这一回，我心平气和，知道香港人不管为什么事儿、怎样敞开了邀请媒体忽悠，最后都可能从很小很小的事情做起。

实干，甚至有点“硬”干，这是香港人的习惯还是追求？

当初在采访香港旅游发展局局长的时候，“周太”的一句“无孔不入”曾经像山洞里冰凉的水滴，意想不到地突然掉在了我的脸上，让我透彻心肺。记得当时我脱口而出：“是吗？这么犀利？”

“犀利”在广东话里就是“厉害”，香港人经常爱这么说，平日也经常爱这样彼此鼓励或者自我加油。

“倒移民”的滋味儿谁知道？

香港人不知从何时起养成了一种习惯，给人的感觉很两面，“两面”当中，都透着贵气与潇洒。比如白天上班，他们西服革履，尽忠职守；晚上下班，立刻换上了一身便装，一脸的轻松，而到了节假日，复活节、圣诞节，全家老少更是转眼不见，悄没声儿地就飞到了夏威夷、巴厘岛，在那里尽情享受休闲期间自由的空气和宜人的海滩与阳光。

当然，香港人这样的“香港式生活”是在他们有条件的情况下才可以舒展，没有条件，或者说世事难料，人生一旦走了“背”字，香港人倒是一副什么样的面孔，怎样对待失落与逆境？

1997 年香港回归，其实准确地说，时间应该是从 1995 年算起，那时候香港人听说大陆不久真的就要收回香港了，大陆的共产党那是何等“厉害”，何等“无情”，他们一旦接管了香港，没准儿很快就会对富人进行“清算”，会把香港的经济搞得一塌糊涂。因此很多人都害怕，都担心自己前途末路，于是一股“移民潮”汹涌而来。

中产阶级在这次“移民”中最为踊跃，他们卖了车、卖了房，怀里揣着几百万港币纷纷逃到了加拿大、澳大利亚、新西兰和英国。然而这些人到了国外，处境大都不如原先想象得那么好，基本生存状态：找不到长期工，坐吃山空，此外，身份上还要被人看作“二等公民”，备受歧视。结果很多丈夫在家里闲得直蹦高就开始后悔，同时回望了一下“老家”，发现共产党接管了香港，香港的天地也并没有自此塌陷，虽说不幸赶上了1998年的金融危机，香港经济一度陷入了低谷，但那也是全球经济的大劫难，谁都没有回天之力。中央政府在这个关键时刻并没有对香港几百万市民撒手不管，相反倒是想尽了一切的办法，全力挺港，这才使香港经济慢慢复苏，最后迎来了强劲发展，使老百姓的生活重新拣回了希望与光明。

当年，据有关方面的统计，香港移民海外的人数大概在40万左右，但几年以后，回流的人数已经过半。这些人从“移民”变成了“倒移民”，事业上往往出现落差、收入上一般也大不如前，面孔上当然也就仿佛比别人矮了一截——

我来香港很早就想做一部电视的系列专题片，片名就叫《香港“倒移民”》。最开始听到一位公司老板给我讲笑话，说他有个手下，人很能干，“不过移民前他是我的上司，那时候他总是颐指气使、趾高气扬的；但是‘倒移民’后，再返香港，又回公司，我已经提了，他倒成了我的下级。这样两人的关系就出现了巨大的变化。原来大家都是朋友，现在，无论何时他都向我点头哈腰、唯唯诺诺，大气都不敢出。我对他说：哎呀，你别老是这个样子啦，弄得我都不好意思了。可是这个人仿佛永远都回不到从前，改不了一副突然自卑下去了的奴才相……”

我开始留意“倒移民”，很想找几个“回流者”听听他们的故事。朋友说“哎呀，这样的人太多了，我的身边到处都是”，可是一拜托他们帮我介绍，大家立刻又都犯了难。为什么？香港人要面子，“倒移民”不是什么光彩的事，人们不愿意提，更不愿意上电视自我曝光、当众“现丑”。

我理解香港人的难处，很多移民者，他们离开香港前，卖了中心地区的大房子，“倒移民”回来，手里的钱只够买一间偏远的小房，西装也不是今天一身、明天一身，整个人从此就好像没了尊严。

2006年12月，我以诚心感动上帝，终于众里寻他千百度，蓦然回首遇到了一位不怕见我这个记者、也不怕上电视的人，这个人姓余，我电话里问他如果接受CCTV的访问有没有不方便。他说："没有什么'不方便'，出去转悠了一圈，吃了不少苦，失去了很多机会，但也学习了不少东西，重新认识了自己、认识了香港，也认识了中国。"

我们相约采访的地点是在介绍人的办公室，一见面，我当然最关心"移民"前他在香港是做什么的，"倒移民"后又做什么，两相比较到底有没有反差。

"倒移民"看出我很想知道他的真实姓名，就递了一张名片，接着告诉我"移民"前他是干银行的，"一家日本银行，外资，是中层管理人员"；那么"倒移民"后呢，他说干的职业是"不一定"。"'不一定'是什么职业？"余先生说："'不一定'还不是明摆着的？就是能干什么就干什么。"我当场被他逗笑，心里为他的幽默乐开了花儿。

趁着他不介意，我直奔主题："那走之前您一年的薪水是多少？回来后还能挣到那么多吗？"

余先生并不躲闪："当然不能，我走之前和太太两个人一年的年薪有100多万，回来后连三分之一也没有了。"

"那么早知如此，当初为什么还走？"

"我并没有'早知如此'，后来的结果也不是谁都能预料得到。你问我当初为什么走？如果我说出来了你相信，我就告诉你：那时候我其实并不是因为什么'害怕'，只是随大流，很多同事都要离开香港移民了，劝我也试一试，我就递了材料，谁知刚过了三个月，加拿大移民局就批了下来，连我都感到很意外。"

余先生所说的情况我相信基本属实，事实上1997年香港回归前，很多移民的确并不都是因为"害怕"，只是跟潮儿，他们自己有时总结当年"移民"的原始动机，大家分析自己是"羊群心理"，这种心理在香港大面积存在，直到今天我还可以从很多一哄而起的事情上看到些许痕迹。不过为什么"倒移民"再回到香港，"很多人就都挣不到原来的工资了"？对此我倒是非常不理解。

余先生说："不存在什么'难理解'，简单来说，没有位置了，自己的年龄也大了。"

"这种情况'倒移民'前打听过吗？如果知道，怎么还有勇气回香港？"

“不回来不行啊，拿我来说，到了加拿大，头一个月还觉得挺好玩儿，新奇嘛；第二个月，看看朋友，继续休息；可是第三个月，这种‘好日子’到了就完蛋了，为什么？一个大活人，过去在香港已经忙惯了，突然停下来什么也不做，人都要疯，此外还有个经济的压力呢。”

余先生的“故事”开始进入细节，我轻易不敢打断他，生怕他讲到伤心处，突然没心思给我说下去——

“为了不让自己在海外移民的日子每天荒废，三个月后我就开始找工作。可是加拿大的工作哪里是那么好找的？人家的社会，各种职位本来就已经很饱和，空余的就业机会并不多，而且加拿大，我真想不到，那个地方怎么和咱们东方社会一样，也讲关系、讲人脉。用人单位经常根本不看我的资历，英文水平再高也没有用。一见面人家只是说：‘对不起，你没有在当地工作的经验，我们不能雇用。’你看，这话不是明摆着对移民的歧视吗？你不给我机会，我怎么能攒下什么‘在当地工作的经验’？”

所以余先生在蹲“移民监”的时候（四年，累计要在加拿大住满1095天），当过超级市场的“售货员”，费劲考下了保安的牌照去做过“保安”。其他很多人，和他一样的香港移民者，他说：“更多的则是到餐馆里面去打零工，给人家刷盘子、洗碗，大部分人干的永远都是part time（钟点工）。”

“太闷了，总是赋闲，又没有固定的收入，哪里是前途？看不到。”

余先生就为了这，决定打道回府。

“可是再回香港‘面子’上不是有点不好看？”我悄悄摆了一个台阶。

“是啊，但是没办法，人没饭吃，‘面子’还顾得上？再说人又不是为‘面子’而活着？！”

回到香港后，余先生经过朋友的介绍，起初还是想回原来的银行重操旧业，但是四处求见、四处碰壁，不少银行的老板讲：“我现在的位置还不如从前的你高，怎么能雇你做事？”他说这是“表面原因”，真正的原因是没位子，“不然我怎么虽肯‘低就’，但那些银行没有一家要我？”

“你能想象我返回香港后揾到的第一份工是什么吗？”

我摇摇头。

余先生有点自嘲的样子：“杀虫工。”

“杀虫工？”

余先生说：“对，‘杀虫工’。就是清洁公司的饭碗，我做不成银行的‘白领’，倒是穿起了白大褂儿，每天到宾馆、酒店去给人家打老鼠、赶蟑螂、灭蚂蚁。”

“是吗？这可没想到。”我终于出声。

余先生大笑：“你没想到？我的家人、父母更不能理解，大家都说：‘嘿，你，有冇搞错？！’”

过去在香港，余先生不仅作为银行的高级白领，每个月拿着好几万元的月薪，此外公司还额外给他一种特权，一张金卡，随时可以请客户吃饭、花销应酬，所有费用都自由“签单”（当然要见回报）；然而几年以后，就是因为“移民”再“回流”到了香港，别说过去的“风光”早已成为往事，万般无奈，最后“杀虫工”的工作

香港铜锣湾商业区的路口，人们匆匆而行。（周磊/摄，图片来源：新华社）

他也不敢再挑剔。

余先生的境遇在众多香港“倒移民”中并不是个别现象，有人忍受不了这种反差，整天愁眉苦脸、无精打采，个别爱走极端的，想不开，还步上了绝路；但是大部分的人，我在这里特别要说，并不自暴自弃，他们心里有一个“挺”字——做得了“白领”穿西服；做不了“白领”，咱就穿着“水靴”——

香港人在失落与逆境当中，最难能可贵的就是一句话：“从头再来。”

余先生做“杀虫工”，一个月只能挣一万多，比原先的收入锐减了三分之二，但就是这份工，后来都没做住，2003年老天玩儿起了SARS，香港和广州的很多宾馆、酒店平均入住率才只有5%，人家付不起杀虫费，公司就要裁员，余先生虽然没有被老板立刻就炒鱿鱼，但是老板把他每月本来就已经很可怜了的工资又砍去三分之一，不得已余先生只能再次转工，到我对他进行采访的2006年年底，他已经又转到了一家药厂，在那里做起了“营运管理”。

在香港，不到三年的时间，我看到很多大小餐馆的服务生，堂堂五尺男儿，嘴里能说一口流利的英语，知道他们个个来历不凡，但是人家就是那么整天乐呵呵地为食者上菜，做着“跑堂儿”；商店里的售货员我也见过不少，脑筋灵活，层次不低，但是大家也都不带怨气，不断地侍候着各种各样的挑剔顾客。

“竞争社会嘛，人到了哪一步就得说哪一步的话。哪一份工能挣钱，就先干什么，都是过渡，日后的前程靠自己努力，都会改变。”

采访结束，余先生对我说了这最后的几句话，说完，他一身轻松。

“自由行”给你我带来了什么？

有件事，是件事儿，是个说法，也是个做法，后来给内地和香港的老百姓都带来了不小的“实惠”，这就是我们大家现在已经朗朗上口了的“自由行”（香港也叫“个人游”）。

2002年香港旅游发展局那位“无孔不入”的主席周梁淑怡，在内地见到了当时的国务院总理朱镕基，后来周太（也是我问到她“自由行”究竟是怎么来的）很自豪地对我说：“那时候我琢磨这个问题已经很长时间了，一直都感到两地的旅游很不对等，就大着胆子向总理提出：‘现在香港人什么时候想去内地，说去就去，很方便；可是内地人想要来我们香港看看就很困难。国家能不能开放一条政策，让广大的内地同胞想来香港就能来，这样也可以让我们多一些旅游的客人和收入。'”

为了香港旅游并以此带动整个香港的经济，周太“拉客”都拉到了国家总理身上了。

“当时总理的态度怎么样？”我问。

周太说：“很高兴啊，总理当时就表态，说‘好’，国家那个时候当然也已经在考虑这个问题。内地人多，政策一旦放宽，香港的旅游一定会有一个巨大的发展。”

2003年7月28日，从这一天开始，内地连续批准了对北京、上海、广东、福建等16个省、市的49座主要城市开放“居民以个人身份赴香港、澳门自行旅游”，其中广东省因为离着香港最近，陆续开放的城市截至2006年12月已经达到了21座。

2005年年底，香港迎来了第2 000万个访港旅客，周梁淑怡亲自到机场迎接，这个“2 000万”的数字不仅突破了香港过去多少年来的历史纪录，而且其中很大比例都是通过“自由行”来到香港的内地人。

2006年中国内地居民出境规模共有3 452万人次，其中“首选”目的地很多都是香港，这不能不说和“自由行”有关。

由于有了“自由行”，内地人在香港吃、在香港住、在香港大把大把地花钱消费，这种政策乐得普通内地人再也不会把去趟香港当成奢望，同时更乐得香港商家人人笑口常开，直到今天都合不拢……

内地人到香港带旺了香港的人气，帮助了香港的经济，这自不待言，但是他们自己通过“自由行”得到了什么？满足了“来看看”的欲望是其一，背回去了大包小囊是其二，那么其三呢？收获了更多精神上的东西，这些“东西”包括开眼、认识，受启发、受教育，甚至包括“受刺激”。

让我先说说内地人在香港感到风光的事：

2006年年初，我的四位大学同学通过“自由行”来到香港，她们四个人当中其中只有一人是首次来港，其余的三位都是多次。这些女人到了香港，一是吃喝，二是购物，走到哪里出手都特别“大方”，让香港人看得目瞪口呆。比如有一次在一家眼镜店，因为过去我曾经在那里挑上过一副眼镜，大家看了都觉得挺好看，于是就决定让我引路带她们去看看，结果到了眼镜店，好家伙，有人买了一副，有人买了几副，最多的一个“眼镜欲望”不经意被突然点燃，最后竟在香港买下了七副，回到住处摆在床上，白被单衬了七双花花绿绿的大“眼睛”，还特意请我去看，立时吓得我不知道应该给她道贺还是应该把她痛斥一番——“烧包”。

“从何时开始你们内地人变得这么有钱？”

她们走后，眼镜店的小老板问我（替她们去取眼镜），我说：“啊，内地人比你们香港人有钱吗？”小老板没听出我的“弦外之音”，还接着说：“当然啦，你想想我们香港人什么时候买东西会是这个样子？大家一般选中了哪样物品，总要反反复复地看好几次，等到商店打折了，他们才会往外掏钱。”

“自由行”让内地人在香港摆足了个个“大款”的姿态，这种“姿态”在内地没人捧场，到了香港却吓坏了当地人。尽管我知道，其实很多内地人到了香港只是集中消费，他们在家，完全不会这么“潇洒”，也根本没必要这么“摆谱儿”。

举完了内地人在香港开心购物的例子，我就要说说“受教育”特别是“受刺激”了，这种“刺激”依我看只有利用“自由行”才能享受，如果换了“公务”，出差的人走到哪儿，个个有身份、有地位，还不处处都得让自己尽可能地显得“正人君子”？

2005年9月中旬，香港迪士尼乐园开幕，紧跟着就是内地国庆7天长假的“旅

人们通过罗湖桥进入深圳。（陈晔华/摄，图片来源：新华社）

游黄金周”，因此很多的内地客都选择了“十一”特意来到香港“自由行”。

10 月的香港，天气还很热，大家在“迪士尼”玩转了一会儿就满身冒汗。

不过同样是热，香港人受得了，内地人却受不了，这本是常情，可是内地人别在香港的文明世界里肆意而为呀——有人热到无奈，找到一条长椅，坐下来就把鞋子脱掉，赶快放两只大脚丫子出来透气风凉，这样的举动大家在内地也许并不一定会觉得有多么缺少教养，公共场合，又不是密不透风的小屋子。但是香港人就看不下去——于是“十一”长假没过，香港的很多报纸就开始连续多日有文章指责内地人“没有公德”“没有教养”，“当众脱鞋”“随地吐痰”，甚至“一个人霸住了一条长椅竟然躺下来休息”，“有人一时找不到厕所干脆就让小孩子随地大小便”，哎呀，香港人对这些简直接受不了……

面对铺天盖地的“埋汰”，我天天看报，天天心里不是滋味儿，可是又有什么办法呢？人家香港人数落的难道不是事实？

如果没有“自由行”，如果没有一个社会的普通老百姓到另一个社会的普通老百姓当中去彼此相见，彼此碰撞，人们也许永远都不会知道凡事一经“比较”，印象就更加深刻。

有几次我回家不知道该对谁发火，一个劲地对老公说：“哼，香港人他们神气什么呀？好像他们自己就不是从落后与愚昧当中刚刚走了出来？哦，别的不说，光看到内地人到你们香港来到处散德行来了，他们怎么就不看看这么多的内地人到香港来消费，给香港社会带来了多少的好处？”

老公没有加磅我，相反倒是非常理智：“嘿嘿，‘桥归桥，路归路’，你可别把两件事情弄到一起，这样你要是嚷嚷到外面，显得多‘护犊子’，多小家子气！”

我明白老公提醒我的话有理，文明与贡献本来就是两个层面上的不同事情。其实对于内地游客的“素质”，即使香港人不骂，我自己在朋友的圈子里也经常抱怨他们“净出来给大家丢人现眼”！

香港回归已经十年，两地人员的交往日益频繁，这个过程人们注定会互相影响、互有摩擦，但利大于弊是本质，“恨铁不成钢”的心理不仅我有，香港人对自己一定也有许多，只是方面不同，层次不一样罢了……

（选自人民文学出版社《晚来香港一百年》，2007 年 6 月出版，作者：长江）

乡村的笑靥

2007年春季开学之际，中华人民共和国教育部向全世界郑重宣布：继去年在西部农村地区推行农村义务教育经费保障机制改革之后，今年在整个中部和东部地区也全面推行此项惠农惠教政策。中国农村的1.48亿名处于义务教育阶段的中小学生全部被免除学杂费，部分特困生免除教科书费，并实行补助寄宿生生活费等政策，所需经费全部纳入国家财政预算，足额安排，集中支付。

位于太行山深处的河北省涉县常乐中学初一年级A班女生孙红艳，是一位生活不幸的小姑娘，但她幸运地赶上了国家的好政策。开春后，本已濒临辍学的她又回到了学校……

昔日相对贫弱的中国乡村义务教育，终于绽开了欢欣的笑颜。

人人有父母，唯独她没有。走在上学的路上，看着山坡上羊群般游移的雾团，14岁的孙红艳常常泪流满面。

是的，在这座位于太行山深处的河北省涉县常乐中学里，谁都知道这位初一年级A班的女生是一个苦命的孩子。说起她的身世，连满山的大树小树们都摇头叹息。

孙红艳刚刚来到这个世界上的当天，就被父母遗弃了。几经辗转，她被送到了涉县下温村一个身患残疾的光棍汉孙林太的手里。光棍汉不能喂养，又把她寄养了出去。她在奶娘家只吃了四个月的奶粉，就开始吃小米粗粮咸菜了。在这个遥远的似乎已经被外界繁华忘记的大山皱褶里，这个不幸的孩子犹如一茎纤弱的小草，竟然渐渐地长大了。

粗粗糙糙的光棍汉孙林太腿部有残疾，还患有严重的肺病，常年需要吃药，40多岁的汉子，体重还不足100斤。他没有文化，只有两间土房，一亩薄田，日子过

内蒙古清水河县宏河镇小学几名二年级学生在展示新课本。（图片来源：新华社）

甘南藏族自治州夏河县拉卜楞镇麻莲滩小学一年级学生领到了新课本。
（聂建江/摄，图片来源：新华社）

得紧紧巴巴。他抱养小红艳的目的也很简单，那就是让她上几年学，识几个字，就回家帮自己干活、打工挣钱，然后找一个上门女婿，自己的后半生就算有了保障。

流落在这样的家庭里，小红艳的境遇可想而知。她的童年里没有母爱，没有玩具，没有糖果，没有章法，只有一堆堆空空的药瓶瓶，盛满了辛酸的泪水。

知识是阳光，知识是春风，知识是甘霖，而任何幼小的心灵都是一颗沉睡的种子，两者之间恒定着那么一种与生俱来的微妙的天然联系。所以，当小红艳走进简陋的村办小学后，这颗瘦弱的种子就开始慢慢地发芽了。三年级期末时，她竟然给养父捧回了一张红艳艳的奖状。

而这正是孙林太最担心的。他原本只是希望她读几年小学的，如果她爱学习，就要一直读下去，而读下去就需要多多的费用，自己一个病人，又身患残疾，到哪儿去筹钱呢？小学里有各种各样的费用，全年加起来，要五六百元呢。如果上了初中，那就更多了。而要上了高中、大学，就更不敢想象了。

每学期开始时，是父女两人最害怕的日子。开学就要交学杂费，而小村里每每有几个孩子拿不出来，于是，老师就黑着脸说，谁不缴学杂费就别上学了！这时候，光棍汉就变成了一块沉默的石头，而小红艳就变成了石头上受惊吓的小蚂蚁，在校门口和家门口之间的小街上来回流浪。光棍父亲哭丧着哀求说："闺女，咱不上学了，爹供不起你啊。"

小红艳低着头，咬着嘴唇，酸酸涩涩的泪珠"啪嗒、啪嗒"地打湿了鞋面。

我妈妈到哪儿去了？她曾经多次询问父亲，但父亲的回答总是让她迷惑。在村人和小朋友们的指指点点中，她终于明白了自己的身世。她对养父有一种天生的隔阂，甚至怨恨。她很少与养父说话。而困顿中的养父，对她也是粗暴多于温存。于是，小红艳第一次辍学了。

几天后，老师就找上了门。在这贫穷的山村里，儿童失学率本来就高，老师们不忍心啊。

于是，病恹恹的光棍汉瘸着腿，到邻居家借钱，或去找校长、村干部申请困难补助。这样一番周折后，小红艳又怯怯地回到了教室。

小红艳在一天天地长起来，家里的债台也在一天天地高起来。

养父拖着生病的身子，只好到镇上和县城里打工了。在打工过程中，养父认识了镇上的一位餐馆老板，便商定女儿小学毕业后来这里打工，对方管吃管住，每月薪酬150元钱。

小红艳怎敢违抗养父的意志呢。

光棍汉为女儿找到了一份好工作，他的心里终于踏实了。一天晚上，他去镇上喝酒，回来的路上，被一辆汽车撞死了。最可恨的是，肇事汽车跑得无踪无影。这一天，是2006年4月27日，离小红艳小学毕业还有两个月的时间。

养父就这样突然死去了，不仅没得到一分钱补偿，而且因为尸体在县医院里存放了几天，又赔了700元的冷藏费。还有3 000多元的丧葬费，也都是邻居们垫付的。

成群的债主们纷纷找上门来，叹息着，盯着这个可怜的小姑娘。她太瘦弱了，还不能干活，卖出去当媳妇吧，又太小了。

养父累下的外债，合计起来，竟然高达14 000元，正好是小红艳年龄的1 000倍。

现在面临的最大问题是，小红艳该如何生存下去？在这个世界上，她找不到一个亲人了。可怜的孩子，面对着村边的清漳河，呜呜地哭着，泪水哗哗地流淌，把河床都溢满了。

在好心人的帮助下，她终于打听到了住在山那边一个村庄里的亲生母亲。但随即从山那边扔过来一个冷冰冰的消息：拒绝认领！原来对方已经再婚，又有了几个孩子。

可怜的小红艳，提着邻居们凑集的半篮子鸡蛋，跪在亲娘的门口，哭求认母。但亲娘的屋门最终也没有打开一条缝隙。

没有办法，她只得被寄养在养父的两个表兄弟家里。

这两家也是穷人，且各有两个孩子正在上学。人家还自顾不暇，哪有能力和热心去负担她一个没有任何血缘关系的外人呢？吃饭是在两家轮流，饿一顿饱一顿，有上顿没下顿；花钱就更不用说了，每当要买铅笔、橡皮和作业本时，她就像一个畏畏缩缩的小刺猬。

最害怕的是，晚上住在哪里？她是一个胆怯的小姑娘，在自己家里，孤身一人不敢睡觉，而且，晚上学习的电费也掏不起啊。

这时候，她儿时的奶娘又伸出手，收留了她。

奶娘申林枝老人已经68岁了，孤寡多年，无儿无女，早已丧失了劳动能力。她家里只有三间土房，没有一件电器，仅有的几件家具都还是她50年前当新娘时的嫁妆。

老人家里只有一张桌子，那就是小红艳的课桌了。一盏15瓦的灯泡，那昏黄的甜甜的灯光真是她难得的享受啊。

日子就像村边枯水季节里的清漳河水，在坎坎坷坷地流淌着……

她就这样过着畸形的日子，白天上学，吃饭时轮流到两家，晚上又到奶娘家借宿。就像一只流浪的无主的小猫，在凄风苦雨中泅渡着自己残破的童年。

2006年的秋天，小红艳升入了镇办的常乐中学。这个时候，国家针对农村贫困学生已经出台了一系列优惠政策。虽然为她免除了大部分费用，但仍有不少费用是需要自己负担的。比如课本费，每年需要200多元，还有住宿费，也要40元钱。如果在学校就餐，更需要七八百元了。

和同学们一起住在宿舍里，那里有雪亮亮的灯光，热腾腾的暖气，还有香喷喷的饭菜……可这是一个怎样的梦想啊。

她从不敢有这样的奢望。所以，她不能住校，她每顿饭都必须赶回家里。

学校离家虽说只有四里路，可山沟里河岸边的小路，弯弯曲曲，要走上半个多小时呢。白天还好说，傍晚就不行了，夜色越来越深，她怕得直哭。要是下雨，就更惨了，她连一柄雨伞也没有，只有用手作伞了，两只小手在头顶上使劲地晃动着。她最喜欢下雪了，大雪中，自己被染成了白色，衣服还不会濡湿。这时，她就想起了白雪公主的故事。她还喜欢吃雪，双手捧起来，使劲攥成硬块，攥成雪糕的样子，大口大口地吃，很甜很甜。哦，她已经好几年没有吃过雪糕了……

班里不少走读生有一个饭盒，早晨上学的时候，可以带一些饭菜，中午就着热水就是一顿午餐。可她连一个饭盒也没有啊，只有劳累自己的双脚了。夏天午后时间长，冬天的时候就太紧张了，快快地往家里跑，到家后，要是表伯表叔家还没有做好饭呢，那就空着肚子，再跑回来。雷雨天时，她吓得不敢回家。大雾天的时候呢，她就饿着肚子，在学校的围墙外蹲着看书，等同学们吃完后，再回到教室，或者干脆就在水管边喝水，反正学校的凉水是不收费的。

这日子过得实在是苦透了。有一次，她试探着走到镇上，找到了养父在世时曾给自己介绍的那一位餐馆老板，想去打工。

老板看她弱不禁风，端盘子也端不稳呢，就皱起了眉。

“我能洗盘子洗碗呢。”她嗫嚅着说。

“那你会记账吗？”老板又问。

她只好摇摇头，

最后，老板惋惜地回绝了她。

是啊，她还太稚嫩太纤弱，她毕竟还只是一个不满 14 岁的孩子啊。

奶娘可怜这个苦命的孩子，经常留她吃饭，也时常给她零用钱。偶尔炒菜时，锅底只放一点点油，铜钱大。不舍得放油，却舍得放盐，用盐提味。盐也不是碘盐，而是工业盐。因为碘盐要 9 角钱一斤，工业盐只要 6 角钱，虽然对身体有害，可山里人很少去理会的。

奶娘的责任田里有一棵核桃树，每年能产 20 多斤核桃，收入 300 元左右。她还养了 7 只乌鸡，这是她最大的经济来源了。几年来，她从来没吃过一个乌鸡蛋，但她每周都让小红艳吃一个。这孩子正是长身体、补脑子的时候啊。

那一盏 15 瓦灯泡，月电费从来都是 4 角钱，可自从小红艳借宿后，每个月竟然超过了 7 角。

昏黄的灯光下，小红艳在静静做作业。一个个汉字，一列列算式，一排排字母，像一群群敏捷的碎铁屑，紧紧地吸附在她记忆和思维的磁铁上，又像一窝窝“嗡嗡”翔舞的小蜜蜂，悄悄地在她的脑子里筑巢……

她还爱上了课外书，虽然买不起，却可以从同学那里借。沿着那一个个瑰丽的故事，她的思想飞了很远很远……哦，这个可怜的姑娘，除了她生存的小山沟外，还从来没有出过远门，最远的地方就是去过一次县城，那还是她养父火化的时候。

只有知识才能照亮自己的灵魂，才能改变自己的命运，不，才能改变整个山区的命运。山很高，出山的路很长，很远，但小红艳认准了，她要走出去，走出去……

像一株封闭的含羞草，渐渐地舒展了自己，现在，她的脸上终于有了笑颜，课堂上也敢举手了，说话的声音也大起来了。她还有了两个最好的小伙伴：曹凤清和祁静。课间的时候，她们会手拉着手，到校外的山坡上，说笑，唱歌，玩闹……

放学回来的路上，她会在河边的草地上拔一袋秋草，或在秋收过后的大田里捡一捧黄豆，拾几块红薯，这些都是乌鸡的好饲料。别人的乌鸡冬天不下蛋，而穷人家的鸡顾怜主人的贫寒，也像夏天一样下蛋呢。每天晚上，她就去鸡窝里取蛋，乌亮亮的蛋儿捧在手里，温温的。她使劲嗅一嗅，再细细数一数，每天都能收取三四个，每 12 个是一斤，一斤乌鸡蛋就是 8 元钱……

她的学习成绩也悄悄地赶了上来。2006 年年底，考试分数出来了，数学 88 分。

她竟然是全班第二名。

但是，小红艳的心依然沉重。她不知道，那些弥漫在她生活和生命中的难以承担却又挥之不去的重负和阴霾，会在哪一天把她再一次压扁。

她不知道该怎么办。但同时，这个已经初谙世事的小姑娘，这棵生长在大山深处的可以感知天地温凉的小草，似乎又隐隐约约预感到了什么，她的心底深处在焦渴地殷殷地企盼着什么……

丁亥（2007年）春节过后开学的第一天，是例行的升旗仪式。可与往常不同的是，镇中心校的周校长和许多领导也都来了。果然，升旗仪式之后，周校长激动地宣布了一个好消息：从现在起，全国农村所有的初中生和小学生都不用交学杂费和书本费了！

也是在这一天，周校长和班主任李茂堂老师还特意告诉她，如果她愿意，就可以住校，她是特困生，住宿费可以全免，课本费可以全免，不仅全免，每月还可以补助生活费30元，而且学校还要通过别的途径为她申请困难补助……

她怔怔地看着那一面红红的国旗，眼前蓦地涌起了一团湿热的水雾。

哦，这个国家在一天天地富裕起来，农业费免除了，义务教育费免除了，往后还会有更多更多的优惠。山里的日子在一天天好起来，奶娘的乌鸡也在一天天勤快起来。听说农民也要实行低保了，前几天，村干部不是到家里来登记了吗？

回到家后，她就把这个消息告诉了奶娘，奶娘高兴得直流泪。这天晚上，奶娘执意为她煮了五个乌鸡蛋。她边说边笑，笑着笑着就睡着了，连梦里也开满了香喷喷的五颜六色的鲜花，她有生以来第一次睡得如此滋润和香甜。

第二天是正月十八，早晨上学的时候，太阳从东边的凤凰山上升了起来，红艳艳的，像自己的名字，她感觉自己真是幸运啊。清漳河边的冰层在悄悄地化解着，亮晶晶的河水冲击着已经脆断的薄冰和五彩斑斓的鹅卵石们，淙淙地敲击着，像琴声……

不知想起了什么，她的泪水又流了出来，流成了面前这条奔腾的清漳河……

这正是惊蛰过后的第二天，大地万物都在苏醒着。在这阳光和春风的拥围中，这一棵刚刚从冬天里走出来的纤弱的小草，也和这广袤大地上的亿万株新绿一起，向着蓝蓝的天空，绽开了生命深处最甜美的笑颜……

（选自2007年3月19日《光明日报》，作者：李春雷）

你不会懂得我伤悲

——杨丽娟事件观察

2007年3月26日，杨丽娟的父亲因女儿没能单独见上明星刘德华，跳海自尽。

当日，刘德华在日记中写道：你不会懂得我伤悲。

同样，人们似乎也难以懂得杨家的伤悲。

如果一件事情无法解释，那么一定有你所不知道的事实存在。

父亲、母亲、女儿，这一家三口，各自经历了怎样的心理轨迹，彼此又在怎样地影响纠缠？

这是本报记者的观察：一个掩藏着脆弱、敏感、绝望和固执的故事。

死在香港，活在香港

杨丽娟已经十多天没有换衣服了，也没洗过澡。她脱掉黑红色的皮鞋，坐在床沿上，低头抠着脚趾，努力想抠掉大脚趾上残留的红色指甲油。“爸爸走了，我身上不应该有红色的东西，这个指甲油是以前涂的，质量不好，老是抠不掉。”

杨丽娟十分清楚自己现在有多“红”，每次接起电话，她都会以“我现在真的不能接受访问”开头，跟对方聊上半个小时——从这个记者嘴里听来的话，她经常会放到跟下个记者的聊天中解释，让每家媒体都有“独家专访”。

“我从不会说兰州话。”杨丽娟的普通话里，有些上海味道。跟她对话你完全想象不到她只有初二文化水平。她是一个心思缜密的人，在媒体的包围中，警惕地绝口不提“从前”、父女关系、母女关系、辍学生活……

“如果我们不见刘德华，爸爸是不是不会死？”杨丽娟偶尔会低声自语，继而会转入对刘德华的谴责，最后沉浸在崩溃中，大喊：“爸爸爸爸，你怎么就抛下我走了啊？我该怎么办啊？”

她每天都会崩溃几次。

她并不像传说中的有“洁癖”，虽然每次翻完黄页，都会跑去洗手消毒，但进

2007年3月28日，女歌迷杨丽娟（左）和她的母亲在香港街头。
（吕小炜/摄，图片来源：新华社）

出她的房门还算容易，人人都来这里坐过——除了她妈妈陶菊英。陶菊英住在另外一个房间，她不知道女儿住在哪个房间，女儿甚至不会跟她出现在同一辆的士上。她自我安慰说女儿很爱她，只是父亲去世给她的打击太大。

杨家母女回兰州的几天，一日两餐都是媒体买的。一天记者们吃完饭，把没吃完的打包带上来，吃了几口，杨丽娟发现土豆丝下面还有玉米、花生和其他几样食物——跟以前一盒土豆丝一盒青椒肉丝的状态不同，知道不是单锅小炒，她迟疑了一下，没有表露出任何不满，拉着记者，把盒饭拿给妈妈吃。此前她很少过问妈妈的饮食。送完盒饭，杨丽娟悄悄给别的记者打电话，让他们带个盒饭上来。

陶菊英一辈子都没咽下这口气，杨勤冀长得不好，没有钱，又没有地位，帮孩子见个刘德华还见得这么窝囊，“我觉得来这世上是白来了一趟，我自己没过好，她爸也没过好，孩子也没过好，老天爷把我们这家人惩罚得够厉害的。”

3 月 26 日，杨丽娟的父亲因女儿没能单独见上刘德华，跳海自尽。继去年“父亲卖肾助女追星”之后，事情达到的高潮至今仍没有平息的迹象：歌手杨臣刚资助母女二人去香港料理父亲后事；杨丽娟不顾曾经答应媒体绝不再找刘德华的承诺，一到香港就在刘德华居住的别墅区挨家挨户找刘德华。

他们到底想得到什么？这个被逼问了无数遍的问题，在杨勤冀跳海之前，回答永远如一面铁甲：“女儿为他付出了 13 年的青春，他一定要见。”在杨勤冀跳海之后，回答永远如另一面铁甲：“这是她爸的遗愿，他一定要见。”

如今这对母女的最新期待是，死活都要待在香港。

她们再也不愿意回到兰州，更不愿意回到阿干镇。

杨丽娟说：“妈妈说，我们不能回去，回去你没办法面对。”

阿干镇，寂静岭

“阿干镇出杨丽娟这样的怪人，一点也不出奇。”郦哲说。他是兰州的一名警察，用业余时间去阿干镇拍摄纪录片，已经拍了两年。“不出奇”的原因是，生活在这里的人在外人看来格外“脆弱、敏感、绝望”。

杨丽娟和母亲陶菊英都出生在阿干镇，父亲杨勤冀在阿干镇教书，直到1995年提前退休。

阿干镇虽然离兰州市区不过20多公里，但道路崎岖，汽车要开近一个小时。“阿干”的名字出自《尔雅·释地》：“大陵曰阿，干为水畔。”阿干河从南向北穿镇而过，河两边是密不透风的荒山。阿干镇形成于北宋，之前是丝绸之路上中国内陆部分颇为重要的一站。

上世纪50年代，阿干镇成为兰州工业用煤和民用燃料的主要生产基地之一。当地流传着“先有阿干煤坑坑，后有兰州城窝窝”的说法。“50年代，在阿干镇上班的人都是很骄傲的。而现在，说一个人很土，兰州人会说‘你是阿干镇来的吧’。”张磊和他的伙伴正在招商拍摄另一部纪录片《影像阿干镇》。

如今的阿干镇，建筑仍以苏式居民楼和办公楼为主。玻璃很多已经破碎，还有大量空出来的宿舍楼，当地居民谁愿意搬进去就搬进去。唯一的电影院已经改成了塑料制品加工厂，跨进院子，迎面三个斑驳的大字“观人子”——它的前身是“观众您好”，这里已经20多年没有放过电影了。最繁华的街道铁冶街粗看上去家家关门闭户，走近你就会发现，其实每扇窗户后面都有人在打量。偶尔出现在街上的人，没有多少表情，嘴角向下耷着。

邴哲说，阿干镇的人大多可以预测自己的命运：男人不是因为事故在矿上伤残亡故，就是患上这样那样的职业病；女人在家里默默守候着活一天是一天的丈夫和在教学质量不怎么高的学校里念书的孩子；小孩沉默地行走在煤尘扑面的街道上，或者被狭窄道路上奔驰的运煤车撞伤。

90年代初，阿干镇人口开始大量迁移，不到五年时间，阿干镇从最初将近十万人，减到现在两万多人。杨志彬是《兰州晚报》记者，前后11次去阿干镇采访，在他看来，阿干镇是甘肃这类城镇的代表：资源枯竭、千疮百孔，百姓居无定所，背井离乡是他们最大的愿望。

“煤矿的破产和减少引发一系列社会问题，严重地影响了阿干地区的稳定和小康社会目标的实现。”兰州市委外宣办2005年在新华网甘肃频道上发表的《阿干镇》一文中这样写道。

杨丽娟的母亲陶菊英是煤矿工人的后代。她的青春期，正是阿干镇的辉煌期，但那些“辉煌”，从没有降临到她身上。像生活在镇上的任何一个人一样，她最熟悉两种车：运煤车和警车——矿工们不下井的时候，喜欢喝酒，酗酒是发泄压抑的好方法，鸡毛蒜皮的小事也能让他们兵刃相见，警车常常来此抓人。

陶菊英的父亲是煤矿工人，生了七个孩子，母亲常年有病，全家人靠父亲的工资养活。“有一天爸爸直到8点半都没有回来，一些人冲进家里，说爸爸出事了。”陶菊英深刻地记得那个早上，煤矿出事，父亲的腿被压断了。父亲出院后再次下井，又遇到瓦斯爆炸，这次出来，只能在地面做些杂事，一家生活更加拮据。

1976年，23岁的陶菊英在31中当临时工，给学校刷围墙，37岁的杨勤冀路过，打量了很久，主动帮着她干活。

杨勤冀不是阿干镇人，1973年，他从兰州市里的20中调到位于阿干镇的31中。他祖籍河北，长在知识分子家庭，父亲是西北师大的老师，大哥和三弟也都是教书的，但他并不比陶菊英幸福。

“他们家发生过很不好的事情。”陶菊英始终回避这件“不好的事”：杨勤冀的弟弟亲手砍死了他们的母亲。

“这件事在50年代的兰州，还是很轰动的。”兰州20中的同事对此还有印象。弟弟为什么砍死母亲，没有人能说清，杨勤冀的同事们比较相信的版本是，“跟杨勤冀有些关系”：杨勤冀个子不高，其貌不扬，几次交女友未果。一天弟弟兴致勃勃地把自己女友带回家来，母亲看了，试探着问：“你哥哥还没女朋友呢，不如把这个女孩让他？”弟弟的女友很生气，甩了弟弟。弟弟想不通，砍死了母亲，最后被鉴定为精神病——也就是外界一直流传的“杨家精神病史”。

陶菊英从来不掩饰自己嫁给杨勤冀的不甘。“我一直都看不上他，比我老那么多。”后来这个“大14岁”一直给陶菊英带来很大压力。“走出去别人都问我，这是不是你爸爸，这是不是你爷爷。”陶菊英欣赏的是她父亲那样的男人：个子很高，一米七八，走路利索，外表干净，做事麻利。这些杨勤冀都没有。

这是为生计所迫的婚姻，“我爸爸说，他是个老实人，好歹有个正经工作，还有城市户口。”

第二年生下杨丽娟，中年得子的杨勤冀非常兴奋。

1981年，杨丽娟3岁，一家人跟着有城市户口的杨勤冀住到了他父亲在兰州的家里。陶菊英终于离开了阿干镇；杨勤冀则每天坐通勤车往返阿干镇和兰州，早上搭一小时车上班，晚上搭一小时车回家。

女儿心，海底针

“我不愿意提阿干镇！你们要真的想帮我，就不要再问我为什么辍学，这跟我要见刘德华没有任何关系！”为什么初二辍学，是杨丽娟接受采访时最不愿意回答的问题之一。

时隔15年，杨丽娟的中学班主任齐老师（化名）很努力地回忆着杨丽娟：个子不高，比较羞涩，喜欢唱歌，但不敢上台表演；成绩不错，文科好过理科，有一次还得了第一名；有些要好的女同学；关心集体，每天很早就来打扫清洁，有同学推选她当学生干部。

1992年夏天，初二快结束的时候，杨勤冀到学校跟齐老师说，女儿不想再读书了。齐老师非常震惊：她从来没觉察到杨丽娟不想上学了；她想不出杨丽娟有什么理由辍学；辍学的事情居然是孩子的父亲来告诉她的，这个父亲自己也是中学老师。

齐老师多次登门规劝——她清楚地记得，当时，杨丽娟家里，还没有任何刘德华的海报。

当时杨勤冀喃喃自语地回答：“有什么办法，孩子不想读了。”他担保会让她乖乖待在家里。“九年制义务教育”似乎并不怎么被看重，即使对杨勤冀来说，辍学也不是一件新鲜事，他任教的31中，每年都有学生因为贫困而辍学，陶菊英也没上过学。

在陶菊英的回忆中，是杨丽娟央求了半年，他们才同意让她不上学的。女儿的理由是：学费太高，一学期80元；多一点时间陪母亲；自己在学校里总是被同学利用。

陶菊英说，一听到“利用”二字，她心就软了：“我们这家人一辈子都在被人利用，我被人利用，她爸爸也被人利用。”陶菊英觉得被人利用，是邻居看她不上班，常常把孩子甩给她带，每个月象征性给25元；至于杨勤冀，陶菊英总是埋怨他，比他年轻的人不是当了校长，就是当了教导主任，自己到最后只是一个“高级教师”——虽然整个31中只有一个高级教师。现在“利用”一词还挂在母女嘴边，她们最怕被媒体利用：采访了一圈回去，他们涨了工资，自己还是见不上刘德华。

杨丽娟当时所说的“利用”，是她辛辛苦苦写好了作业，同学拿去就抄，借作业时笑脸相迎，抄完之后就不理她了。

去年有媒体找到杨丽娟的同学，带去跟杨丽娟相见，她很不高兴：“怎么早不跟我联系？现在媒体报道了，都来了。”这个同学回忆说，自己结婚的时候，杨丽娟好像打过电话，当时自己忙着筹备婚事，没怎么跟她聊天，可能那时觉得受到了冷落。

关于辍学，还有一个说法，杨丽娟喜欢上了一个老师。

“那个老师在阿干镇中学教书，还是有老婆孩子的。”这是万龙（化名）当年从陶菊英那里听来的，万龙是陶菊英的“相好”。

几个邻居和杨勤冀的同事也都表示，曾经从陶菊英那里听到过这件事：杨勤冀带着女儿回阿干镇31中玩，女儿看上了父亲的同事，给对方写“情书”，对方不知如何应对，把信转给了杨勤冀。杨勤冀也不知如何是好，把信又交回给了女儿。

“估计小女孩面子上挂不住，我不知道杨丽娟是不是因为这个不去上学了。”万龙说。

辍学之后，杨丽娟并没有马上“梦到”刘德华。她每天确实是乖乖待在家里，做两件事情：看电视，洗头。

伟大的母亲，穿梭的妻子

辍学两年之后的1994年，杨家发生了两件大事：杨勤冀和陶菊英离婚；女儿杨丽娟“梦”到刘德华。

陶菊英自己解释，跟杨勤冀是用假离婚来多分房子。

“陶菊英跟我说，生完孩子后他们就没过过夫妻生活。”万龙说。

离婚之后，陶菊英跟过好几个男人，第一个是工人，对她不错。陶菊英经常是在工人的家住几天，再回杨家住几天——帮着父女俩洗衣服。

万龙是一个退休的国家干部，瘦但不弱，西装笔挺，衬衣雪白，跟陶菊英在老年歌舞厅认识的，当时的陶菊英“白白胖胖，长得还算不错”。

当过兵的老钱也是在老年歌舞厅被陶菊英看上的，他身板硬朗，说话做事干净、利索。他也跟杨勤冀见过，老钱曾提出跟陶菊英保持“同志般的友谊”，因为陶比他小17岁，“年龄差距太大”。

陶菊英跟万龙纠缠了一段时间，万龙跟原来的妻子离婚，陶菊英正式搬来跟万龙住。还是老规矩：万家住几天，杨家住几天。

两家保持着特殊而亲密的关系：陶菊英经常回家给杨家父女做饭洗衣，杨勤冀也经常带着女儿过来万家串门。

“陶菊英是舍不得她女儿。”万龙说他很理解陶菊英，对她住在哪里也不介意。

万龙最欣赏陶菊英的勤快，也一直很心疼她：陶菊英跟第一个工人相好在一起的时候，曾经怀上过一个孩子，怀孕期间坚持回杨家洗衣服，结果流产。“杨勤冀都没有送她去医院，还是她的弟弟打电话让那个工人来送去医院的。”还有一次陶菊英遇到车祸，在家养伤，“杨勤冀和他女儿就在楼上都不下来看看她”。

“这么多年，我一直都没有离开过我的家，没有离开过我的女儿。我可以说我是伟大的母亲，伟大的妻子，没有我这么多年来操持家务，也就没有她爸爸得的那么多奖状。”陶菊英不断重复着这句话。

万龙最终没有跟陶菊英结婚：陶菊英太大手大脚，脾气也不那么好。

陶菊英很注重自己的仪态，“她最在意口红，每天都要画一个小时。”万龙说，他带着陶菊英逛街，“买条裙子都是800元，衣服鞋子全是名牌。”陶菊英出手慷慨，路上给乞丐钱都是2元起。蒸好馒头，大部分给了邻居。“她跟我在一起，花了我有好几万吧。”

陶菊英脾气不好，经常打女儿，“两母女好的时候很好，不好的时候，打得特别厉害。有一次拿着湿毛巾打女儿，把她脸上的皮都给打下来了。”万龙对此记忆犹新。

杨家三口谁打谁的问题，邻居和朋友说法不一：有的说，陶菊英很强势，经常打骂父女；有的说女儿很厉害，常常打骂父母；有的说，母女对打，父亲在中间劝架；也有很少的人说，杨勤冀打陶菊英。无论一家三口谁打了谁，从没有任何人或者机构来调解、干预。

跟着父亲过日子的杨丽娟，一天起床，给父亲讲了自己关于刘德华的“梦”，杨勤冀听完对女儿说，他也做了一模一样的“梦”。

没有人在意“梦”是真是假，万龙只是觉得，杨勤冀对女儿“顺从”得太过分了。“你说可能吗？父女同一晚做同一个梦？我要是她爸爸，就算我做了，也不会跟女儿讲。”

1995年，杨勤冀从31中提前退休，这时距他正式退休还有四年。作为31中唯一的高级教师，杨勤冀拿的退休金是最高的，每月2 050元——稍微有点规划，在兰州供三个人过小日子，本该绰绰有余。不过后来他们总是缺钱。

“老杨跟学校说，是为了照顾他爸爸退休的，其实是为了照顾女儿。”陶菊英说。

世界越来越小，爸爸越来越亲

杨丽娟很少说“刘德华”，一般会用“他”代替，生气的时候，通常使用“姓刘的”。“我只是不断做他的梦，这么多年已经把他当成亲人了。”

那个“不约而同的梦”非常简单：“墙壁上有一张画，画像上的人头两边写着：‘你特别走近我，你与我真情相遇’。”

按照杨丽娟跟各路记者的讲述，后来“刘德华梦”基本有两个主题：缘分，纯情。比较典型的有，杨丽娟在玩沙包，刘德华走过来，深沉而熟悉地看着她；刘德华在山顶遇到杨丽娟，不由分说拉着她跑到小河边，含情脉脉地说：你都已经跑过我了，还跑什么；杨丽娟走进一个黑房子，里面放着一盘磁带，上面写着：你是我的女人。

杨丽娟一直在强化“梦”的戏剧感：一次同学给她看了一张海报，她才知道，自己一直“梦”的人就是大名鼎鼎的刘德华。

杨丽娟足不出户，世界越来越小，生活的唯一希望就是“刘德华”。她越来越坚信，只要刘德华见到她，听她说完“梦”，也会有“感应”。

杨勤冀退了休，躲避了单位对他跟妻子关系的指指点点，却躲避不了邻居的议论，他也开始足不出户，陪着女儿梦刘德华。

杨勤冀对女儿有求必应，极度溺爱，任何家务都不让她做。万龙说：“陶菊英告诉我，杨丽娟二十多岁了，还都是爸爸给她洗澡擦身，他们一家也没觉得有什么不对。”

“我跟其他孩子比，跟爸爸更亲，一天不见都会想他。长这么大，最多爸爸加班开会两天不在家，其他时候一直都在我身边。现在爸爸真的走了，我真的感觉没有什么依靠了。”杨丽娟愿意谈的父女关系，到此为止。

“只要女儿高兴，他做什么都行。”杨勤冀的旧同事老贾（化名）气愤地回忆，有一次女儿要喝红牛饮料，杨勤冀没钱了，就去商店偷，第二次偷的时候被人抓住，“幸亏是国营单位，教育了一下，给放了。”

伴着“梦华之旅”，杨勤冀还开始了搬家之旅，此时他有了一项“新躲”，躲避邻居对女儿追刘德华的嘲笑。

一个邻居跟杨勤冀开玩笑，问他是不是还在等刘德华，就这一句话，杨勤冀马上打110报警抓人。越是开不起这些玩笑，邻居们议论得越厉害，杨家也就越怕跟人接触，邻里关系陷入了恶性循环。传闻从陶菊英“偷人”到杨勤冀给女儿头顶洗脚水，再到母女虐打杨勤冀，真真假假难辨真伪。

2005年，陶菊英因为一次煤气中毒，被重物砸坏了腿，杨勤冀将陶菊英接回家里。陶菊英这次彻底留在了这个家，而这个家早已经只有一个目标：刘德华。

“我把那些杂志都撕了，把磁带也给砸了。”陶菊英说自己从1996年开始，每年不断砸磁带、撕杂志，这些举动在去年3月那轮“父亲卖肾助女追星”的报道中，被解释为：家长一开始也反对女儿追星。但时隔一年，陶菊英说自己生气的原因，不是女儿“追星”，而是刘德华一直不回信。

总之，团圆之后，一家三口彻底拧成了一股绳——“只要见到刘德华，我们一家就能好好生活了”。

一家三口？一家四口？

“只要见到刘德华，我们一家就能好好生活了”就像一个魔咒。

北京电视台《每日文化播报》栏目的陆纳觉得这句话有两种完全不同的理解：见到刘德华，杨丽娟心愿了了，一家三口好好过日子；见到刘德华，杨丽娟跟刘德华“美梦成真”，一家四口好好过日子。

卖肾新闻没有达到目的，刘德华在媒体上公开回应：“要爸爸卖房卖肾来见我，这就是不忠不孝。”

正在杨家一筹莫展的时候，天上掉下了陆纳。他是后来杨勤冀多封谴责信的主角之一，谴责点是：利用杨家创造收视率，甚至用假刘德华愚弄和欺骗他们。

“他们告诉我们，他们台有实力，一定能帮孩子见到刘德华。”杨家对此充满了希望。

来采访的陆纳的确答应联系刘德华：“我初到杨家，第一直觉是同情。”同情的内容包括贫穷和父母对孩子的苦心。因此他也“天真”地认为，也许帮杨丽娟见上刘德华，他们家就能正常地生活了。

陆纳说自己也确实联系了刘德华的经纪公司：“一个男的，听了之后告诉我，对这件事情，不提倡、不回应、不见面。”

陆纳第二次去杨家采访，隐隐觉得这家人不像第一次那么“值得同情”：“杨丽娟的爸爸在家里是从属地位，言行都会受到母女的监视和盘问。”他把“唯一可以对话”的杨勤冀偷偷叫到宾馆，委婉地告诉他，刘德华不会见他们了。

“我当时真的很想帮他们。”陆纳说，他的帮忙还包括：带去了两个心理医生；教杨丽娟上网、唱卡拉OK。

这种帮忙是徒劳的，杨丽娟根本不见医生。陆纳说：“杨丽娟是希望跟刘德华一见钟情，她曾经当着我的面，跟父母说，你们现在不管我，到时候我跟了刘德华，也不会管你们的。”

第三次陆纳带来了“刘德华”——跟刘德华长得很像的吴可。吴可以模仿刘德华为职业，觉得“自己长得像刘德华，也许可以劝劝她”，《每日文化播报》跟拍。

“杨丽娟根本不像其他歌迷。”吴可说，因为他长得像刘德华，不时会遇到疯狂的歌迷，但杨丽娟对他的长相没有任何反应。

陆纳和吴可觉得当时气氛很融洽，而杨家对此事非常愤怒，说：“他们还拿假刘德华来欺骗我们。”吴可也没有料到这个家庭对信息的选择性理解。“杨丽娟根本不像其他歌迷”的评语，给杨丽娟带来了相当大的鼓舞，她后来接受采访时，也都用这句话来把自己跟“追星族”撇清。

2006年10月，杨勤冀一家三口进京。这次双方都不像以前那么“友好”，一向老实的杨勤冀大闹电视台，要通过镜头公开谴责刘德华的“无耻”行为，双方起了一些争执。

陆纳说，他被缠得没有办法，就私下自己掏钱买了两张票，带杨丽娟去了《墨攻》首映式，“坐在第一排”。陆纳说自己很紧张：万一杨丽娟出现什么状况，他需要负责；另一方面，他还是抱有幻想，见了刘德华，也许杨丽娟真能“迷途知返”。

北京见面之旅的结局是，北京电视台以栏目组的名义，给了杨家2 000元做路费。

提起这2 000元，陶菊英气不打一处来，她当时就把杨勤冀骂了一顿：“我跟她爸说，别要他的钱，就是两万也别要，这是贬低人格，好像我们为他的钱似的。”

三箱宝贝，七页遗书

女儿的沮丧，妻子的恼怒，加上见刘德华希望的再次破灭，让杨勤冀彻底变了一个人。

小周（化名）说，杨勤冀从北京回到兰州，“神情恍惚，牙也掉了，很憔悴”。

小周是杨勤冀最信任的领导的儿子，也是最后杨家三口去香港的借款人。今年春节前，杨勤冀来找他借 11 000 元。“我没有那么多钱，我也知道他是拿去给女儿追星的。”此后杨勤冀又来了三次，说自己借了一圈，实在没有办法了。

小周不止一次劝他，不要再跟着女儿一起疯了，杨勤冀坐在他家沙发旁的板凳上，不断重复一句话：“我真的希望刘德华能见见娟娟，听她把梦说了，我们一家人回来好好过日子。”

谁们“一家人”？好好过什么“日子”？谁也不知道。至少在杨勤冀前同事老

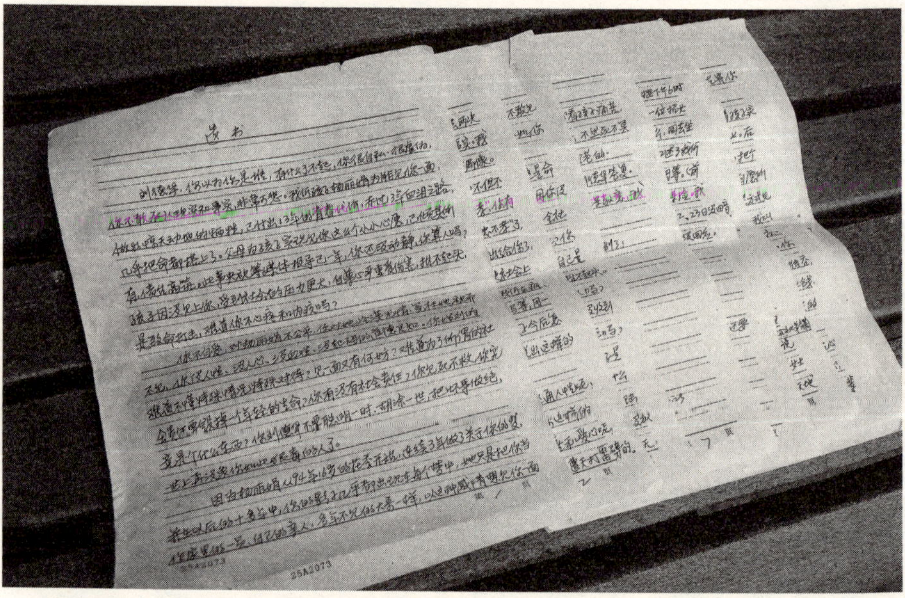

这是杨丽娟自杀去世的父亲留下的遗书。（吕小炜/摄，图片来源：新华社）

沈的妻子看来，杨勤冀已经“脑子越来越不清楚了”。“杨勤冀来找我们借钱，跟我们说，他们在香港好得很，李嘉诚的房子也让他随便住。”

跟大部分人一样，老沈的妻子不想跟杨家扯上任何关系。

杨勤冀和陶菊英这几年把能借的都借遍了，从侄儿到邻居，从同事到领导，甚至陶菊英的几个“相好”，都借了数量不等的钱。杨勤冀有一个账本，上面清清楚楚地记载着借钱人、借钱数目和归还时间。除此之外，还有一些“名人名言”：现在办事靠：1. 人际关系；2. 经济实力。

兰州的冬天天寒地冻，近70岁的杨勤冀站在楼下等，小周不忍心，通过朋友找到一个经理，挪用了11 000元——也就是传说中的“高利贷”。

“我告诉杨老师，钱我是借给他的，不管他用来干什么，我都不管了，我跟他击掌相约，一定要在兰州再见一面。他这是跟我失约！”小周后来知道杨勤冀跳海的消息，在家里捶胸顿足。当时他已经隐隐觉得有些不对劲。

2007年3月4日，杨勤冀来拿钱，带来了三箱“宝贝”：户口本、女儿小时候的照片、奖状、学生名册；自己的所有奖状；上了锁的留给女儿的东西。

杨勤冀解释说，出远门，放在招待所怕丢——他们已经无家可归，住在一个便宜的招待所几个月了。

是举家奔赴幸福生活，还是心力交瘁安排后事，现在看来，无论如何这都是杨勤冀的最后一搏了。

3月25日，杨丽娟在刘德华歌迷会上第一次真正见到了刘德华。她没有得到陈述“梦境”、激发“感应”、改变命运的十分钟。

3月26日凌晨，杨勤冀留下早已写好的七页遗书，跳海自尽。

3月26日，刘德华受此事影响，工作处于半停滞状态。刘德华在日记上写道：“你不会懂得我伤悲”。其后不断有歌迷依样学样，以死相逼要跟刘德华见面。

（文中化名皆为被访者要求）

（选自2007年4月12日《南方周末》，作者：袁蕾）

冀东大发现

是什么事让温家宝总理“高兴得睡不着觉”？是什么让中国“工业巨头”中石油的股票一夜间升值了2 000亿港元？是什么事让全世界为之一震，连布什政府的智囊团也一下把目光聚焦到了中国的渤海湾？

呵！原来中国的冀东有个“40多年来石油勘探最激动人心的大发现”（温家宝总理语）！

南堡大油田，中国人的又一伟大发现！

难以置信的惊喜

《石油风云》的作者、美国著名学者托马斯说过：20世纪是石油的世纪。21世纪，人类对石油的依赖将更加严重，并且直接影响着人类的进步与生存。

日益强大的中国已经越来越感受到这个深藏在地球深处的黑色物质对整个社会的影响，甚至关联着国家的内政与外交的走向。顷刻间，原本简单的事复杂起来，复杂的事变得简单了；同样，我们日益富裕起来的人民也越来越强烈地体味到“因油而动”的这个世界，对自己日常生活的震荡与影响，比如汽车用油、股票涨跌、口袋里的钞票和衣食住行的质量……

石油，几乎无处不在地继续主宰着人类的命运。

2007年的“五一”国际劳动节，国务院总理温家宝来到渤海湾的冀东油田，面对海洋边一座座耸立于云霄的高高钻塔和熊熊四起的海洋试油火龙，他对石油工人和科技人员们高声说道：冀东南堡大油田的发现，让我高兴得睡不着觉！

干地质工作出身的国务院总理之所以兴奋得睡不着觉，是因为在渤海湾一隅的这块冀东海域，有了一个“40多年来我国石油勘探最激动人心的大发现”。

两天后，新华社播发的“渤海湾发现储量10亿吨的大油田”的消息，传遍了全世界。香港股市的中国石油（0857.HK）股价，在两天之内累计升幅高达14%，中石油公司的股市值一下增值了2 000亿港币，而与此相关联的国际油价下跌超过1美元。

2007年9月24日《中国日报》报道：中国科学院院士、中国石油天然气股份有限公司副总裁贾承造在北京最近召开的中国油气论坛上透露说：“我们预测最终南堡油田海上将探明10到16亿吨（油当量）的储量，加上陆上的储量，南堡油田的整个（探明）储量最终可能突破20亿吨。”

20亿吨的概念是什么呢？这让人们自然会想到40年前发现的大庆油田。据专家

2007年5月10日，一艘油轮在冀东南堡油田海上石油平台装船。
（杨世尧/摄，图片来源：新华社）

介绍：大庆油田发现后第一次向国家提交的储量是20亿吨。大庆油田自1959年正式发现到现在，已连续几十年高产稳产，一直雄踞我国石油开采的“半壁江山”，为共和国建设立下了汗马功劳。

那么，20亿吨规模储量的南堡油田的发现到底意味着什么呢？油田主要发现者、中石油冀东油田公司总经理周海民向我们介绍说：大庆油田包括了松辽平原的26万平方公里面积，而冀东南堡油田则是具有丰富石油储藏地——渤海湾的一小部分。渤海湾盆地面积约20万平方公里，南堡油田是渤海湾盆地的一小块地方，只有1 570平方公里，仅为大庆油田面积的1/1～60，是渤海湾盆地的1/140。“可我们南堡油田的单井油层厚度都在80～100米，是国内油藏地质条件超常好的油田，而且单井产量能稳定在100～500吨，全国陆上油田的平均单井产量仅为2～3吨。另外，南堡油田的储量丰度高，每平方公里500万吨。”周海民说到这儿，眼镜下的双眸闪闪发光，“还可以告诉你们一件事：我们的油质特别好，属于轻质油。南堡大油田的发现井出来的油，透明得让我们有些不敢相信那是石油。后来我们倒在盆里一试，‘哗’地一下燃烧光了，火光金黄金黄的，燃烧过的盆底里只留下一点点儿黑尘……可以说，南堡油田的油是罕见的好！”

“整个渤海湾盆地的石油储量应在200亿吨左右，我们目前只找到了其中的一部分。”著名石油地质勘探专家、中国工程院院士翟光明这样认为。

呵，南堡发现大油田的意义原来如此！国人兴奋之余，自然而然地会更加关注一个问题：像冀东南堡这样一块弹丸之地，怎么会在一夜之间突然冒出了一个大油田呢？

“不敢相信的人很多，连那些受人尊敬的老专家、老石油人听说后，来到南堡就直截了当地对我说：小周，你必须跟我说清楚，南堡大油田到底是不是真的？我告诉他们：绝对是真的，地质资料和油井都在那里摆着，你们可以看。他们又问我：如果是真的，为什么？这是最近一段时间内，我所要回答的来自各个方面最多的一个问题。”看上去有些疲惫，但一说起话就激情澎湃的周海民笑道，“我的回答很简单：一是我们思想解放，敢于创新，用科学发展观的思想指导找油的方向，路子走对了；二是发扬了大庆精神、铁人精神；三是依靠了先进的科学技术。归根到底，还是党中央、国务院和中国石油集团公司的正确领导，英明决策。特别是中国石油集团公司蒋洁敏总经理等领导的大力支持和亲自指挥。当然还包括地方政府和众多兄弟单位的全力支持。”

周海民，1963年出生，1989年从中国地质大学毕业的硕士研究生（现在是博士后）。就是这样一位年轻的石油勘探专家，带领仅有4 000多人的一支石油系统最小的队伍，在一个全国最小的勘探区域内，仅用两年半的时间，就发现了一个举世瞩目的大油田，而且是在中外众多专家和队伍花了几十年工夫勘探后，认定“这是一块不可能有丰富油层”的老探区找到了新的大油田，谁会相信？没人相信。

但这是事实，铁的事实，让专家和业界人士甚至是中国全社会都不得不需要从多方面思考的事实！

奇妙的找油哲学

1996年，周海民出任油田总地质师，同时还兼任了勘探部经理。这两个职务，意味着这位年轻人在油田如何找油的勘探决策上，有了左右全局决策的“话语权”。此刻，周海民脑子里想得最多的是：冀东这个老油田为什么总不能有所突破？症结在哪里？

“我反复思考和调查得出的结论，还是一个思想解放不解放和对油田认识的问题。冀东干了那么多年，内部的、外部的人都认为冀东是个小油田，能年产搞上100万吨原油，能在‘碎盘子’里有所作为就不错了。基本上没有人敢有冀东能产1 000万吨、能在弹丸之地抱出个大金娃娃的追求和畅想。作为一个找油人、一个探求地下奥秘的科学工作者，如果没有追求和畅想，就等于是个裹脚女人，永远迈不开步子，当不了冠军。于是我要求油田的技术人员必须树立‘心中有油田’的思想，只有这样，我们才可能在眼界和思路上彻底地放开，从而将过去找不到油的‘瓶颈’突破。”周海民说，那时他给全公司的技术人员每人发了一本《找油的哲学》，并要求他们牢记里面的一句名言：归根结底，首先找到石油的地方是在人们的脑海里。

地下找石油是门复杂而又充满浪漫、实际的科学。地上的人通过钻井探清千米之下的石油蕴藏处，从而发现油田。可真正的找油过程，常常又需要严谨的科学家们像诗人一样浪漫、一样善于畅想，正如著名石油地质学家莱沃说的那样：“发现井完钻之前，未发现的油气田充其量也只是作为一种思想存在于地质学家的脑海里。”著名地质学家笛克说得更有意思：“我们运用老思路经常能在新区内发现石油；同样，有些时候我们运用新的思路能在一个老油区内发现石油。但是，在一个老油区内运用老思路就很少能发现大量石油。”

这，就是找油的哲学。

时任油田勘探开发研究院总地质师和主管勘探工作的研究院副院长董月霞博士不无感慨：“在我们多数技术人员因长久找不到油而处在灰头土脸悲观情绪很严重的时刻，周总用‘心中有油去找油’的理念，去重新认识油田，使我们的悲观情绪一下得到了解脱，思想也获得了空前解放。那一段时间，我们研究院上下，从来没有那么活跃过，大家的思想仿佛一下走出了迷宫，找油的积极性空前高涨，思路也比以前开阔多了。经过反复分析和深刻反思认为，冀东油田所处的南堡凹陷地层肯定有油，多年来我们在找油上没有突破，根本的原因还是对地下的情况认识不足，而地震资料品质差，无法对地下进行深入、系统的地质评价，是制约油田勘探发展的症结所在。”

思想解放和认识统一所带来的，是全院技术人员在周海民的带领下，全力以赴地投入到了对过去油田资料的全面“会诊”之中。“会诊”的结果再次表明，冀东油田不仅有油，而且富油，只是它们藏得太隐秘、太不易找到。怎么办？办法有，可以运用目前最先进的三维地震技术来探明地下情况。

“不是以前做过三维了吗？”囊中羞涩的经理徐中清追问提出方案的周海民。

“是，但都是零星工作过，没有系统地做，所以地下资料没有达到要求。”

“得多少投入？”

“假如整个油田都做三维，我们的财力肯定远远不够……要不先攻老爷庙地区吧！那块区域小一点，况且是个多年来久攻不克的硬骨头，如果把老爷庙攻下来，具有以点带面的意义。”周海民深知公司的困难，想了一个两全其美的办法。

“好，照你说的做！我们宁愿勒紧裤腰带，少打几口井，也要把地下情况摸清楚。”可即使做老爷庙一块区域的三维地震，也得2 400多万元投入，这对一年也就3个亿经费、职工工资发放都成问题的小油田公司来说，经理徐中清能下这样的决心，魄力不算小。翟光明院士称冀东的这一行为是“过人的胆识和智慧”。

随之，周海民迅速请来了中国地震技术最好的当时的中石油物探局（现东方地球物探公司）的专家来做老爷庙的三维地震工作。天道酬勤。这年冬天，渤海湾的天气特别寒冷，滩海之地的冀东地区以往只冻一层薄冰的盐碱滩涂全被封冻住了，对地震工作十分有利。老爷庙的三维资料很快送到周海民等技术人员的手上，凭着扎实的地质理论和第一手资料，周海民和勘探开发研究院的同志们很快确定了17口探井。

然而找油的过程比捉迷藏复杂得多。当几口探井显示丰富的储量后，一口采油的开发井打下去，仍然没有见到预想的滚滚原油涌出时，“勒着裤腰带扔馒头”的议论四起，公司上下有不少人责问周海民：“到底有没有油？没油就赶紧停下来别干了！”

一时间，压力全都集中到了周海民身上，勒着裤腰带的冀东人眼睁睁地盯着这位年轻的技术负责人。有人以为他要崩溃了，可周海民反而胸有成竹。有一天，他走进公司经理办公室，笑着对老领导徐中清说：“我们立个字据：你给我一口井的钱，我在他们打的那井口附近再打一口开发井，如果有油，你们就什么都不要说了。如果没油，我承担全部责任。”

“那好吧，就按你说的做。”

于是，主管地质和勘探工作的周海民组织队伍，在那口没有出油的井位附近重新打了一口开发井，结果原油呼呼地直往外冒，日产36吨，而且发现的油层比设计的还多出10米厚。密布的乌云顿时消散，油田上下笑呵呵地向周海民道喜。有人搞不明白怎么回事。周海民拿出图纸，认真而又严肃地指出：“问题其实并不复杂，就是因为前一口井在施工时并没有按照我们的设计要求认真细致地去做。虽然他们也打到了目的地层，可钻井的过程违反了科学规律。用通俗的话来说吧，比如我们从北京出发，目的地是天津，在设计中我们要求走的路线必须经过石家庄再绕道天津，然而有人自以为只要到达目的地就行了，所以从北京出发，直奔天津，结果没有发现有油。他们哪里知道，地下的地层结构非常复杂，必须绕道石家庄才能在沿途找到油层。你从北京直奔天津，目的地是到了，井深施工好像也完成了，结果你根本碰不上油层嘛！”

原来如此！冀东人明白了，负责开发井施工的人更是茅塞顿开，自愧不已。

“海民，老爷庙的勘探、开发工作，你一个人负责到底吧！”徐中清经理一高兴，拍着周海民的肩膀，作出了又一个大胆决断。

“勘探、开发一体化，简单地说，就是让找油的事一个脑袋管。这是我们冀东油田的独创，也是徐中清老局长有意无意地在考验我、支持我，或者说是在有意无意地提高我的权威性。”周海民从正面意义来理解当时领导的这个决策。

周海民没有辜负油田上下的一片期望。他接受任务后，认真细致地分析了前几口开发井没有打出油的问题症结，组织技术人员和施工队伍，在原井上略加技术校正，几十天后，“枯井”几乎都出了油，而且是清一色的高产井，一下为油田增补了200多吨日产量。

“真是别开生面！这一年，海民他们在老爷庙地区一下新增探明石油储量1 360万吨，当年油田总产油量也提高了15万吨，实现了历史性的突破！”徐中清在当年总结报告中这样形容，“老爷庙的成功，使冀东油田从此开始出现转机……”

冀东油田在周海民的带领下，通过对老爷庙区域进行二次三维地震，从而一举实现找油新突破，确实使冀东油田这个“碎盘子”重新被捡拾起来，并按照“一块一策”的工作方法对地下情况进行细致分类和区别对待与正确认识。“一块一策”，即根据凹陷地层的特点，对每一区块按其不同的规律与生成来解释油藏特征，在每一个断块中又对不同的地层进行不同的处理和解释。“一策”指的是不同区块、不同地层，都建立不同的对策，在勘探施工中采取有针对性的防砂、堵水、泥浆处理和解堵、深抽等不同工艺技术，并从复杂的地下情况中寻找油藏的蛛丝马迹。正是周海民怀着“心中有油去找油”的理想，运用矛盾的普遍性和特殊性的哲学思想，正确地指导了找油实践，从而成功地结束了老爷庙地区长期“有油无田”的历史。

老爷庙的成功，使周海民的目光放到了更远、更广阔的战场——他们主要在冀东油田的两个主力油区高尚堡和柳赞油田，也像老爷庙一样再进行一次高精度的三维地震工作。

“高尚堡都被打成筛子窟窿了，还花几千万元去做二次三维，能保证找得到油吗？”

“可不，如果找不到油，谁负这个责任？”

有人这么议论和担心不是没有道理的，冀东的地下情况确实太复杂，要是高尚堡和柳赞油田在花了血本后，仍不能像老爷庙那样获得理想效果怎么办？公司主要负责人一时拿不准主意了。

“我可以立军令状！”面对各种议论，周海民心急如焚。

可资金的拍板者仍在犹豫。

“什么？高尚堡和柳赞那两个地方？要我说，那两块地方的地质资料旧得都成一堆废纸了！该重新弄一弄了！”一天，中石油总公司的一位领导在中午吃饭时，无意中与冀东油田主要负责人说了这么一句话，把急得团团转的周海民救了。第二天一早，愁眉未展的周海民突然被人叫住：“海民，高尚堡和柳赞的三维地震，你就放手上吧！”

“真的？你同意啦？”周海民喜出望外。

“嗯。赶快给总公司打报告！”

“哎！”周海民连蹦带跳地冲进办公室，打开电脑“噼噼啪啪”地猛敲起来。专项申请报告很快得到中石油总公司的批复。

“你猜高尚堡和柳赞做完二次三维地震后，我们通过分析和重新部署勘探的结果是什么？哈哈哈，是可以笑出声来的意外惊喜！”已交班多年的徐中清提起这一幕，心头仍然难以抑制那份激动，“先说高尚堡。这是我们冀东油田的主力开发区。这回做完二次三维地震，海民他们将资料与原来的一比较，发现许多地质背斜的构造完全变了样，很多断层竟然连影子都没有了！同时海民他们还发现了不少新的储油构造，这与我们过去几十年对老油田的认识形成了一个可以说是完全相反的结论，即冀东不仅有油田，而且还可能是一个储藏丰富石油资源的大油田。当时我把高尚堡的成功形容为天翻地覆。柳赞油田通过二次三维地震后，所获得的地质资料，更是大大出乎我们所料，原来以为它与富油区的高尚堡之间隔着断层，属于不同构造。结果海民他们通过分析对比二次三维地震资料后，发现这两个油田之间其实并没有什么断层，两个油田的地下情况是相关联的，它们是由分布在地下深部的14个含油层的砂岩体连接着。结果重新布井一打，好家伙，两个油田都哗哗地冒油了……我们冀东油田因此很快结束了长期徘徊在年产十几万、几十万吨的历史，一跃实现了年产百万吨的大关。随之而来的，是海民他们用更短的时间抱到了让我们这些人连想都不敢想的大‘金娃娃’……”

一向“小”惯了的冀东人，似乎还没有来得及扮演好“百万吨油田”主人的精彩角色，他们的新“老总”周海民则又揭开了一个让国务院总理都高兴得睡不着觉的大油田——

“弹丸之地”上的大发现

周海民接任冀东油田“掌门人”的事，是在2004年。之前，他当了多年负责油田技术与勘探及开发的副总经理，其间还兼任总地质师。因为是小单位，因为是小油田，所以冀东不被人太看重和关注是自然的事。

“在常人眼里，这种情况看起来并不是件好事。可对一个专心想在找油田的实践和理论上有所作为的技术人员来说，我反倒十分庆幸自己这十几年的工作有个很宽松的环境。打我负责油田技术那天起，我觉得自己在油田工作的每一天都极其宝贵。这个宝贵来自两方面：一是我们的探索和实践，非常有意义，即使失败了也不会有太多的人来指责。二是人家都不把我们当作一回事，没有什么权威来向我们指手画脚。这样，反而使我们能在找油实践中，敢想敢干，有所突破，走出一条创新之路。”周海民在总结自己找到大油田的成功实践时，强调了环境对自己的影响：“科学研究和探索，是需要宽松环境的。有了这种宽松环境，才可能使我们对一些束缚手脚、蔽掩目光的传统东西，大胆地推倒重来。石油工业的勘探，如果没有这种敢于推倒重来的意识和魄力，就不可能有新发现和大发现。”

周海民的话很有哲理。我们的生活常常如此：你被人关注和“爱护”了，你可能会缩手缩脚，一事无成。你被人淡忘和漠视了，你却可能反而会勇敢前进，光芒独射。人类石油工业的发现史，其实已经证明了这一观点。从100年前一个叫德雷克的人在宾夕法尼亚州的稻田地为美国打出第一口油井，成就了洛克菲勒家庭的兴盛开始，到英国人帮助沙特、科威特打出日产几千吨的高产油井，使中东成为世界石油之地，地质学家和石油专家们一直抱定的都是海相地层能够找到油的理论。权威们拿着这一理论，在20世纪前50年间，连续在美洲、欧洲、非洲，尤其是在中东和苏联等地找到了丰富的大油田，从而使世界进入了一个“石油的世纪”。这一世纪使人类文明史突飞猛进。也正是因为权威们抱定的是只有海相地层才能找到石油的理论，使得许多外国专家来到中国找油时，屡屡无功而返，并因此武断地判定：“中国是个贫油国”。然而，也正是因为我国著名地质学家李四光、康世恩、黄汲清、翁文波等人不被这样的权威理论所左右，他们通过对我国地质条件的分析与锲而不舍的实践，认为陆相地层也有储油条件，也能找到石油。1959 年，大庆油田这个震惊世界的重大发现，恰恰就是我国地质学家运用陆相理论找到大油田的最佳证明。

科学发展是无止境的。石油发现难道应该停留在要不就是在海相地层能找到油，要不就是在陆相地层上能有所发现的这个层面上？周海民不信。他认为：人类对地球的认识才处在初级阶段，随着科学理论和科学技术的发展，这种认识将不断提高和深入，将会带来更多更大的发现，找油也一样。

在通过老爷庙、高尚堡和柳赞三个老油田的二次三维地震后发现了新的石油储层和生油条件后，周海民和他带领的团队开始了新的思考：过去在老油田上找油长期没有突破是因为对地下情况不清楚所致，二次三维地震后，局部区块的地下情况“一目了然”了，所以打井一打一个准。而这难道就算我们实现了预想目的？就算我们真正找到了油田？

周海民觉得不该这么认为，至少不能这么局限地想问题。地球是一个整体，其演变的过程中局部的作用虽然也能成为一种现象，但它只是整个球体演变的一小部分。地质情况也是如此，通过对局部的构造和地下情况的了解摸查，看起来是掌握了某一区块的地下资料，但其实还是局部的，甚至可能是片面的、一知半解的。

周海民一次又一次地回味和咀嚼着“找油哲学”的真谛。

他清楚，要全面、准确地认识地下的石油富集规律，有待于不断的深入，尤其是必须像火眼金睛的侦察兵一样，不能放过任何一个细节。冀东油田的地质情况非常特殊，是一个典型的沉积断陷盆地，其埋藏地下深处的油气成因与活动规律极其复杂，而且它们的成因、运移和聚集是与地球自身活动相关的时空过程，该过程涉及盆地漫长演化进程中的一系列复杂的、动态的多种地质作用。认识清楚它们之间的关系，必须依靠十分细致的、不断深化的和准确无误的分析与总结。也就是说，既要对局部和区块的资料完全熟悉和全面深度掌握，又要将局部和区块的地质情况，放置在整个区域甚至更广泛的构造范围内来进行本质和全局的认识与分析。找油的目的是为了开发油田，让地下的滚滚乌金为我所用。而开发石油，最重要的是需要认清地下情况，搞普查、勘探和打井，都是为了认识地下情况、获取资料所必须进行的手段。认识——实践——再认识，是找油的基本规律。无数找油的成功与失败经验告诉周海民，态度的认真与否和认识的深浅，将直接影响着找油的结果。因此，在找油的这门哲学里，任何一丝马虎和粗心，任何一点虚伪和假象，都将带来“失之毫厘，谬以千里”的败局。反之，严密精细，科学谨慎，锲而不舍，反复多思，则可能常常会“柳暗花明又一村”。

其实，从国家公布冀东发现南堡大油田这个消息起，许多国内同行，甚至国际石油界至今都弄不明白中国的渤海湾那一块很小很小的老探区内，怎么可能找到大油田？像周海民这样一批“无名小卒”怎么可能会有大发现？

这样的问号至今仍在不断地追问着中石油和周海民。周海民对此笑而不言，因为他觉得冀东发现南堡大油田其本身对外界而言就是个不可思议的事情，自己和自己的团队又都是些年轻人，而且就那么几个人，几十个人，就算加上整个冀东油田公司的全体职工，也还不到5 000人。这与传统的在油田的一个发现与开发相比，简直是一个连与一个军的比差。

油田发现是门复杂和高难度的科学，人多固然重要，然而最根本的是有没有一种理论，一种能够正确指导找油方法的理论，这种理论的掌握者，应该是具有严谨的科学思维、熟悉勘探技术、勤奋工作、极端负责又有锲而不舍精神的人。

周海民正是这样的一个人。虽然他当油田的总地质师、当负责油田勘探与开发的副总经理及后来执掌整个油田方向的总经理时，常常被同行和那些高高在上的大权威们看作“小后生”。而且，比起中国诸多大地质学家和石油专家来说，周海民还很嫩。可周海民有他与众不同的地方，有着别人甚至包括那些大学者、大专家没有的东西，那就是他对冀东油田的地下情况和每口井的资料的了解程度，以及他对工作的那种超乎寻常的追求与不放弃。这些只有走近他的人才会知道。

与周海民并肩工作十多年的董月霞、马乾、谢占安等技术人员告诉我们：周海民从当油田的总地质师起，没有一天不是花费大量的时间用于研究和查阅地质资料，没有一天不在调集和分析来自勘探与开发现场的第一手资料。即使后来当了油田总经理，他每天上班的第一件事，还是让我们没完没了地报送各种资料……出差时，他的身上、他的车上全是资料。在工地现场，他可能会想不起自己家的电话号码，却能问倒任何一个钻井现场的技术人员。

周海民他们创造的“精细勘探理论”现在已被石油界公认为在成熟油田和老探区实现新发现的一套行之有效的方法，因为它几乎集当代世界先进勘探技术之大成，又结合了中国断块盆地的找油实践经验，成功率之高让石油界为之惊叹。作为“精细勘探理论”的首创者和运用得最好的实践者，周海民他们自然是这一理论的最大获益者。

“非典”期间的40天时间，令周海民无法忘怀的是，通过运用先进的理论，对原有的地质资料进行精细的综合研究与分析后，所呈现的一个个意外的惊喜和发现，使他和同事们无时无刻不沉浸在激动与亢奋之中。他们忘了室外乌云密布的疫情恐慌，也忘了几十天里极少与家人团聚的寂寞，他们开心的是一次次因为新的发现而欢呼，也因为一次次争论后所获得的相互提高与彼此敬重，更是为了一次次从迷雾中重新看清地下的储油规律。

40多天的综合研究成果，加上所实施的三口新探井的实际显示，周海民他们一下为冀东这个老探区寻找到了大批漏落的油层，总计新增石油储量1亿吨。这一“捡漏”，让冀东油田的勘探形势发生了根本转变。1亿吨新储量并不是小数，算得上是一个中型油田。不要说在每年原油越来越多进口的中国，就是在国际石油勘探界也是不小的数字，何况周海民他们是在一个小之又小、从不被人看好的老探区实现的这份“意外收获”。其实，这1亿吨的新储量的更大意义在于，它震动了整个石油界对传统勘探经验和找油理论的重新认识。“原来老油田也能大有作为！老探区还有新潜力啊！”石油界对冀东人刮目相看了。

2004年，41周岁的周海民成了冀东油田的“掌门人”，出任总经理。寻找大油田的一切准备都在他心中渐渐形成。有道是，心有多大，舞台就有多大。在周海民这位年轻的石油专家心中，他始终牢记着党和人民赋予中国石油人的“东部要稳定、国家能源安全要保障”的使命，胸中无时不涌动和放飞着“小凹陷大场面，小油田大发展”的浪漫畅想曲。

冀东油田有利勘探面积只有1 570平方公里，其中海域面积1 000平方公里，即大部分面积是2～5米深的浅滩海洋。“既然陆上找到富油区，为什么海洋滩涂底下就找不到油呢？这不符合科学规律。”周海民把目光投向了碧波荡漾的渤海湾……这海很美，旭日升起时，一块块盐池像一面面镜子闪闪发光；夕阳西斜时，一条条渔船倒映在海面，随之撑起的盏盏灯火，令人感到大海的无比神秘与深长。

大海真是远比陆地神秘与深长。渤海湾有油是个早已明了的事，可在浅滩的海疆找油史上又多么不尽如人意。几代石油人为之奋斗苦干了几十年，收获几乎是零。其原因是多方面的，一个重要的原因是过去我们一直缺钱，海洋勘探石油远比陆地找油代价高得多，一口探井，没有上亿元根本完成不了。在几千米深的茫茫海底找油，不要说有些像大海捞针，也可以形容成比登天还难。登天者现在有飞船，海底找油靠的是一根钻杆。这钻杆往下钻，靠的是一麻袋一麻袋的钞票支撑的力量。正是在这种情形下，中国政府对海上找油采取了与外国合作的办法。“借鸡下蛋”，需要机会，也需要付出。冀东油田1 000多平方公里的海域就是现今新发现的南堡大油田所在区域。这块地方中石油总公司曾代表中国政府，分别在1995年和1997年与美国科麦奇公司和意大利阿吉普公司签订了为期30年的合作开发合同。这两个合同签订之前仅招标和谈判就花了三四年。科麦奇公司和阿吉普公司都是世界上著名的海洋石油勘探公司，但两个公司共打了三口井，最终都以“无油”收兵，不得不无功而返。

收回海上勘探权时，正值周海民接任冀东油田“一把手”前后。海上的找油战役怎么打？外国公司失败而归，我们上去行不行？小油田经得起海上勘探的大投入、大折腾吗？质疑和问号一个接一个地摆在周海民面前。

“下这个决心有些困难和痛苦，但我心里有底，并且坚信我们一定会成功！”周海民能够这样底气十足有信心，源于几个方面：一是国外公司对渤海湾的勘探方法上犯了一个致命的错误，他们一心想在深层找到厚油层，因此不把中浅层和碎裂断层放在眼里，结果这种一钻下去直奔“油层”的勘探方法只能导致双手空空的命运；二是国外公司的工程技术人员缺乏像我们中国石油人的主人翁意识与工作姿态，“干三个月休整一个月，然后天南海北去旅游了，哪像我们冀东人找油，连睡觉做梦都在想如何搞清地质、如何打到油！”周海民说，“最关键的问题是，他们对地下情况缺乏全面而准确的了解，没有了这一点，再先进的技术，再大的资金投入，加上又不能全力以赴、全神贯注地工作，怎么可能成功呢？可我们不一样，所以我相信我们能成功！”

周海民的判断是准确的，加之他对陆上几个油田的十几年潜心研究与实践，这里有没有油、油在何处，他是最有发言权的一个。

需要一提的是，就在这个时候，周海民还倡导和主持完成了一项被学术界称为南堡油田“基因工程”的大手笔，即对南堡凹陷的三维地震资料进行大连片叠前时间偏移处理。“我们知道，现代找油的基本技术是靠地震资料为基础的。地震波在地下不同构造中所传输的速度不相同，利用仪器接收地震波传输的时间特征，即可以判断地下地层的构造。由于接收到的地震资料数据量相当大，为了提高数据的分析处理效率，往往需要对原始资料进行‘归纳’，舍弃那些当时认为‘不重要’的数据，使数据量大幅度减少之后，再进行详细的分析，这样的数据处理方式，专业上称为‘叠后’时间偏移技术。这种叠后时间偏移处理方法，由于简缩了很多实际数据，因此它对分析地下情况带来的结果肯定会少准确甚至是不准确的。过去对地震资料的处理方法大多数是这样的‘叠后’处理，主要原因是计算机的软硬件限制，也有人们的思维方式上的传统约束。叠前时间偏移技术是相对于‘叠后’而言的，然而两者之间看起来，仅仅是一前一后的问题，事实上对我们石油勘探技术来说，经历的是两场革命，一是技术上的革命，一是思想观念上的革命。尤其是要进行连片叠前时间偏移处理，没有强大的计算机技术支持是不可能的事。2004年，当我们下决心针对南堡凹陷构造上所采取的30块总面积达2 400平方公里的三维地震资料进行叠前时间偏移处理时，连国内唯一能承担这种任务的东方地球物理公司都非常吃惊。原因是，做这样的一项工作，整个东方地球物理公司一半以上的计算机得投入进去，24小时不停地运转，还需要两三年时间。当然，这样的投资少不了，达8 000万元。有没有魄力做这样的事，除了技术上、时间上和资金上的因素外，能不能通过叠前时间偏移处理，实现对如此庞大面积的地下情况‘一目了然’，对决策本身和决策效果都是一种考验。做，一定要做！不把南堡凹陷构造的密码彻底搞清楚，不把寻找南堡油田的钥匙掌握在手，所有的期待和可能都不会有。这个决心是我下的，我是冒着胆，掏空了口袋，还欠了一屁股债的情况下，坚持让东方地球物理公司来实施这一工程的……”周海民说到这儿，五指伸展的手掌，猛地拍打在桌子上，一副统帅的气魄。

“结果如何？”

“超乎想象的好！”年轻石油专家的脸上绽放着光芒，“通过地震大连片叠前时间偏移处理，整个南堡凹陷构造如同我们的人体做了一次高清晰度的CT，一清二楚，甚至在一些以前不被认识的中、浅层火成岩砂体，都找到了富油藏。加上我们的勘探测井资料岩石物理模拟，弹性参数反演和储层、流体识别等技术配合，形成了我们能够对南堡凹陷区地下情况的整体把握，为揭开南堡大油田的盖子提供了一把金钥匙。”

万事俱备，只欠东风。

这个东风，来自北京——中国石油天然气集团公司总部。

2004年7月中旬，在美丽的南戴河，中国石油集团公司领导干部会议在这里召开，这是新一届领导班子组成的第一次全系统会议。就在三个月前的4月14日，党中央、国务院决定中国石油集团公司领导班子变动。48岁的蒋洁敏从青海省常务副省长的岗位上调回到了中石油总部，出任中国石油天然气集团公司党组副书记、副总经理兼中国石油股份公司总裁。在这次会议期间，时任中国石油股份公司副总裁的刘宝和同勘探与生产分公司的总经理胡文瑞（现为中国石油股份公司副总裁），谈起冀东油田的最近勘探情况时，都很激动，认为冀东有潜力，他们建议蒋总听听冀东的勘探工作情况。2004年7月15日晚，在南戴河大港油田会议中心，周海民第一次向蒋总汇报工作。由于对冀东地下情况烂熟于心，他的汇报详细而论证充分，让与会人员听得入了迷，汇报不知不觉到了深夜。也就是在这次会议上，周海民给蒋洁敏留下深刻印象。

这次听汇报后不久的2004年8月，周海民便被中国石油集团公司党组、中国石油股份公司任命为冀东油田公司党委书记、总经理，把一个油田的责任交给了这位年轻的地质学家。人用对了，就不愁打不出一片光明的天地。

蒋洁敏，38岁从胜利石油管理局副局长出任青海石油管理局局长，在石油业内，向来以决策果断、干事具有大将风范而著称。2004年10月28日，他再次听取冀东油田工作汇报，并当场拍板，一是在经费上，中石油股份公司对冀东油田海上勘探投资实行计划单列，确保充足的勘探资金；二是让冀东油田放手大胆地干，并且给周海民他们吃了定心丸："要进一步解放思想，跳出'热炕头'，打'解放牌'井，打空了算我的，打成了算你们的。"在周海民最需要的时候，蒋总代表中国石油天然气集团公司给予了最坚定和最有力的支持。

此后，蒋洁敏又五次深入到油田一线，进行现场办公，七次听取专题汇报。让周海民和张国旗记忆犹新的是，在一号人工岛刚刚吹沙开工时，蒋总来到冀东，他坚持一定要去海上实地勘查。神秘的渤海海域被人们称为东方的"百慕大"，霎时海浪骤起，小船在海浪中激烈颠簸，让陪同的周海民和张国旗都捏了一把汗。船从塘沽码头起航，刚开始风平浪静，海鸥相伴，很是浪漫。但不到半小时，风浪逐渐加大，一些陪同人员开始呕吐。来回五个多小时的航程中，绝大多数陪同人员都晕船了，但蒋洁敏始终坚毅地坐在小船上，不时询问周海民和张国旗相关问题。

2006年11月，蒋洁敏被党中央、国务院任命为中国石油天然气集团公司党组书记、总经理，成为中国石油工业的第十一任掌门人。刚上任不久，他又一次来到了冀东油田，决定了对冀东油田进行大规模勘探的方针。在冀东油田的勘探过程中，凝结着蒋洁敏同志的智慧和胆识，他知人善任，大胆起用人才，鼓励周海民去不断开阔视野，不断探索和创新，及时解决他们在工作中遇到的一切困难。

周海民说，没有蒋总及中国石油天然气集团公司的正确决策就不会有今天的大发现。特别感激的是副总裁刘宝和、地质学家贾承造院士及胡文瑞、赵政璋等领导和专家的支持，他们多次听汇报，深入现场指导，这些支持让他更加胆大和坚定。

周海民信心更足了。在分析了外国公司失败的原因和掌握了滩涂浅海地质的基本情况的前提下，周海民迅速作出了将陆地精细找油的成功经验，克隆和复制到海上进行勘探的决策。这回他一出手就是大手笔：1 000平方公里的海域，三维地震一次性做完，而且要的是整区域资料。

合作伙伴中国“东方公司”的地震专家如期交来滩海三维资料。周海民和董月霞、马乾等技术人员看过南堡海域的地质图，手舞足蹈起来：这里的地震反射信息太强烈和清晰了！南堡必定有油！渤海湾必定要沸腾！

现在就剩下布井开钻见分晓了！“一定要慎之又慎、准确无误！”为了确定第一口关键井位，周海民与勘探开发研究院的技术人员几天几夜分析研究，最后确定在“老外”打的“老堡1井”附近布下了一口称作“老堡南1井”的勘探井。

2004年5月23日，南堡区域的海面上，来自胜利油田的“胜利海洋钻井六号平台”钻机，掀开了南堡油田勘探的战幕。隆隆的钻机声、高高的钻探平台，吸引了一群群飞翔的海鸥……具有18年海洋钻井经验的李家国带领他的队友，操纵着先进的钻探设备，昼夜不停地紧张工作着。担任现场地质技术监督的总地质师王成明，每天坚守在平台。这位过去从没有过海洋勘探现场实践的地质师，为了每天给周海民汇报井上情况，及时处理和指导现场技术，以顽强的毅力，克服海上水土不服等困难，4个多月天天往返于陆地与海洋平台之间，为勘探井获得了100%的地质资料。

9月29日，根据设计要求，已完井的“老堡南1井”在4 035～4 215米的奥陶系潜山进行试油。下午4时左右，随着一声巨大的喷涌声，在原先装制好的一根

25.4 毫米油嘴管内，“哗——”地喷出一条黑色巨龙……

“出油啦！出大油啦！”

“我们找到大油田啦——”

顿时，整个六号平台沸腾了。工人和技术人员们，互相拥抱，又跳又舞，许多人忍不住热泪盈眶……

“周总，得手啦！我们得手啦！”平台现场，时任勘探开发工程监理公司经理的冯京海掏出手机，向唐山总部的周海民汇报，声音都变了调。

“什么？什么得手啦？你给我说清楚！”唐山这边，正在办公室伏案看资料的周海民腾地一下从椅子上跳起来，“你重新说一遍！”

“我们在海上打出油啦！是富油！”

“你，你赶紧把测试的数据告诉我！数据，我要数据！”周海民也在喊。

“25.4 毫米的油嘴，折合日产原油 700 方，16 万方气！”

周海民激动了，猛地一屁股坐在办公桌上：“你没看错吧？”

“错不了！是 700 方油！ 16 万方气……”

“好好，你、你赶快让人把油样给我送来！听到了吗？我要油样！”

“听到了，油样——”

周海民放下电话，冲出办公室，像第一次当了冠军的运动员一样，一边朝研究院奔跑，一边见人就喊着：“我们得手啦！海上找到油啦！找到大油田啦！”

这一夜，渤海湾的冀东沸腾了。北京中石油总部机关的头头们也在兴奋地传递“南堡海域找到高产油”的喜讯。周海民他们这一夜更不用说了，当前线把油样送到唐山时，大伙儿争先恐后地看着那清澈如水的油样，心头的喜悦更是一浪高过一浪。懂行人知道：从南堡海底打上来的原油是质量最好的轻质油！

“这油怎么这么清澈？是不是油啊？”有人说道。顿时，所有的人看着周海民。

“简单。拿个盆来试一试嘛！”周海民朝办公室的人挥挥手。

盆来了，油样倒入。一根火柴划亮后投入盆中，围聚四周的人还没有看个究竟，一束金黄色的火焰“哗——”地腾空而起。

“好油！好油啊——”人们再次欢呼。

2004 年 9 月 29 日，这个日子肯定会被载入中国石油史。因为这一日子昭示着中国石油业又掀开了新的一页。南堡发现大油田是以此为标志的。

如诗如画的新油田

南堡大油田的发现正式对外公布日，是在温家宝总理2007年“五一”视察油田后的5月3日。从2004年的“国庆”前发现第一口高产油井，到2007年的“五一”仅两年多时间。内行的人知道，一个大型油田从第一口发现井，到确定是否大油田，一般都需要五年或十年时间，然而周海民他们仅仅用了两年多一点的时间。这又是南堡油田发现过程中引人注目的精彩一笔。

“这得归功于我们在中石油集团公司的领导和支持下，依靠先进的科学技术手段，加上‘油公司’的体制和全体找油参战人员以大庆铁人精神艰苦奋斗、无私奉献的结果。”周海民总结说。

夏末秋至，笔者来到南堡油田采访。原以为这里也会像当年大庆会战一样，到处机声隆隆，人山人海，热闹非凡，但实地情况并非如此。

南堡油田处在陆海相交的区域，多半面积属于3～5米深的浅海滩地。这里属于唐山的唐海县。清光绪二十四年（1898年）有人撰修的《滦州志》上有这样一段记载唐海的当地情景：“滦境滨海之地，东西九十余里，南北四十余里，皆斥卤不毛，如场之涤。远或十数里，近亦七八里，间有人烟。蛎墙草屋，村止数家，晒盐捕鱼，外尢生业。布粟所需，器械所用，均购之于数十里外。沿海之地数万顷，故以其五谷不生而弃之也。”唐海有县建制是在改革开放后的1983年，过去这里曾是一片滩涂冲积地。新中国成立后，河北省在这里成立了海滩农垦农场，唐海县完全是在农垦农场和几个大盐场基础上组建起来的。

这块平静了漫长岁月的海滩地，近几年突然热闹起来，是因为曹妃甸港口和首钢新址的建设。现在南堡大油田的发现，使这块海滩地变得更加举世瞩目。临近油田的公路上，到处可见来来往往的汽车和参观的人群。多数的车流人行，是冲曹妃甸去的，因为新发现的大油田区域，除了可以看到少量的钻机和远在海域的钻井平台外，并没见那种人山人海、钻机遍地、热闹非凡的景象。

“现在的油田与过去的油田大不一样了。南堡油田更与众不同，由于它的勘探与开发所采用的都是目前世界上最先进的科学技术，特别是我们按照集团公司的要求，

2007年5月10日，河北边防海警在冀东南堡油田海域巡逻。（图片来源：新华社）

着力把南堡建成科技油田、绿色油田、和谐油田，因此人们到我们的油田所能看到的都是科技含量高、对海洋和陆地没有污染的、人与大自然和谐共处的全新的现代化油田。”油田党委书记张国旗告诉我们。

何为科技油田？也许已经在海平线上巍然屹立的“人工岛”是最好的说明。

顾名思义，“人工岛”就是靠人工在海上建起的陆地。据南堡油田的专家介绍，未来的南堡油田产能将在1 000万～2 500万吨左右。除了部分在陆地采油外，绝大多数将依靠十几个海上的“人工岛”来完成。整个油田不会再像人们在大庆等地看到的遍地都是“磕头机”，取而代之的是工厂式的“人工岛”采油厂。

目前，南堡油田的“一号”人工岛已经建设完毕，二号人工岛已具轮廓，其他的正在规划和筹建之中。怀着新鲜而好奇的心情，我们在主人的陪同下，通过近2公里长的进海公路，登上“一号”人工岛。这个四面环海的岛屿上，目前还有两台正在工作的钻机。一个多月后，它们将撤出人工岛，替代它们的是更先进的模块钻机。所谓模块钻机，就是各个动力部位与机台、泥浆系统等全部是组合式的，

冀东南堡油田的一处采油点。（杨世尧 / 摄，图片来源：新华社）

移动和安装就像孩子的玩具模型那样，简单又灵巧。先进的模块钻机是由中国自己制造的，它是专门为人工岛这样区域小而钻井密度又大的石油开采地设置的，是目前世界上最先进的石油开采设备。站在尚未拆卸的高高钻塔上，举目四眺，碧波荡漾。环视脚下的人工岛，宛如一个巨型的足球场，连着陆地的进海公路则如一条迎接运动员入场的绿地毯。站在高高的钻塔平台，往永固地“漂浮”在大海中的这个巨型“足球场”看去，你会发现它很奇特：与大海“亲密接触”的那部分与海水颜色相同的巨型混凝土“石坝”，它起着阻隔和缓冲海潮对人工岛体的冲损与侵袭的作用。“石坝”里层是 8 米高的人工岛岛体，它的外层和与海底接触的部分，据说是用特殊材料卷垒起的“沙墙”与“沙地毯”，可以保持在海水中浸泡 50 年不腐烂、不变形，形成与海底世界联为一体的永久性“黏合”。“沙墙”之内的“足球场”是人工岛的主体部分，完全由机械化的“吹沙”工艺造就。为了让我们了解“吹沙”造岛的全过程，主人带我们出海登上距“一号”人工岛最近的“二号”岛。原来所谓的“吹沙”，是由专业吹沙动力机械船舶，在一定的海域范围内就地取材，并通过导管，用动力传送的方式，将每天潮去潮来聚集的海底沙子抽进围拢的“沙墙”内，最后水被渗出，留下的是沙土，“人工岛”体形成。“这种工艺看起来简单，其实有很高的科技含量，是目前一些国家常用的一种先进的填海造地技术。被称为‘中华第一港’的上海洋山港和正在建设的曹妃甸港的部分人造港体采取的都是吹沙造地技术。但南堡油田的人工岛则是我们国家第一次高质量‘吹沙’垒出的海洋人工岛，因为它四面临海，完全独立于大海之中。作为承担南堡油田人工岛的乙方施工单位，这个工程由我们上海航道局来完成，我们感到非常荣幸，因为能够参与我国一个海域大油田建设，是每个中国人的义务和骄傲。”被海风吹得皮肤黑黝黝的上海航道局南堡油田人工岛项目经理戎宗兆热情地向我们介绍了人工岛的吹沙技术。

“建一个人工岛需要多少沙土？多少时间？”我们好奇地问。

“一号岛，长704米、宽416米，平面面积413亩，岛体高8米，总计吹沙填量320万方，另有护岛的25万方石头，我们只用一年时间就建好了。二号岛345亩，大约八九个月就可以完成建岛。”

“人工岛的沙体与陆地地面哪个结实？”

“肯定人工岛结实。”

“为什么？”

“因为渤海湾的沙质特别好，加上我们施工的质量。”

于是，我们用力地踩踩已沉积成海中陆地的沙土，异常放心地回到了“一号”岛，继续参观那叫人激情澎湃的现代化大油田的高科技开采方法。

“建人工岛的目的，就是为了一方面节约开采成本，不污染海面，另一方面也是为了实现油田高产稳产的长久性。这种海油陆采方法在我国还是第一次。待采油设施全部建好后，人工岛其实就是一个油田构造的采油枢纽中心，用形象一点的话讲，整个岛就像一个采油工厂，所有采油的工序和原油输出都在这里完成。未来的一号岛，要每年完成200万吨的采油任务，其他人工岛也将相应承担100万吨至数百万吨的年产，整个南堡油田将来要实现产能1 000万～2 000万吨的任务，基本上就是靠这些人工岛来完成。”周海民铺开油田开采示意图，像位战略指挥家似的用激光笔讲解着不久的将来我们可以看到的气势宏伟的大油田开发战幕。

“200万吨年产原油，等于一个中型油田！靠这么一个小小的人工岛来完成，用的是什么秘密武器呀？”

“当然是高科技。”对我们的外行话，周海民笑笑说，“你们在人工岛的现场看到已经见型的一个像足球场外圈形状的沟槽了吗？我们专业用语叫它井口槽，顾名思义，就是在这条槽上打井，钻机沿着这条槽打井……”

“这人工岛上一共要打多少井呀？”

“大约400口井。”

“400口？就这么一个小岛上？还不打得‘遍体鳞伤’？”

周海民又笑了，解释说：“不会。我们的井都是按照严格的设计要求，只在设计好的十几个井槽上打井，岛体的其他地方一口井眼也不打！”

“井槽上？密密麻麻的？怎么个打法呀？”又是一个不可思议！

“对，全在井槽上打。每口井的间距也就十多米……”

“这么短的间距，庞大的钻机怎么打呀？”

“应该说，这又是一个科技含量很高的现代化钻探技术了！过去我国从来没有用过。去年初，我们派技术人员到美国某著名石油公司去考察他们的井口槽技术，人家对我们实行技术封锁，不让拍照，也不提供任何资料。后来我们一横心：自己干！经过两个多月的苦战，终于设计出了中国石油人自己的第一个石油井口槽。现在你们在一号人工岛上所看到的井口槽，就是完全由我们自己独立研制出来的。以后用于开发的采油钻机就在这样的井口槽上工作。”周海民说到这里，颇为激动地告诉了我们另一件事，“人工岛上的所有勘探与开采技术，可以说是集现阶段中国石油勘探开发技术之大成。马上要安装在井口槽上的钻机也与你们在陆地和海洋平台上见到的钻机都不一样。它叫模块钻机，即能将整个钻井平台上的各种动力装置和辅助设备全部按模块状组合起来的大型钻机，安装和拆卸钻机，如同小孩子堆积木一般，方便又简单。”

“也是咱中国制造的产品？”

“当然！是咱中石油宝鸡厂的产品，世界一流先进水平。”负责油田勘探一线工作的冯京海，谈起模块钻机最来劲，“这新式钻机安装在井槽上，然后依照设计好的井位，一口一口地打，钻机不用拆装，全靠自身的动力装置，在井槽上滑行就位。传统的油田上把一台钻机从一个井位移动到另一个井位，一般需要6天时间，而我们采用的井口槽技术，移一次钻机，只需13分钟。转眼就可以重新开钻……”这么先进呵！我们像是在听童话故事。

“那——这么一个小岛上往下打那么多井，它能控制多大范围的采油面积呢？”

“一号岛设计的采油井，控制半径是4公里，所以整个一号岛控制的海底采油面积应该为64平方公里。这是根据南堡油田一号构造油层所具有的油藏面积而设计的。”周海民回答说。

“你是说，靠仅布在人工岛上的钻井，就要把整个64平方公里范围内的海底石油全部采上来？”

“对啊！我们说的以后一号人工岛年产200万吨原油就是这么个采法呀！”

又是叫人无法想象的事！

“这、这每口井的‘爪’得往地下伸多长？”

“一般都得四五千米吧，可能有的还要长些。”周海民进而解释道，“我们的采油井，不像传统的采油井打的都是直井，我们采用的是水平井，即在非油层的前两三千米是直打，之后是沿着油层水平打。油层什么走向，我们的井就怎么走……这一采油技术在我国石油领域也是最先进的。水平井的采油量也比直井要高得多，成本则低得多。”

“在我们普通人的概念中，钻机是一直往地下打的，那水平井在几千米的地下怎么拐弯呀？”

“其实在几千米深的钻孔内，整个钻杆是非常柔软的，有点像棉线。我们现在的钻头上都安装了地面可以控制的设备，这个设备是世界上最先进的旋转导向仪器，我们在地上给它一个指令，它就老老实实地往那个方向走。”

“就像巡航导弹上的巡航装置？”

“对对。基本原理差不多。”

真神了！

“那——地面的一个孔口可以在地下分叉成几个水平采油井吗？”

“可以，我们以后的采油井基本采取的这种‘地面一孔、地下多井’的方法，而且地下的每口水平井，不仅可以在同一水平面的油层内采油，还要在不同构造的多个油层同时采油。也就是说，我们建了这么一个人工岛，等于有了一个掌控64平方公里范围内的地下采油所需要的全部情况的平台，什么时候想采油、采多少油、分什么阶段采哪个地层的油，都能控制起来。这种一岛挖掘一油田构造的新开采方法，除了能够实现目前最好的采收率外，土地使用率只占传统采油技术的1/40，更重要的是单井产量则提高了3~5倍。专家给我们南堡油田算过一笔账：传统的陆地油田年产每100万吨的生产能力，需要投资32亿~35亿，我们南堡油田由于通过各种新技术的集成，年产每100万吨原油的生产能力，只需要投资23亿元左右。”

这就是先进技术！这就是科技带来的生产力！我们听得如痴如醉。

周海民告诉我们，南堡油田的发现和开发过程，落实了科学发展观，采用了“海油陆采、少井高产、水平井整体开发、简化地面流程”等几项现代化的科技，除了节约大量的人力、物力和财力及占地外，海洋污染也大大减少。周海民还表示，南堡油田的开发，将采取“地上地下作业全封闭、油气水排放物全部经过处理、废弃物全利用”等措施，整个油田将实现零污染、低排放，不给当地海域和陆地增加一点环境负担。

“零污染？”油田要实现“零污染”？你恐怕连听都没听说过。但在南堡油田，我们所看到与听到的是一样的。在上“二号”岛时，有个细节很让人感动：笔者在采访多时后，正准备上船出海，不由从口袋里掏出烟盒内的最后一支烟。点上烟后，顺手将空烟盒扔在一号人工岛的临时码头旁的乱石缝内，以为自己还挺有“环保意识”。哪知南堡油田的一位工作人员拿着一个铁皮垃圾箱过来，微笑着说：“请先生将烟盒放在这垃圾箱内，油田规定不让任何垃圾扔在人工岛上和海里。”笔者窘迫的同时，油然升起一股对南堡石油人的敬意。在二号人工岛，笔者看到有几百人在现场施工，便问现场负责人：你们那么多人的生活垃圾怎么处理？他非常自然地回答道：全得封闭处理。任何人都不得在岛上随意扔垃圾，更不能随地拉屎撒尿。“这里的环保纪律是铁板一块，谁违反了谁就得挨重罚！”他说。

看来，将南堡油田建设成为绿色油田绝非是一句空头口号。

在周海民的办公室，有一张他常看的图片，那上面是阿联酋迪拜的一座世界上唯一的七星级酒店。这个美丽而超豪华的酒店坐落在一个与南堡油田十分相似的人工岛上。“希望有一天，我们的南堡油田也像这座迪拜酒店一样美丽而壮观，让全世界的人都知道，并都想来看看。”

这就是周海民心目中的南堡油田：如诗如画，更重要的它是咱中国人自己的诗画。

（选自2007年第10期《中国作家·纪实》，有删节，作者：何建明）

30年，被高考改变的命运

1977年年底，中国恢复了高考制度。仿佛是忍受了长期饥饿的人潮同时向一家面包店卷去，工人、农民、军人、仍然待在乡村和已经回到城市的知识青年、应届毕业生，上千万人参加了高考。

如果不是30年前的那次抉择，中国人民大学知名教授张鸣，或许还在与猪为伍；著名文学家叶兆言，大不了成为一个“八级钳工”；中国政坛上，也不太可能升起李克强、周强这样的明星。

92岁前部长掀开恢复高考内幕

92岁的刘西尧半躺在沙发里，只有戴上助听器，才能了解《南方周末》记者的问题。

年龄在干瘦的老人身上，留下了太多痕迹；而那段翻天覆地的岁月也太过久远，“有些事情，我已经记不清了……”这位中国前教育部长喃喃地说。

但历史是无法被忘怀的，因为会有无数命运可以见证：如果不是30年前的那次抉择，中国人民大学知名教授张鸣，或许还在与猪为伍；著名文学家叶兆言，大不了成为一个“八级钳工”；中国政坛上，也不太可能升起李克强、周强这样的明星。

而眼前的这位耄耋老人，就是恢复高考的历史书写者之一。

“你无法想象，当年的人才选拔制度。”刘西尧慢慢回忆。1977年6月，第一次高校招生会议召开前，刚被“解放”到天津工作的蒋南翔曾打电话给他：培养人才就像种庄稼，要选好种子。蒋南翔要求高校招生不要只凭单位推荐，允许他在全市挑选学生。刘西尧同意了。但在招生会议中，天津的代表掐灭了星星之火：蒋的意见不代表市委。

在刚刚经历十年动乱、“两个凡是”仍占据上风的年代里，这种思想并不奇怪。1971年全国教育工作会议的结论是：“文化大革命前17年教育战线，是资产阶级专了无产阶级的政，是黑线专政；知识分子的大多数，世界观基本上是资产阶级的，是资产阶级知识分子。”

刘西尧解释说，这就是著名的“两个估计”。以此精神为指导的高校招生体制，则完全被意识形态所覆盖——即使赫赫有名的清华、北大，也不是以才智论英雄，而是以“红色”为标准。要成为“国家栋梁”，你必须有好的出身。

所以，一个叫作梁晓声的人，就凭借着好的出身成为中国第一批“工农兵大学生”——这是自1970年开始，具有中国特色的选拔大学生的手段；而那个叫作张鸣的人，因为在一封信中对“文革”发了牢骚，后来信被举报，高校的大门对他完全关闭。

1977年，“文革”虽已结束，但“两个估计”仍像两座大山压制着中国的人才选拔。时任国务院副总理的邓小平，凭借着他的智慧、勇气，以及对中国未来的预见，决定掀翻这两座大山。此时，这位未来中国改革开放的总设计师，刚刚掀翻压在自己身上的大山。

一位现年82岁的老人见证了邓公决策恢复高考的过程。而他本人，也是重要的参与者之一。30年后的今天，他同样靠在一张藤椅上，向《南方周末》记者慢慢回忆着历史。当年，他52岁时，头发就已经不多了，现在只有几根白发在头两侧随风摇摆。

这位老人就是查全性。1977年夏，身为武汉大学副教授的他赴京参加教育工作座谈会。会议开始的那个清晨，时任中科院院长的方毅告诉大家，“小平同志重新出来主持工作，希望在教育方面听听大家意见，你们可以敞开谈。”

除了邓小平、方毅和时任教育部部长的刘西尧外，座谈会共有33名专家、学者参加。他们都是当时科技、教育界的权威，比如苏步青、童第周、于光远和邹承鲁。此时，那即将拥向1977年高考考场的570万人——包括正为成为一名“合格兽医”而奋斗的张鸣——还不知道：他们的命运即将被这些正直的前辈改变。

座谈会从8月4日开始，集中讨论了当时教育工作中的几个焦点。查全性认为：其中最主要的就是对“两个估计”的定性。

邓小平以他的勇气和远见改变了历史。他的话被录入档案：“我看，主导方面

1978年2月，恢复高考后的第一批大学生进入大学校门。这是清华大学1977级的学生在课堂上。（图片来源：新华社）

是‘红线’。应当肯定17年中，绝大多数知识分子，不管是科学工作者还是教育工作者，在毛泽东思想的光辉照耀下，在党的正确领导下，辛勤劳动，努力工作，取得了很大成绩。特别是教育工作者，他们的劳动更辛苦。”

如果你经历过那个“火红”而封闭的时代，就会知道，下这种定论需要多大的勇气——与毛泽东之前定的调子完全不同。“座谈会上还有人提到大学的教育质量：现在很多人小学毕业，补习8个月就上清华了。小平同志当即不满地说，‘那就应当叫清华中学，不能叫大学’。”查全性说。

座谈会第三天，查全性决定发表自己的看法。他把意见写在了一张稿纸上。“现行招生制度的弊端首先是埋没人才，一些热爱科学、有前途的青年选不上来，一些不想读书、文化程度又不高的人占据了招生名额。”查全性措辞激烈，“其次是败坏社会风气，助长了不正之风，而且越演越烈。另外还影响了中小学学生和教师的积极性，连小学生都知道：‘学好数理化，不如有个好爸爸’。”

接着，查全性又提出具体建议：大学招生名额不要下放到基层，改成由省、直辖市、自治区掌握。按照高中文化程度统一考试，并要严防泄露试题。另外，要真正做到广大青年有机会报考和自愿选择专业。发言结束后，吴文俊、汪猷等人都表示支持。

邓小平问刘西尧：今年改恐怕已经来不及了吧？查全性赶紧插话：还来得及！今年的招生宁可晚两个月，不然又招20多万不合格的。刘西尧也肯定了这一点：“还来得及！”

一个历史决议就这样初步决定了，小平同志最终拍板：当年恢复高考。

1977年8月13日～9月25日，高校招生会重新召开。教育部考试中心前主任杨学为参与了这次激烈博弈的会议。“参会人员的认识差别很大，大学里来的知识分子大多支持恢复高考，还有一些人坚持‘文革’时推荐上大学的那一套。”他说。

“由于分歧比较大，这次招生会从北京饭店开始，再到前门饭店，最后在友谊宾馆。”刘西尧说，“开会的时候还是夏天，北京正热；散会时已是初秋，有些外地的同志不得不让家里寄衣服来。”

“推荐上大学”这种招生办法，是经过毛泽东圈阅“同意”，并以“中共中央文件”下发全国的。虽然1977年的招生会上大部分与会代表心里都不支持，但没人敢站出来破冰。经过长达半个月的争论，9月中旬会议起草了一个改革招生制度的初步意见，通过教育部报给了分管科教工作的副总理邓小平。

“小平同志看了之后，找教育部谈过一次话。他对这个文件很不满意。”杨学为回忆说，当时小平的话很严厉。

开明的邓小平，最不满“政审条件”。作为文件起草小组负责人，杨学为曾对此左右为难：“我也觉得‘文革’期间那套是要改的，但又担心被扣上‘分数挂帅’的帽子，所以对政治条件写得很详细，包括鸡毛蒜皮的事。”

杨学为回忆，邓小平看了文件之后连说：“繁琐，繁琐，繁琐！”随后大笔一挥，把政审条件全部抹掉，然后亲自起草了一段。只有两个基本要求：一、为革命而学习，遵守纪律、热爱劳动等；二、要看现实表现，不要看出身。

在邓小平指示下起草的《教育部关于1977年招生工作座谈会的请示报告》，完全否定了“文革”中的极“左”路线，应届毕业生不用劳动两年，可以直接考大学。

“还有一个变化，就是上大学要通过考试，不是群众推荐。”杨学为说，“所谓群众推荐说穿了就是基层领导说了算，就是走后门。”

1977年10月5日，政治局常委会讨论了这份报告，一周后，国务院批准并下发了文件。10月22日新华社发布文稿，全国媒体同时报道了这条新闻。

远在东北的张鸣、王毅，南京工厂里的叶兆言，以及全国570万考生，同时看到了这条可能改变他们命运的消息。“当时，我好像是在猪圈里。”张鸣说。

这一年冬天，张鸣、叶兆言及王毅等人，拥向了关闭11年的高考考场。1977年，全国没有统一的大纲和统一的教材，所以这一年没有实行全国统考，而是各省分别命题。“10年没组织考试了，出题的人在什么地方，谁会组织考试，考场怎么组织都不熟悉了，印卷纸在什么地方、够不够也不知道。”杨学为说。因为不是全国统考，所以各省考试时间也不一样，大部分在12月。上天垂青积极寻求出路的中国，一切顺利。

30年后，1977级大学生——李克强、周强、蔡武、夏勇等人身居要位；陈平原、朱学勤、张鸣、朱苏力等人成为学界领袖；屠光绍、易纲、李东生、孟晓苏等人在经济界“呼风唤雨”；张艺谋、梁左、罗中立等人则成了文艺界大腕。

高考改变了他们的命运，他们改变了中国的命运。

北大法律系“黄埔一期”那班人

北大法律系1977级学生李克强、郭明瑞、姜明安、武树臣毕业时曾约定，合写一本叫《法律文化》的书。这个约定一直没能实现。

1982年，全班82人，他们四人选择留校。李克强分在经济法教研室，武树臣去了法制史教研室，姜明安留在行政法教研室，郭明瑞选择研究民法。

同年，李克强任北大团委书记，渐离教研一线，之后升任团中央第一书记，现任辽宁省委书记。

1978年春，北京大学迎来恢复高考后录取的第一批新生。（图片来源：新华社）

1985年，郭明瑞也离开北大。因为放心不下山东乡下的妻儿，冲着两个农转非的名额，他回到烟台。现在是烟台大学校长。

1992年北京市政法系统从学者中挑选干部，武树臣被选到北京市第二中级人民法院当副院长，暂别教坛。如今他是北京市奥组委法律部部长。

30年过去了，现为北大行政法教授的姜明安笑称，同学们遍布各地、各有所为，唯有自己一直坚守北大法律系。

我要上大学！

郭明瑞最晚报到。

拿到北大法律系通知书时，他忧甚于喜：儿子刚满一周岁，妻子为补贴家用，还在生产队里干活。自己这么一走，在中学教书的收入没了不说，谁来照顾妻儿?

踌躇再三，郭明瑞还是坐上了烟台开往北京的火车。那年，他所在的县就他一人考上北大，县里资助了几十块钱路费。尽管如此，从得知恢复高考的消息起，直到踏进北大校门，郭明瑞没有“大喜”过。

武树臣接到通知书那天是他大喜的日子，20天后，他和相恋一年多的女友举行了简单的婚礼。武树臣没想到，1968年离开北京到山西插队时，自己还是个20岁出头的小伙，再回北京已是北大法律系新生，还娶了个四川姑娘。

“大家断定我一旦考上，肯定要吹。”武树臣用实际行动给女友吃了颗定心丸。就在备考的两个多月里，他和女友约定互相不看望对方，仅有的一次，是女友带了一瓶四块多钱的炼乳和猪肝，“说是给我增加点儿营养”。回忆往事，武树臣脸上还有幸福的神采。

对于上不了大学坚决不谈婚论嫁的姜明安来说，所有的幸福都装在右下角有“北京大学”四个字的牛皮信封里。从1967年初中二年级毕业开始，姜明安串联、当兵、在乡下搞工作队，从来没有中断过自学,1975年他还考上了汨罗县的五七大学。不过，开学不到一周，他偷偷跑回家了。第二天，学校来人把他“抓”了回去，开集体大会，批判他的行为有违毛主席的“五七指示”。此后，他不跑了，在那些围湖造田的日子里，在湖边用芦苇搭起的棚子里，他用心看高中教材。

1977年，邓小平复出后力抓教育。“上半年就有消息传出要恢复高考，当时传的是应届生可以考。”此时，姜明安正在汨罗县天井镇中学教高中毕业班的语文、政治。他把考大学的希望都寄托两个班百十来人身上了，白天教学生语文、政治，晚上和他们一起学数学、物理。几个月后，当他从报纸上得知老三届可以参加高考时，“都快高兴死了！”

“我要上大学！这些年来，我读了很多中国近代史方面的书，近代中国受尽屈辱……我们国家的富强必须靠知识！”——1977年10月湖南省汨罗县高考考场上，在“心中有话对党说”的命题作文里，姜明安恨不得写尽他十年的苦盼。

1978年初的某一天，何勤华（现华东政法大学校长、教授）还在工地上挖河泥，听到广播里自己被北大录取的消息时，他立马放下了手中的铁铲。之前，何勤华曾因干重活导致肝脏肥大，失去了参军机会，他不想与大学失之交臂。这时他已经是乡团委书记，在父母眼里，就是不考大学，“前程也很光明”。

年龄结构奇特的班级

1978年2月28日，当上海的列车抵达北京时，已经是凌晨3点多，北大的老师们已经在出站口等候。

何勤华坐上学校的汽车，穿过偌大的北京城，来到未名湖畔。此时，姜明安正用板车将他的书和其他行李运到镇上，再从镇上坐拖拉机到县里的火车站。站台上，他和曾经共同挑灯夜战的同学们依依话别。他未来的同窗正从四面八方赶往未名湖，赴一场长达四年的聚会。

开学第一周，刚过完17岁生日的宋健（现为江苏省高级人民法院法官）就知道她是这个班里最小的。这个应届考上北大的南京小姑娘留给多数同学的印象是，她太小了，比较天真。王绍光记得，当时一些年龄大的同学开玩笑让她叫叔叔。"我确实太小了，"宋健向《南方周末》记者回忆，"很多人都下过乡，当过老师，当过干部，当过兵，他们的阅历远在我之上。"在这样一个年龄结构奇特的班级里，宋健说年龄小的同学确实难以参与竞争。

何勤华还记得，班上有人向他提过意见，说他说话官气太重，一副拍板命令的口气，完全不像同学间的商量。入学后第一次集体活动，何勤华翻新生通讯录，发现有位同学和他有几分相近，都是1955年出生，都当过干部：李克强，安徽某村的党支部书记，安徽省学习毛泽东思想先进个人。何勤华吃了一惊：省级的学习毛泽东思想先进个人，不得了！他问坐在旁边的同学："谁是李克强？""我就是李克强，你是何勤华吧！"对方说。

分高学优、根正苗红是当时法科学生的选拔标准。尽管政治气候回暖，开始解冻的法科仍是绝密专业，颇有"阵地"意味，所有的法律教材封皮上都有"绝密"字样。军人、农村支部书记、中小学教员、地方党政机关工作人员——法律专业聚集了又红又专的各路英雄。

在北大法律系1977级这个大家庭里，高考前相当一批人已经像高尔基那样读完了"我的大学"。李克强、何勤华当过基层党团组织干部，陈兴良（北大法学院教授）高考前是县公安局的文员，姜明安、王绍光（香港中文大学政治与公共行政系教授，英文学术刊物 *The China Review* 主编）、武树臣都是中学教师。他们中多数是"误打误撞”走上习法之路。何勤华想上复旦哲学系，结果被提前录到北大；郭明瑞报的是吉林大学考古系，也没能如愿；王绍光的第一志愿是美学，没有上成；陈兴良在一篇怀念昔日同窗周振想的文章中，称自己也没有将法律作为第一志愿；周振想报的却是中文系，后来转系未果。

正是在这种特别的环境中，相互之间的思想碰撞和知识交流，使北大法律系1977级形成了独特的精神气质。“一个学习的集体最好是由不同背景的人组成。”王绍光坦言，本科期间他从同学身上学到的东西，对自己日后的影响更大。他收获了比纯粹法律知识教育更宝贵的人格熏陶。

当时的北大

李克强在外语上的勤学苦读让何勤华至今难忘：“小本的正面写英文，背面写英文；去食堂的路上背，排队时也背。”姜明安的刻苦也为大家公认。有一年暑假，宋健的弟弟来北京玩，寄住姜明安宿舍。后来他告诉姐姐，姜明安在宿舍里看书，经常晚上三四个小时也不抬头一次。郭明瑞说，论艰苦朴素，他和姜明安有一拼；论刻苦，他远不如姜明安。

郭明瑞告诉《南方周末》记者，当时法学著作很少，大量都是阅读文学、历史、政治著作，“马恩的著作，大家都读过，而且不是一遍两遍。”

“按照规定必须阅读的马恩原著都读了，但当时很难读懂。”宋健承认自己较难领会马恩原著。这或许是大哥哥们觉得她不成熟的原因之一。阅览室的各色期刊，当时国内外著名的小说，宋健倒都翻了个遍。她最喜欢的是罗曼·罗兰的《约翰·克利斯朵夫》，小说的结尾至今仍令她感怀：“咱们到了！唉，你多重啊！孩子，你究竟是谁呢？”孩子回答说：“我是即将来到的日子。”

陈兴良记得，他们入学那年，卢新华的小说《伤痕》引起轰动，连同稍后的话剧《于无声处》、小说《神圣的使命》，“伤痕文学”扑面而来。每天中午12点，何勤华的宿舍里，七个人围在陶景洲的收音机旁，收听刘心武《爱情的故事》。

1978年12月，《今天》创刊。由诗人北岛起草的发刊词中写道：“在血泊中升起黎明的今天，我们需要的是五彩缤纷的花朵，需要的是真正属于大自然的花朵，需

1982年7月6日，北京大学攻读博士学位的研究生张筑生，顺利通过论文答辩，成为我国第一个通过博士论文答辩的攻读博士学位的研究生。（图片来源：新华社）

要的是真正开放在人们内心的花朵。”王绍光告诉记者，那时他们经常骑着自行车，到八一湖开诗歌朗诵会，或者到美术馆看展览。“那是一个思想解放的年代，人道主义和异化理论最为流行。”陈兴良说。

当时的北大热气腾腾。“中文系的陈建功把自己写的小说，工工整整地贴出来，持续了半年，我们都去看。”何勤华将中文系、哲学系和法律系作了比较，他觉得法律系的同学不张扬，相较之下不如中文、哲学系活跃。

“大家也没少折腾。”杜春（司法部法制司司长）回忆，当年只要是社会上最关注的问题，大家都要“折腾”一番，“就是自己不把自己看成精英，社会也会把你当作天之骄子。”北大著名的“三角地”是当年各种论争交汇的地方。杜春还记得，他们参加过两次著名的游行：一次是1980年中国男排逆转战胜南朝鲜男排，整个北大校园都沸腾了，后来有人点着火把，出了校园到街上游行；另一次是人民大学的校舍被占，他们跑去声援兄弟学校，也是群情激昂。

没有土壤我们可以改造啊

姜明安还保存着一张大三时的黑白照。

坐在前排中间的长者一身黑色中山装，一副黑框眼镜，目光炯炯，嘴角微泛笑意。他后排和左右的几位年轻人精神抖擞。这位长者是已故的宪法、行政法和政治学前辈龚祥瑞先生，其时在北京大学法律系任教。照片上，龚老先生的右边是姜明安，左边是陈兴良。后排从右至左，依次是李克强、王绍光、李启家（武汉大学环境法研究所副所长、中国法学会环境资源法学研究会秘书长）、刘凤鸣（微软中国有限公司副总裁）、陶景洲（现为英国欧华律师事务所驻北京代表处执行合伙人、国际商会仲裁院委员）。

“龚先生讲的比较宪法，很多内容都和比较政治相关。”王绍光告诉记者，他对政治学的兴趣和龚老先生的启发直接相关。龚祥瑞早年专治政治学，曾赴英国深造，对西方政制、法治有亲身体味，兼具政治学与法学的素养。北大法律系1977级82名学生中，多有比较宪法和西方政治的热衷者。课堂上，龚先生的家里，都是他们讨论、研习的场所。“文革”十年间，公检法被砸烂，宪法沦为废纸，教学中，一些老师对宪法话题噤若寒蝉。“龚先生讲授的民主宪政真义，恰似天降甘霖。”提起龚祥瑞，何勤华眼前能浮现出老先生讲课时的十几种表情。班上爱好摄影的何山（现为全国人大常委会法工委巡视员）将龚老的很多表情留影存照。

姜明安时常忆起那段时光。在龚祥瑞家的小庭院里，几个人一起讨论欧美政制，“龚老师自编的教材，往往会指定一个人作报告，其他人听完后点评。”姜明安说，龚祥瑞主张三权分立、多党制等，有些主张至今仍是禁忌。陶景洲印象最深的是龚老对“责任”的讲解：你必须完成交给你的事，如果无法完成，必须解释原因。一个对人民负责的政府必须完成人民交给的事，如果无法完成，必须向人民解释原因，这才是真正负责任的政府。

在龚祥瑞的影响下，姜明安开始“抛弃”了B.M.马诺辛的《苏维埃行政法》，转向詹宁斯的《英国议会》、戴雪的《英宪精义》，并在1981年开始自学英语。李克强、陶景洲也渐渐着重转向外国宪法和比较政治的学习。他们几人帮助龚祥瑞翻译了《比

1977年，中国科技大学成立少年班，招收了21名少年大学生。这是少年班的学生在上物理实验课。（图片来源：新华社）

较宪法与行政法》。

姜明安没想到，临近毕业时，龚祥瑞给他泼了一瓢冷水，“老师怕我研究行政法将来找不到工作，没有饭吃。”姜明安如今忆起唏嘘不已。龚老虽抱着在960万平方公里的土地上普及民主宪政的宏愿，虑及学生未来生计时，却坚定地告诉他中国没有搞行政法的土壤。

“没有土壤我们可以改造啊！”姜明安的回答一腔热血。“也许吧，但那毕竟需要时间，五年十年恐怕不行。”龚先生答。1985年，姜明安受中央组织部之邀，参加了《国家工作人员法》（后来的《公务员法》）的研究制定。之后，他参加了几乎所有的行政立法。其间，他体会了龚祥瑞当年的忧虑，在1989年通过《行政诉讼法》前后，反对的声音不绝于耳：“咱们是人民政府，人民怎么可以告人民政府呢？这不是搞西化吗？”其时的姜明安更感“民告官”在中国之难。

“黄埔一期”与“未名的77”

教过1977级的北大法学院教授杨敦先亲切地称呼他们为“黄埔一期”。

杨敦先向《南方周末》记者回忆，“黄埔一期”思想活跃，“一般学生不能比。”杨敦先印象最深的是李克强，他经常思考立法和国家政制的互动。同学之间的讨论也相当积极，陈兴良说，他到人民大学读研究生后，偶尔也回北大和李克强讨论相关的理论问题。

是人治，法治，还是人治法治相结合？肇始于1950年代的人治法治大讨论经过了10年冰封，迅速解冻——“中国历史发展到今天，人治的办法已经走到了尽头。人们对法治的愿望更加迫切、更加坚决了，中国的局面由人治渐入法治，现在是个转折点。”1978年2月，著名学者梁漱溟在政治直属小组会议上就中国法治问题发言时一再强调在当前中国宪法常常是一纸空文，治理国家老是靠人治，而不是法治。

1979年，第一部《刑法》颁布，杨敦先参与了立法全程。他回忆，对于打砸抢罪，当时包括他在内的几位专家都不主张规定，相关领导同志说暂时还得写。“反革命罪”也写进了这部法律。1981年，北大出版社率先出版了杨春洗、甘雨沛、杨敦先、杨殿升主编的绿皮刑法教材，并开始有了教学案例集。姜明安说，在那之前所谓的刑法案例都是福尔摩斯探案集。《刑法》和《刑诉法》的颁布，在杨敦先看来，至少结束了那段“无法无天”的历史，当时《人民日报》发表社论称，《刑法》颁布是中国法制建设的里程碑。

教员和其他教学资源的匮乏，反倒使北大的法学教育显得格外宽松自由，不拘一格。王绍光印象深刻的是，《婚姻法》期末考试时，他交了自己写的一篇小说，想以此代替该门课的考试，没想到任课老师李志敏欣然接受，还给他打了不低的分数。忆起李志敏教授，何勤华感念至深的是老师的无私，“当年我连‘的地得’都分不清，李老师手把手辅导我写论文。”武树臣对自己的启蒙老师张国华同样深怀敬意：“张老师的宽以待人、甘于寂寞至今仍影响着我的为人处世。”

1982年，“黄埔一期”毕业。除了四位留校外，陶景洲、王绍光、刘凤鸣出国留学。陶景洲现在是国内著名的律师。刘凤鸣是微软中国有限公司副总经理兼法律总监。王绍光是香港中文大学政治学教授，今年4月，他还被英国智库评选为影响中国50

位华人之一。何勤华考上了华东政法学院外国法制史的研究生，从此走上外法史研究之路，如今是华东政法大学校长。杜春称自己大学四年完全是稀里糊涂地过来的，最后“凭北大法律系这顶光环进了司法部”，现为司法部法制司司长。他告诉记者，他们班中，像他这样的人多的是。

年纪最小的宋健毕业后回了老家，现在是江苏省高院的法官。2002年，北大法律系1977级聚会纪念毕业20周年，大部分同学都来了，昔日的师长也被请到现场。李克强作为学生代表发了言。会后，负责组织的几个同学编了一本纪念册，里面有每位同学在校时和现在的照片，纪念册的名字就叫“未名的77”。

“同学们都有这样或那样的变化，但骨子里的东西没变，他还是他。”宋健说。

“中大家庭”30年

两年前的今天，李希宁正走向高考考场。像任何一个中国父亲都会做的那样，他的父亲李思群向儿子提出了自己的期望——能够考上中山大学。

期望来自一种家族情结。中山大学是李思群的母校，是他的妻子的母校，也是他的父亲、岳父、岳母和弟弟的母校。如果李希宁能够如父亲所愿，考入这所坐落在广州的著名大学，他将成为家庭里第七个中山大学“校友”。

对这个优秀的广州少年来说，这并不是一件难事。两个月后，李希宁骄傲地向父母展示了中山大学的录取通知书。那一刻，他的父母比他更激动。

在李希宁看来，是否能考上大学只取决于学习成绩，这一点由他来解决；剩下的，就是让父母为他准备好入住校园的铺盖和一切花费了。但是李思群知道，在他参加高考的时候，一切都不是如此简单。

父亲的高考：仿佛饥饿人群拥向面包店

1977年，24岁的李思群在广州郊区的一个农场里勤恳地履行一名木匠的职责。他手艺差强人意，会把细木条拼成一口装衣服和书本的小箱子——这口木箱将陪伴他度过大学生活。但是当时，他还必须依靠这份手艺来赚取每月32元的工资。那时，月薪32元足以让一个年轻人感到满意，只有在国有农场工作才能得到这个工资。

中国的所有大学已经在1966年停止招生，所以在那时看来，除了继续从事这份“很有前途”的工作，生活没有向李思群展现其他可能——也许有过那么一次：他1973年差点以工农兵大学生的身份接近大学校园（那年是以推荐和考试相结合的方式招生）。选拔工农兵大学生在1970年开始实行，具有两年以上实践经验的被认为是优秀的工农兵不用通过文化考试，就被推荐进入大学。但就在这一年，“白卷英雄”张铁生令考试再次遭到否定。严格的身份审核葬送了他考绩极佳的美梦。

李思群感到沮丧。他来自一个有文化的家庭，但他先是在少年时跟随调动工作的父亲从富庶的广东来到贫瘠的江西，然后和整个中国的青年一起失去上学的机会，到江西的一个农场成为“泥腿子”。现在他终于回到广州，但是到这时候，道路似乎已经在他面前消失。

但在1977年年底，中国恢复了高考制度。仿佛是忍受了长期饥饿的人潮同时向一家面包店卷去，工人、农民、军人、仍然待在乡村和已经回到城市的知识青年、应届毕业生，上千万人参加了高考。他们的知识基础非常薄弱，因为在他们接受中学教育的时候，中国已经陷入失去理智的疯狂状态，学校根本无法给他们提供像样的教育。但大多数人都愿意去试试。

李思群也决定试试。他最终成功了，并在那个美丽的校园里结识了自己的妻子。1986年，李希宁来到了这个世界上。

儿子的高考：“校友”母亲指定最后一个志愿

那是十年前，李希宁还是一个小学生时，他参加了一次数学奥林匹克竞赛，他是初赛里班级最高分的获得者。最令人快乐的是，没有进行任何课余训练的他，战胜了那些在数学奥林匹克学校里咬铅笔头的同学。

孩子从此爱上了数学。

多年后，高考志愿填报表摆在他的面前。他像父亲希望的那样将中山大学作为自己的第一志愿。具体的专业，他填好了五个，还剩下一个。这时候，他的母亲李萍萍对儿子说：“你都自己填好五个了，总要给我留一个吧。”

李萍萍也于恢复高考后第一年考入中山大学，学习城市规划专业。现在她是广州市城市规划局的副局长。她要求李希宁把剩下的最后一个志愿留给她从事的专业。

中国正处于急剧发展之中的城市化进程，令这个专业变得非常热门。而一门理想的专业是中国的大学生与他们的父母所殷切向往的，因为它在某种程度上减小了大学生在毕业后失业的风险。

中国拥有世界上最多的在校大学生。在李希宁进行高考的2005年，中国的在校大学生数量是1 400万人。从前几年开始，毕业的大学生往往找不到一份合适的工作。如果你学习的是一门偏僻或者不能立即应用于实际工作的基础学科，在争抢中无疑会落入下风。

当然，李希宁的家境使他不必背负失业的焦虑。但李萍萍希望自己在这个领域的经验和资源可以为儿子带来日后发展的便利。

恰恰是这个专业成为李希宁进入中山大学后学习的第一个专业。以后不用担心和儿子没有共同话题了，李萍萍看着已经长得比她高的儿子想。要是你学的是数学……她感到庆幸——儿子的命运就此将发生巨大转变。

放弃32元的工资，去吃两毛五分钱的炒粉

父亲的命运也是被大学改变的。从木匠到中山大学学生，李思群用半年的时间去实现身份的改变。在这半年里，他尽可能地阅读了所能找到的参考书。他曾经为自己的无知而灰心。但他立刻又鼓励自己，因为他看到身边的竞争者们和他一样无知。

在那个偌大的农场里，400多名知青参加了高考，最终产生了7个大学生，李思群是其中之一。李萍萍所在的农场有600名知青，那一年考上大学的有6个。在1977年冬季和1978年夏季，这个国家在时隔11年后重新收获了生于这片土地的40.1万名有才能的青年。

李思群仍然记得语文高考作文题目——《大治之年气象新》。一个潮州考生写出一篇深得评卷人叹赏的作文，那篇短文和其他几篇一起在中国的最高级别报纸《人民日报》发表。现在，李思群的这位叫陈平原的中山大学中文系同学是著名的文学史学者。

李思群从农场只带走了那口木箱，他甚至没能保留每月32元的工资。但他毫不在意。后来的四年里，他开始习惯并喜欢上校园里的所有东西，包括两毛五分钱一碟的炒粉；在后来更长的岁月里，他因为这四年而得到了超出一口木箱很多很多的东西。

毕业后，他先是在中山大学任教，然后到一家报纸做编辑、记者，再然后成为

管理新闻出版工作的官员。因为中国面临十年的人才缺口，他说自己“像一块宝贝那样”被重用，现在，他是一家拍卖行的总经理。

李萍萍在农场的伙伴用锣鼓来迎接录取通知书，那张纸片将六个青年从那个在韶关的农场带走。他们送走或许只比他们多答对一道题的幸运儿，然后继续他们的生活，并不知道隔断这两群人之间的山岭开始悄悄隆起。

2005年，多年不见的中学同学们决定举行一次聚会，但有人放弃了。他们不愿意看着自己成为“配角”，听他们动情地回忆过去。对于那个时代的人，大学确实是“登天”的唯一路径。

两代人眼中的高考意义

李希宁对中山大学的校园并不陌生。他的父母曾经带他去那里玩过几次，他们穿过夹竹桃和蒲葵掩映的校园。李思群和李萍萍看到这座校园里有的地方完全改变了，有的地方却和30年前几乎一模一样，他们自己也是如此。

但像大部分大学一年级学生一样，李希宁离开了广州，到中山大学的珠海校区住下。高校大规模扩招，让中大这所百年老校不得不设立其他校区。在这个非常现代化的地方，李希宁用一年时间来证明自己对经济地理学的兴趣是多么淡漠。他开始考虑：这个选择会不会让他后悔一辈子。李思群和李萍萍吓了一大跳，他们屡屡从广州驾车两小时来到中山大学的珠海校区，劝儿子打消这个想法。

李希宁决定还是听从内心的声音。他向学校递交了转读数学系的申请，尽管要经过考试、审核等一系列复杂程序。

30年前，学习数学曾是青年的热门选择。作家徐迟为数学家陈景润写的报告文学《哥德巴赫猜想》在中国引起轰动，人们对数学的热情被焕发了，连老太婆都知道“1＋1”，虽然这种简单化的概括不得要领。

在今天，这种带着强烈英雄崇拜的选择不大可能再次出现了，人们显然更注重未来的生活质量是否能够得到保证。如果学习数学不能达到这个目的，所有人都不会鼓励你跟随你的兴趣。至于李希宁的做法，用母亲的话来形容：“这是不愁吃穿、不等着赚钱的人才会作出的选择。”

这个不愁吃穿、不等着赚钱的年轻人放弃经济地理学的另一个原因是，他不愿意把母亲走过的道路再走一遍。他说：“我想我不可能做得像她那样好。那又有什么意义呢？”

现在，李希宁已经在数学系学习了一个学年的课程。给他上课的是朱熹平，这位数学系教授为最终完全证明数学史上最著名的难题——庞加莱猜想，作出了独有的贡献。因为沉浸在证明庞加莱猜想的工作中，他已经很长时间没有给本科生上过课，李希宁很幸运。

朱熹平也是恢复高考制度后中山大学产生的第一批大学生。那一年，他才16岁。他的儿子则将在今年成为大学生。

李希宁从珠海回到广州的大学城校区，如果想的话，他每周都能回家见到他的父母，他每周都能听到解决过代表人类智力最高极限的难题的大师给他讲课。更重要的是，他在做自已喜欢做的事情。如果不通过高考，他无法得到这些。

但他不觉得高考有这么大的意义。他认为：即使没有高考，他的伙伴仍然可以拥有其他的受教育途径。“今天的高考和30年前没有本质区别，不都是应试教育的产物吗？”他说。

他的父亲试图向他指出事实并非如此。“你这么想，是因为你认为生活理应如此，但是我们那个年代，生活不是本来如此的。”

状元与落榜者：殊途同归的人生？

15年前的一场考试，让翁宝和符史杨一个离开，一个留下——就像同一颗种子生出的两个枝芽，沿着不同的方向各自爬藤。

少年玩伴

海南文昌城不大。现在，34岁的符史杨每天至少三次经过粮食局门前的坡路。

20多年前，他和翁宝每天从文昌二小跑出来，一路冲到这里，站在粮食局大厅里的电视机前，看动画片《蓝精灵》。

那时候，符史杨的父亲从信用社贷款一万元，开了一家虾行。他的姑姑、姑父在设计院工作，家里有好几个“单位里的人”。而翁宝除了有一个做小学教师的父亲，出身于地道的农民家庭。符史杨每天有一毛或两毛的零用钱，翁宝没有。所以星期天，符史杨回到父亲经营的虾行去“捞鱼捞虾玩”时，翁宝必须上山去摘竹笋，或去海边捡海棠果——每斤可以卖两毛钱。

他们一次次来到文昌河边的望河粉店，花三毛钱吃上一碗海南粉。米粉汤上撒着一层干黑脆硬的牛肉干，这就是翁宝的最爱。要不是陪他，符史杨绝不会来，他喜欢海鲜。

直到初中，符史杨都是学校里的“明星”——足球场上的帅气，游泳时的敏捷，处处散发的机灵劲，甚至不喜欢读书的那股不羁。

而翁宝是不起眼的。

符史杨，这个愿意陪他吃牛肉粉的兄弟，在翁宝寡言的童年时代里，是寥寥无几的朋友之一。翁宝翻墙跳进糖厂找到的椰子糖，一定会分给符史杨吃。如今，符史杨每过几天就会给翁家的老奶奶带来猪肉、鱿鱼，还有电风扇。

状元和落榜生

翁宝的沉默持续到了高中。

最初，他的成绩并不十分突出，却越来越明白高考对于自己意味着什么。

“就是要考上好学校，别的什么也不想。”他甚至几个月都不说话。沉默的孩子开始为学习拼命。

直到父亲在公路上拦下教育局的车，打听到了儿子的分数。翁宝成为1992年文昌市文科状元，是海南全省的探花。

他走进了北大历史系，并在后来的15年中一直保持着读党史的习惯。

符史杨落榜了。这并不出乎他本人的意料：“没办法，就是对读书不感兴趣。”

对于翁宝来说，大学意味着数不清的“第一次”——出岛、坐火车、进军营，包括第一次来到大城市，“从公共汽车到冰糖葫芦”。

他的海南话遇上另一位同学浓重的川音，谁也听不懂对方说的是什么。

与此同时，符史杨很快与一群四川人打成一片。那是他在自来水厂的工友，每天收工后，他同他们一起吃着火爆热辣的川菜。吃惯了海鲜的他从不觉得这口味太过刺激：“每天饿得像鬼一样，只要是吃的就好。”

离开自来水厂后，他去开工程车。

翁宝给他联系了民办大学，他拒绝：“我确实不喜欢读书，还是像这样自由自在吧。”

翁宝在大学里看到的勤奋，超出了之前对这个词的所有想象——“有些人每天早上进了教室，到天黑前都不出来，就带点馒头进去吃。”

北大38#的那间宿舍里，熄灯后几个男生谈论着国学复兴，振奋得难以入睡。

1997年夏天，翁宝腰间别着BP机，蹬一辆旧自行车，穿行在北京的酷暑中。

他犹豫一阵，还是蹬过几条街，找到公用电话，回复了一个广州的号码——是《粤港信息日报》的录用通知，从此翁宝在广州定居。

就在他忐忑地接受考验之时，符史杨正在家乡和朋友合伙经营农场，种下木瓜和胡椒，那一次亏了三万元钱，符史杨笑着说：“玩玩嘛！”然后，依旧回到众多父辈亲戚们所从事的行业——建筑。

对翁宝来说，大部分同学逐渐疏于联系了，但与符史杨自小积累起来的信任感，始终存在——尽管他们的话题中，没有历史和现实的思辨，没有经济现象的探讨，只有各自碰到的“有趣的事”。

翁宝每次回家，符史杨一定会陪他去望河粉店吃粉，并且惊奇地发现：“他竟然可以连吃两碗，或者一天三顿每顿都吃这个！”

人生沉浮

翁宝人生中的第一次淬炼很快到来了。

在《粤港信息日报》，因为编发一篇评论时不慎写错了批评对象，对方检察院的办案人员亲临报社。

他第一次经历如此阵仗之时，符史杨正跟着叔叔做西瓜生意。

他和十万斤西瓜躺在一起，在火车皮上颠了两天三夜，来到上海。

后来，翁宝不到25岁就做了《南风窗》编辑部主任，又在《第一财经日报》担任了产经部编委。“看过太多的企业起来了又下去了，看过股市那么疯狂又那么低迷，看过金融危机来了又过去了，看过那么多的泡沫、那么多的起起落落……”

符史杨说："大学毕业后，翁宝大气了很多。小时候他特别敏感，对别人不经意间的话特别在意，现在不会了。"

因为报道，翁宝结识了史玉柱和何伯权。那时候，何伯权还是乐百氏集团董事长。2004年，生意上正在调整的何伯权，与翁宝结伴，游历了许多地方。作为企业家，何伯权成为对翁宝影响最大的人之一："他的企业做得那么大，但还会固定地去做义工；他跟很多牧民订收购合同保障了他们的生活；他让女儿去搀扶老奶奶，然后对孩子说：'老奶奶笑着感谢你，是不是很开心？助人是最大的乐事。'"

此刻的符史杨，早已厌倦了西瓜生意，回到建筑老本行。他本着一条基本法则：哪里有机会，哪里阻力最小，就去哪里。

2006年，因一篇关于劳工权益的报道，翁宝与同事一度被所报道公司索赔3 000万，并被法院查封，冻结了个人财产。

得知这一消息时，他正在与人谈话。他挂上电话，继续把事情谈完，开车出来，停在路边，突然不知该怎么办。

这个海岛上走出来的青年，在电话里听到母亲的哭声，泪眼模糊。

他成为新闻关注的中心。他开始写关于此事的博客。

在家乡的望河粉店，连着两碗牛肉粉下肚。翁宝下定了一个决心。

分久必合

广州市一家文化传播有限公司，成为翁宝十年淬炼的结果。他从一个媒体从业者，变成一个总经理。

过去他和编辑们在一起，现在他和总编在一起；

他在比亚迪汽车的厂房里，看到上千名大学毕业生，喊着口号发着狠，要做出自主品牌的东西；

他喜欢维珍（英国一航空公司）的布兰森，他从马云（阿里巴巴网站总裁）的商业思路中获得启发，并且自称对王传福的实业发展思路充满敬意；

他一句一顿地说："我们要和有志气的中国企业一同成长。"

这样的话，符史杨是不会说的。在同学录上，从不曾受雇于任何单位的他，被排在很靠前的位置，职务是——"文城建筑业"。

他所做的"房地产开发"，是一边征集住户，一边拿地报建，以集资建房的方式来运作。他最大的特长便是拿下大老板手中顾不上开发的小地块，或是正在周转资金的项目地块局部。他常说自己的地是"赊"来的。工地上的大小活计，他会照顾地块原来主人的亲戚们。

文昌城内大部分老同学的家，都住在他盖的房子里。

他的底层商铺永远不卖，出租等待升值。

他的帕杰罗越野车，是从派出所所长手中买来的。他走在文昌小城里，迎面而来的人中几乎有一半是老相识。

除了建房，他还有一家私立幼儿园的股份，和一家洗染店的股份。

他说："翁宝现在成空中飞人了。"

的确，翁宝在广州、上海、北京三地分别租了写字楼和白住房，每月定期巡回。而符史杨的生活，是到工地看看进展，在弟弟的网吧里看大盘。更多的时间，与朋友喝茶、吃饭、聊天。而翁宝，始终不炒股。

看着翁宝长大的符宙阿叔，吃惊地发现他变得越来越"怪"——"吃着饭都还要打电脑，我都要抽二十几块的烟，他却只抽几块钱的——他不是没钱啊！"

翁宝穿着简单的格子衬衫，他的放松方式只是"到楼下去拍拍篮球"。在北京停留时，他有时会独自开车来到北大，慢慢地在校园里滑过，没有目标。或者停下来，看那些经过身边的身影，年轻一如当年的自己。他说："我还是那种有价值感的人。"

在翁宝惦念这句话的时候，符史杨行驶在椰林间的公路上，他说："如果现在这样的租售行情能持续15年，40多岁就可以退休了。"他明白："我想要的自由自在，只有在市场里把自己做强大，才有可能。"

15年后，两根藤条终于因为这一点而向同一个方向伸展了。但符史杨只能叹服："翁宝在外面的人脉，我怎么比得了啊！"

经不住翁宝一次次的邀请，他终于决定到广州去看看老朋友的项目情况，考虑加盟。他的行李中，装着专门为翁宝打包带来的牛肉粉。

当然，那来自望河粉店。

（选自2007年6月7日《南方周末》，
作者：戴敦峰、赵蕾、雷剑峤、成敏男、徐楠）

吉妮丽吉情歌

——写在“中国南方喀斯特”申遗之际

“中国南方喀斯特”是中国第一个跨省联合申报世界自然遗产的项目，经历了长期的地质年代，是地球重要而典型的自然地理特征和喀斯特地貌形态，既保留了地质历史时期古喀斯特遗迹，又代表了重要的和正在进行的喀斯特过程。

2007年6月23日~7月3日，第31届世界遗产大会在新西兰基督城召开，“中国南方喀斯特”申报世界自然遗产项目在此次大会上经由21个成员国代表投票表决通过，正式列入《世界遗产名录》，贵州据此实现世界遗产零的突破。

一

不知是哪位仙女不甘天宫的清冷寂寞，千挑万选之后，选中了荔波来下凡。她偷偷打开天河的闸门，驾着四万万八千匹骁勇的水骑，飞流直下，一路腾奔，直向着环绕荔波县城的水春河！

那积蓄了亿万斯年的天河之水，挣脱了天庭的锁链，忽而野性地驰骋着神秘的舞步，腾挪，回闪，大跳；忽而狂喜地呐喊着骇异的灵语，浓烈，激越，亢奋。顷刻间就冲过莽莽苍苍的崇山峻岭，浸润着郁郁葱葱的大地，给人间奏起一曲礼赞生命的英雄交响曲！

水哟，生命的金子和银子，自然万物甘甜的乳汁。荔波的山峰就争先恐后地生长起来了，一座，两座。十座，百座。一千座，一万座……母亲的乳汁太丰腴了，旺盛的生命力便向天上、地下同时奔突，地面上供养着锥状、塔状、剑状的喀斯特群峰，地下面供养着钟乳石岩洞。真的是，我也是第一次听说这个美丽的神话：这里的每座山峰都是双向生长的，地面上有明河，地下面就一定有暗河；地面上有山峰，地下面就一定有溶洞；地面上有精神的诉说，地下面就一定有灵魂的吟唱……

水哟，生命的云霞和彩虹，七彩炫迷，照耀着千万年的大树、古藤、兰花、卉草、苔藓、泥土，把空气都照得金亮银亮的。于是，森林也被诱惑到水中，水有多深，树就有多高，水有多少道曲折，藤就有多少度回环，随物赋形，抱石而居，精骛八极，心游万仞。最后，连人类的自然本性亦被唤醒了还原了，也争先恐后跳到水中，长成了一株株活动的树；也恐后争先钻到冲天的瀑布里，锻造成一枚枚恒久的钻石……人生闪闪烁烁，虽然每天都有汹涌的信息大潮猛撞着我们的欲望，可是在这里，一切都返璞归真了，圣洁的水唤起了我们体内远古的基因，似乎使我们回归到可望而不可即的纯自然状态

于是，仙女笑了，牵起绿色的仙袂，飘飘荡荡走下山冈。奇珍异卉纷纷跳到她的头上，编织起一只峨冠，一株还魂草跃上她的掌心成为吉祥物。仙女永久地站在一座壁立的山峰前，背靠万仞石峰，面对千山万壑，显现出观音菩萨的形象……在中国老百姓心中，观音菩萨是最亲近的神，他发誓不度尽人间的苦难“誓不成佛”，人们尊敬他这种“度人”的大境界，将此地起名为观音峰。

观音峰，荔波喀斯特地貌之最神秘、最美丽、最具有文学神采的代表作。

二

荔波乃县制，地处云贵高原南部边陲的黔南布依族苗族自治州。全县总面积2 400平方公里，人口16万，其中布依、水、苗、瑶等少数民族占总人口的87%，是一个少数民族聚居的“民族大家庭”。

来到荔波，就是跳进一个巨大的翡翠天坑，这里满眼皆绿，被联合国专家称为“地球腰带上的绿宝石”。2005年由国家地理杂志社评选，荔波战胜新疆喀纳斯、长白山天池、黄山云海、九寨沟仙境等江南秀色和北国风光，被评为“中国最美的地方”。

荔波喀斯特是贵州高原和广西低地过渡地带“峰丛喀斯特”的典型代表。它的锥状喀斯特景观展示了“峰丛景观”与“峰林景观”的相互演化与递交，代表了大

陆型热带……亚热带锥状喀斯特地质演化和生物生态过程，满足了世界自然遗产的三条标准：地球演变历史主要阶段的杰出范例、生态和生物演化过程的杰出范例与生物多样性。

荔波怀中还有一个最神奇的珍宝……国家级“茂兰自然保护区”。在当今疮痍累累的地球上，这片保护区乃最后几块未被碰触的无价宝地之一。它是地球同纬度上绝无仅有的喀斯特生态系统，拥有两万多公顷喀斯特原始森林，集山、水、林、洞、湖、瀑为一体，以峻、秀、奇、幽、美、艳而惊世骇俗。整个区域形成了上有森林、中有石林、下有洞林，石头上长树、石缝里盘根等富含科学奥秘的景象，与参天古树、明河暗流、瀑布、深潭、山泉、溶洞等融为一体，构筑成丰富多彩的罕见景色，多层次地展现了漏斗、洼地、谷地、槽谷等原始森林景观和盆地、洞穴、锥峰、峰丛、滞留泉、喀斯特潭等山地奇景。保护区内还有极其珍贵的动物、植物，根据迄今进行的科学考察，计有维管束植物801种，大型真菌163种，中草药345种，苔藓植物144种；野生动物有兽类34种，鸟类103种，两栖类19种，鱼类17种，爬行类39种，昆虫类38种，其中多数都是国家重点保护的野生动植物。多年来，中国政府对茂兰自然保护区做了最严格的保护工作，养在深闺禁人识，外人不准进入。即使我们记者，也只准在缓冲区边缘、有专人陪同采访，根本甭打算混进核心区。也只有这样，才真正保证了保护区内各种奇花异草和飞禽走兽的幸福生活。由此，茂兰自然保护区1988年被确定为“国家级生态示范区”，1996年被联合国教科文组织纳入“国际人与生物圈保护网络”。

从1995年开始，荔波申报世界自然遗产的工作就启动了。

2002年，世界遗产委员会根据中国喀斯特在世界上的地位，并结合目前世界上申遗的审批形势，确定不再接受中国喀斯特的单个提名，而建议中国把世界上最好的喀斯特捆绑成“中国喀斯特”作申报。为此，中国与世界自然保护联盟(IUCN)、世界遗产委员会和一些著名喀斯特学家等进行了接触和交流，确定将贵州、云南、广西、重庆联合捆绑申报。又经过大量艰苦而细致的工作准备，2005年9月，中华人民共和国建设部明确批示，确定云南石林喀斯特、贵州荔波喀斯特、重庆武隆喀斯特作为“中国南方喀斯特”世界自然遗产的第一批申报单位，由贵州省牵头组织申报。

与此同时，全国其他有实力的地区，比如“云南大理苍山”“江西三清山”“山

地处贵州中部普定县的乡村美景。（杨楹/摄，图片来源：新华社）

西五台山”等63个项目，也都在日夜兼程地做申报准备工作……说来这也是中华民族的幸事、好事，皆因为我们中国的好地方、好山川、好景致太多了！而最终，幸运之光终于照耀到大西南的山山水水，“中国南方喀斯特”脱颖而出，成为2007年中国向联合国申报的唯一世界自然遗产项目；并于2006年2月通过了联合国世遗中心的初审，顺利进入2007年世界遗产大会的表决项目。

2006年9月2日，IUCN专家将对中国三省市提名地进行考察，并将根据考察结果，提交2007年世界遗产大会进行表决。

消息传来，荔波的村村寨寨沸腾了，穿着各式鲜艳民族服装的各族群众，拥出家门，包粽子，煮彩蛋，耍龙舞狮，载歌载舞……与此同时，他们也感到了前所未有的压力，眼看着倒计时牌上的天数在一天天减少，联合国专家就要来了，十年磨一剑，成败在此一举，荔波准备好了吗？！

三

那一日，我们中央新闻采访团一行，去踏访茂兰自然保护区。

山路弯弯，古藤飞绕，耳畔水声潺潺，远处，“山作青萝带，山如碧玉簪”。突然，走在前面的《人民日报》记者王玉芳颤声叫起来：

“韩小蕙，快来看呀……”

我急步赶上前去，只见一排记者都停住了脚步，屏住呼吸，大气儿不敢喘。前面一米多处，正有一条三个手指粗、一米来长的细蛇，静静地滑过山道，其速度之快如飞毛腿导弹，“嗖”地就飞上了路边的一枝绿藤。奇怪的是，它竟横在那里不动了，不慌不忙面对着我们，好像想和我们聊聊。对峙的双方只有一米多距离，可以清楚地看到它那发亮的身躯上、头上和眼睛上，都有黑色的斑点和花纹。《中国文化报》记者卢毅然是地质古生物系的高才生，读过动物和植物课，大声宣布说：“这是黑眉锦蛇，无毒。”可是，我们看着它那副要把对峙进行到底的大将风度，哪儿还有接招的胆量，赶忙先自撤退了。

名不虚传……我早就注意到了，荔波茂兰保护区的动物和昆虫们似乎都很傻，一点也不注意躲避人，有时竟然还爬到我们身上来，任我们随便拍照，就像我们答应一定给寄回照片一样。我照了一条四寸多长的彩色大蜈蚣，有成人的手指头粗，身体是艳丽已极的杏黄色，两侧躯体各镶嵌一条更加美艳的金边，当时它懒懒地趴在山壁上，任我的闪光灯闪来闪去。我还拍摄到同样一条漂亮的大虫子，和大蜈蚣一般个头，据说名字叫“马鹿”，圆圆滚滚的和蜈蚣一样慵懒，爬起路来宛如舞台上施施然然的小姐，可是它怎么会和一日千里的鹿是一家子呢？

至于各种风姿绰约的蝴蝶，经常扑扇着黑色、白色、黄色、红色、宝石蓝色的大翅膀，伴我们前前后后飞舞，“言之不足则歌咏之，歌咏之不足，则手之舞之，足之蹈之也”！还有数不清的、各种见都没见过的昆虫们，一俟我们坐下休息，它们就成群结队地来了，好奇地呆望着我们，既想知道我们是谁，也想知道山外的世界。看着它们淳朴的模样，我不由得想起了三年前的一口郁闷气……

2003年访美，刚下了朋友的汽车，一只猫就“喵喵”叫着过来蹭我的腿，一副一点也不见外的亲热劲儿。那花猫毛色洁净，脖子上挂着一只小牌，朋友说可能是社区谁家养的宠猫。后来在华盛顿林肯纪念堂前的草地上，一群肥硕的大雁卧在那里休息，它们是南来北往的迁徙队伍，就是我们儿时在课本里念到的、能在天空上写“一”字和“人”字的了不起的候鸟。我试着轻轻走到它们中间，举起照相机，它们不惊不惧不躲，坦坦然配合着我，上演了一场人鸟共嬉的小舞台剧。这两件事让我一想起来就想哭，在我们身边的动物们，何时也能跟人如此亲善呢？

所以，荔波的此情此景，让我内心充满了喜悦！这里的各族人民，善良、温厚、有爱心，尽管他们的生活还很穷苦，但对祖祖辈辈留下来的山林万物，爱之如子，敬之如神，宁可自己穷着、饿着，也绝不伤害它们。

此次为了申遗，他们又做出了巨大的牺牲。根据世界自然遗产章程要求和专家意见，需对申报地环境进行综合整治，消除区域内的人工影响痕迹，确保生态的完整性和自然性。荔波通过申遗的初审后，又举全县之力加强环境的综合整治，一分钟也不懈怠地进行了四大项工作：

——拆除了全部有碍建筑，包括四座梯级水电站、三家宾馆饭店、一栋学校教学楼以及部分民房、职工住宿楼，代之以植被恢复及绿化。

——区域内的移动、联通、电讯、输电工程基本完成，土地退耕兑现补偿、采石场关闭，绿化、环境监测等已全部完成。

——保护区的标识标牌制作安装，世界保护联盟的帮扶内容展示，村寨环境整治，生态监测站、瞭望台的建设等已全部完成。

——交通建设项目、展示园区建设项目、移民搬迁项目等已全部完成。

要知道荔波是革命老区、国家级贫困县，全年的县财政收入只有1个亿，而这回的申遗成本是1.38亿元，相当于全县上上下下“白干”一年活；而即使申遗成功，也并不能立即就给荔波带来巨大的经济利益，相反还会引来IUCN等国际组织严格的环保监督。那么，这种今人种树，后人乘凉的事业，能得到各族人民的支持吗？

答案是肯定的——能！荔波曾举行过全县的申遗誓师大会，开展游行和万人签名活动，设置申遗倒计时公示牌等，使申遗的重要性家喻户晓，妇孺皆知。据说曾有一位IUCN专家来到荔波，在路上碰上一位苗族老大爷，正在捡拾地上的干草和小枯枝。

专家问：“山上有那么多树，你为什么不直接去砍？”

老大爷答："哎，树可不能砍，一草一木也不能动。我们荔波都申遗了，山啊，水啊，要完整地交给子孙。"

专家高兴得咧开大嘴巴笑，快活地说："你说话，我信；他们的，不全信。荔波固的（Good，好），威锐固的（Very Good，非常好）！""他们"，指的是中方的政府工作人员，IUCN专家唯恐"他们"弄虚作假。现在他终于明白，自己是以小人之心，度君子之腹了。

听完这个故事，我的心弦深沉地歌唱起来，一股感动的潮水，一直流淌到内心深处……谁说我们这些来自大城市的，具有高学历、高知识储备的，享有城市文明生活的来者，就比那些住在大山里、吊脚楼里，穿粗布衣服、吃粗粮，从未坐过飞机、火车、汽车的布依族、水族、苗族、瑶族等老乡们高尚呢？面对他们朴素、节俭、克制的生活方式，我们有什么权利嫌他们贫穷、落后、不卫生、不谙世事呢？缺乏高尚情操和博大胸怀的，也许正是不愿坐地铁和公交车、整日享受着空调的我们呀！

四

我们的采访艰苦而紧张。当我们气喘吁吁地爬上茂兰自然保护区的山冈，当我们深入到各族村寨，当我们接过老人、妇女和孩子们递过来的米酒、腊肉、彩蛋和粽子时，眼泪情不自禁一次又一次在眼眶里打转。

这天我们又听到这样一个故事：在"中国南方喀斯特"申遗的路上，曾经洒下烈士的鲜血。那是2004年8月4日，中国申遗首席科学家、中科院地质所最著名的生物学家宋林华先生，听说茂兰保护区里发现了一块高山湿地，兴奋得一定要亲往考察，因为在世界范围内，还从未听说过喀斯特高山上出现湿地！科学家的严谨作风，使他邀请贵州省生物科学院首席科学家杨明德同去，一大早，两人满怀喜悦上路了。没想到途中发生了车祸，两位杰出的科学家双双牺牲……

类似这样的模范人物还有，已经有动议要给他们塑像，永远摆放在"中国南方喀斯特"的青山绿水中，让子孙后代都记住他们。

是呀，人是一切价值的底线。高尚的人，是青山绿水的保护神；高尚的心灵，是人与自然相谐相生的精神向导。无可回避，申遗也是一场异常艰难的心灵博弈，利益的争夺，金钱的较量，官位与名誉的诱惑，无不时刻威逼着良心，毕竟，与GDP相比，与一心巴望着个人发财、升官的狭隘内心相比，“环保”是分量最轻的一个砝码了，因而从某种意义上说，这就又是分量最重的一场生命质量的搏斗！

也许是因为娃娃脸，再不就是“冉局长”的称谓，反正，当冉景丞刚来接待我们时，没有引起大家的特别注意。不过拐进野兰谷不多时，他就像那棵单性木兰一样，开始在我们心中扎根了。那棵单性木兰是在半山腰一个林深路隘的岔口，有水桶粗，两层楼高。独木分成Y形的两杈，满树油绿油绿的叶子茂茂盛盛的，时而婀娜摇曳上一阵，给人年轻女孩子的感觉。不平凡的是，在这位“年轻女孩”的身旁，立着一块半人高的石碑，上面刻着这样的文字：

> 单性木兰　国家一级保护植物。1928年植物学家秦仁昌在广西罗城首先发现并采到标本，后消失。1933年国际植物学界正式宣布此物种已经灭绝。1983年它又在茂兰被重新发现，但种群数量极少，唯此仅存，被称为失而复得的植物界“大熊猫”。

冉景丞的官职是茂兰保护区管理局局长，但他递过来的名片上写着“研究员、硕士生导师”。他的“绝活”是认识大山上的每一棵树、每一枚草、每一只昆虫，常常走着走着，他就会轻轻拨开一簇草丛，指着一枚在我们看来极其普通的青草，加重语气介绍说：

“这是小叶兜兰，极其珍贵的物种，市场上能卖到几十万元一株，可不能被人发现哟。

“这是红豆杉，国家一级保护植物，以前我们都不知道它是最好的抗癌植物，现在用它制成的药，一针就要一万块钱。

“这是板蓝根，对，就是我们吃的那种中药。它虽然普通，在我们这里也不准随便采，要限时限量，采的时候不许拔根，只准刀割。

“这是古梅，有百年以上的生命了，以前都说它们已经绝迹了，可是在我们保护区，一下子就发现了几十株，还能结出满树果实。

“这是××苔藓，只在我们保护区有。前年有××国家的三位生物学家来偷，把它藏在鞋帮内沿儿上，走到山口时被我们发现了。”

……

他微笑着一株一株介绍着，就像老师点评自己班上的每位学生，我们则像听评书似的被勾了魂去，一路紧紧跟随，简直就像追随着传说中的青帝。当然，他对动物也同样如数家珍，什么昆虫属于什么种什么属什么科，什么蝴蝶叫什么名字，就像是他自己亲生的孩子，那“马鹿”就是他告诉我的。

我们就问他是不是这里的人？是不是在保护区待很多年了？怎么会对这里的每一个细节都这么熟悉呢？他毫不掩饰自豪，微笑着说：“这里的每座山我都爬上去过！”

冉景丞并不是本乡本土人，老家在离荔波几百公里外的思南县。东北林业大学八九届本科生，1993年毕业分到这里，就一直待下来了。刚来时就住在寨子里，过着没水没电的日子。妻子生孩子那年，他每天早上跑步赶50里山路到监测点值守，天黑再跑步回家，还要做饭、洗尿布、带孩子。这几百座上千座山峰，基本都是喀斯特峰丛，根本没有路，他几度出生入死。有一次，和一条大蟒蛇迎面撞上，那是一条两米多长的眼镜王蛇，发现时已来不及躲避，被它喷出的毒液灼伤了眼睛，右眼视物从此变得模糊不清……

不过，这些都还不是最难的——最难的是人，是他们要管理的人。早些年间的困难是老乡，那时管理局和老乡的关系就是“警察与小偷”。当时人们还没有环保意识，祖祖辈辈生活在这里的各族群众，按照他们千百年的生活习惯，砍树、打猎、烧荒。你禁止他们干，他们就偷着干，于是你就抓人、拘留、罚款，于是他们就仇恨你，逮机会报复你，一天到晚麻烦不断，真可谓10个手指按11个跳蚤。冉景丞当局长后，改变了管理方式，像大禹治水似的从堵到疏，帮助群众进行生产建设，教老乡们种粮、种菜、种梅、饲养家禽，解决生计问题；教他们养猪、建沼气池，解决燃料问题；还组织妇女织布、绣花，做民族小饰品，教她们去卖，既改善了她们的生活，也使她们的地位得到提高……如此一来，“对手”渐渐成了朋友，又逐渐成了“帮手”，各族群众从“作案者”变成管理局的“耳目”，只要他们发现有毁林、偷猎的，或者发现有形迹可疑的陌生人进了山，“情报”很快就能传递到管理局。这就厉害了，全民防御，天罗地网，坏人谁还能逃遁？

冉景丞冉局长还是冉老师，尽管一张娃娃脸显得年轻，但他也是老资格专家了，

游客在观赏小七孔景区内的拉雅瀑布。（杨俊江/摄，图片来源：新华社）

加上他还有别人都无法比拟的深厚的实践资源。贵州大学想调他去做学术带头人，年薪五万，而在茂兰保护区只有两万，他没走；他的许多同学都是大款了，骂他傻，叫他跟他们做大生意去，他也没去。他就像原始森林里的“树抱石”，把根子深深扎进石缝中了，一边管理还一边搞科研，现在同时进行着三个课题研究：一、石斛种植技术，二、古梅研究，三、喀斯特地区植被恢复的树种选择。他还带着七个研究生，还办农技学习班，让学农业经济管理的妻子给农民们上课……

“为什么，你为什么要这样做？”“为什么，你为什么能坚持下来？”“你有什么困难需要帮助吗？”

娃娃脸的冉景丞把我们采访团集体感动了——现在真的还有“这种人”吗？在

这喧嚣的“爆炸式”发展的经济大潮中，在瞬息闪闪烁烁的社会剧变中，抛弃了一次次“成功”的机遇，坚持扎在大山里，默默做着别人并不知晓的工作，没名、没利、没休息、没娱乐、没享受，有时甚至还要忍辱负重！虽然我们都是见多识广的资深记者，但我们的鼻子一阵阵发酸，想表达点什么又不好意思表露出来，于是就争先恐后地提问，想帮他撑起一片两片蓝天。

他的“困难”让我们谁都没想到，竟然是“就怕特殊人物来保护区”，其伤害的每片叶子、每只昆虫都让他心头滴血；而“最困难”的就是怕有的领导认识不到保护区的重要性，为了GDP而下蛮干令。冉景丞就像最要财不要命的守财奴似的，忧心忡忡地说：“自从工业革命以来，人类发展越来越快，对自然的破坏也越来越快。荔波这片山山水水保存到今天不容易，坚决不能毁在我们这一代手里！”

不过，冉景丞也很乐观地告诉我们：“这种人”还有，不算少，他管理局的队伍里就有很多这样的好同志，不用领导监督，晚上经常自愿加班，每天办公室的灯光都亮到很晚，很晚……

五

信然！冉景丞说得不错，“这种人”表面上看似乎是越来越少了，可是在茂兰保护区，在荔波，在贵州的村村寨寨、山山水水中，我们却一再听到、见到一位位“这种人”——他们坚守在基层，不慕虚荣、不事声张，本本分分做着有益于民族、国家、人类文明的工作！

在荔波水书展馆，我们见到姚炳烈，他是水书专家，已经为抢救水书奋斗了很多年。水族是我国少数民族之一，有40万人口，99%分布在黔南自治州。与许多少数民族不同的是，水族有自己民族独特的文字，属于汉字系文字，造字方法主要也有象形、会意、假借等，被称为水书。水书中记载着水族几千年的文明和智慧，涵盖哲学、天文、历法、地理、历史、民族、宗教、伦理、美学、法学、人类学等学科，主要靠手抄、口传在水族民间秘传。水族传说自己是商纣王的后代，当年纣王兵败后，遗存的部落族人开始了避难大迁徙，从中原而两湖而入川，最后躲避到贵州的偏山僻坳里。为了纪念那些死去的将士，水族世世代代只穿黑色的服装。2003年，以姚炳烈为首的水书专家在请教了不同寨子的多位“水书师傅”之后，成功破译了河南偃师二里头遗址夏朝陶器碎片上的24个神秘符号，其中有20个与水书完全相同，使这一凄美的传说更增加了几分可信度。

姚炳烈非常自豪地说：中外专家学者高度赞誉水书，称它为水族的《易经》，“是独特、古老的人类文化瑰宝”，“是中华民族古文明的活化石”。早在2002年，水书作为历史文献精品，被纳入首批“中国档案文献遗产名录”，自此后，荔波就将其作为世界人类文化遗产，拨专款开展了抢救水书的活动。一座外表不算堂皇但却是倾全力建造的“中国荔波水书展馆”开馆了，一进门的墙报上，贴着各地区抢救和研究水书的进展情况……

在荔波，我们还见到许多不知名的奉献者的杰作。在拉雅瀑布风景区，我见到一个极其漂亮的垃圾箱，虽然质地仅是普通的小木条，但却钉成一座迷你型的瑶族小门楼，那浓郁的民族风情扑面而来，简直就是精美的工艺品。我的相机还留下其他五种垃圾箱的风姿，比如森林里的树根型，竹林里的竹篓型，因环境而异，显得既文明又有素质。最感动我的是挂在龟背山入口处的一块木牌，上面用中英文双双写着“请勿带走花草树木”，充分表达出荔波各族群众对大自然一切生命的珍爱之情！

荔波县委书记王振金同志代表县委四大班子表了态：申遗是国家行为，荔波人民就是作出再大的牺牲也要全力以赴做好；万一申遗不成功，也给我们留下了如何保护生态资源的财富——今后荔波只作保护性开发。看护好这盆天河之水，就是守住了子子孙孙的聚宝盆。

离开荔波前，我们采访团一行人，不约而同跳进了水春河，沿着长长的、汹涌咆哮的68级跌级瀑布，一直漂流到雪崩一样倾泻下来的拉雅瀑布——再最后亲近一下金子和银子的荔波水，把布依、水、苗、瑶等族群众的恩情永远记在心上。

为你加油，荔波！

祝你成功，“中国南方喀斯特”！

（选自2006年8月4日《光明日报》，作者：韩小蕙）

惊天动地王家坝

2007年7月，被国人称为最难治理的淮河，又一次暴发了1954年以来全流域最大洪水。“千里淮河第一闸”的王家坝首当其冲，按照国家防总命令，于7月10日12时28分开闸分洪，蒙洼蓄洪区实施了建闸以来第15次蓄洪。15.78万蒙洼人又以“舍小家保大家”的奉献精神与洪水展开一场殊死的厮杀和决战。

这里没有硝烟，也没有炮火，但面对全流域数千平方公里200多亿立方米汹涌而来的洪水，其残酷不亚于一场硝烟弥漫的战争——

在我国960万平方公里的土地上，可能有许多“王家坝”，然而位于安徽省阜南县淮河上中游交汇处的“王家坝”却是唯一闻名遐迩、让世人难以忘怀的地方。它不仅是淮河中上游交汇的门户，也是容量7.5亿立方米蒙洼蓄洪区的进洪口。每当淮河洪水来临，一旦王家坝那个小亮点儿闪动，就是阜南人民与洪水开战和决战的信号，它预示着淮河上游的洪水已经达到超警戒水位。当王家坝闸水位达到29.00米时，只要国家防汛抗旱总指挥部下达开闸蓄洪命令，王家坝闸的钢铁巨门就将按时开启，滔滔洪水汹涌着进入蒙洼蓄洪区，刹那间180.4平方公里的蓄洪区浊浪滔天，一片汪洋，16万蒙洼人民只好赶在蓄洪前迅速转移到安全地带。

天宝物阜的淮河啊，桀骜不驯的淮河啊！她的欢笑，她的哭泣，她的对峙，她的憧憬，凝结成永远的丰碑。一代又一代中央主要领导同志都曾经对淮河予以关注，倾注了大量的心血与精力。1950年6月淮河暴发了特大洪水，损失惨重，毛泽东含泪挥毫写下“一定要把淮河修好”八个大字。这既是伟人的强烈心声，又是激励人民治理淮河的伟大号召。周恩来先后60多次主持召开政务院会议、治淮工作会议、专家研讨会议等专题研究治淮工作，20多次组织水利专家进行实地勘察论证，吸收古今中外的治水经验，进行周密细致的研究、设计、规划。由国家水利部提出方案，请示毛泽东主席同意，周恩来总理亲自选定在安徽省阜南县蒙河滩地建设蒙洼蓄洪区，蓄洪区内设计建造128个庄台，散居蒙河滩地上的人民搬到庄台上居住。1951年春，十多万民工构筑蒙洼蓄洪圈堤。1952年春开始建设王家坝闸，1953年汛前王家坝闸胜利竣工。新中国成立伊始，百废待兴，在国民经济异常困难的情况下拨出大批资金进行大规模的淮河治理。经过上下共同努力，初步改变了淮河千疮百孔的面貌。但是，由于淮河地处中原兼有南北方雨季等原因，且上中游178米的落差特别大，中下游16米的落差特别小，易于滞洪，是条较难治理的河流。2003年7月12日，国务院总理温家宝在视察淮河王家坝抗洪抢险时曾动情地说："这里是没有硝烟的战场，这里是血与火的洗礼，这里是人类与大自然的搏斗，这里是生与死的较量。在党中央、国务院和各级党委政府的领导下，我们万众一心，顽强战斗，胜利一定属于我们！"

淮河发源于河南省桐柏县淮源镇太白顶西北、牌坊洞东南，经三道鼻子、西洞、东洞、一线天，出河堰口，于固庙西，绕北而东流。经过364公里的没边没沿的漫流和曲曲弯弯的流程，形成淮河上游；进入王家坝时落差加大，流速骤增，成为中游的上端。为了调解洪水流量，削减洪峰，减少洪水给上游人民和下游淮南、蚌埠等城市与京沪铁路压力、威胁和损失，经专家勘察论证，国家于1953年1月10日在王家坝建设一座进洪流量1 626立方米/秒、共13孔的弧形钢闸门的王家坝节制闸，构筑了95公里的蒙洼大堤，建成了容量达7.5亿立方米的蒙洼蓄洪区。自1953年至今王家坝闸已15次开闸蓄洪，蒙洼蓄洪区先后进洪累计72.4亿立方米，相当于浩瀚的东海。因此，"开闸蓄洪泪汪汪，家家户户泥巴房"，就是蒙洼人民几十年的生活写照。奉献、牺牲，舍小家顾大家，已成为王家坝蒙洼蓄洪区和阜南人民义无反顾的选择，浇铸成永远的丰碑！

2007年6月，大家不愿面对的气象条件一步步向淮河人民逼近。6月末，连绵不断的持续降雨，在"六七八，洪水发"这种不是自然规律、胜似自然规律的不寻常日子里，党中央、国务院和淮河人民预感到淮河将要进行一场抗洪抢险的恶仗。刚刚进入7月，淮河流域先后普遍降雨，部分地区大到暴雨。根据气象预报，国家防总宣布淮河流域进入主汛期，豫皖苏鲁立即启动预警方案。大家正厉兵秣马夜以继日地备战时，淮河流域再次出现强降雨，沿淮、淮北和洪泽湖周边，部分地区暴雨到大暴雨，豫皖苏鲁四省几乎同时发布了暴雨橙色预警，拉开了淮河流域抗洪抢险的序幕。

随着中央气象台发布的气象和雨情报告，素有淮河防汛抗洪“风向标”的王家坝再次被推向抗洪抢险的最前沿，成为世人瞩目的焦点。

由于特殊的地理、气象等原因，每年进入6月、7月、8月三个月，淮河流域几乎都要发生或大或小的汛情与洪水。早在3月、4月，气象和水利专家就预言淮河流域今年可能要暴发洪水，提醒各地提前做好防汛抗洪准备工作。虽然是老生常谈，但对于经历过多次淮河抗洪抢险战斗的安徽省各级领导，尤其是饱尝水患之苦的阜阳市、阜南县上上下下“防大汛，抗大洪”的弦早在脑子里绷得紧紧的。至于地处淮河岸边的王家坝，从领导到百姓、从大人到小孩几乎都处于谈水色变的敏感状态，不但每天的天气预报一定要看，只要是大雨来临，防汛和抗洪的可能立刻会在潜意识里闪现，除了抓紧时间拼命抢收成熟的庄稼，还要挤时间到淮河岸边查看水情。进入7月，只要天气预报有雨，只要是下雨天，尤其是上游的大到暴雨，王家坝就会自动进入临战状态。为了抢时间，很多人家都把小孩锁在屋里，带上工具带着马灯或者手电筒不分昼夜地到几里甚至十几里外的地里忙收忙运，饿了吃点干粮，渴了喝点白开水，困了就地和衣而睡。当过20多年王家坝村党支部书记年过花甲的王庆山深沉地说：“每年进入汛期，王家坝人就整天看着老天爷的脸提心吊胆地熬日子，特别是7月，夜里竟做些不是洪水来了就是开闸蓄洪的噩梦。”

这就是王家坝人的生活。

这就是蒙洼人的无奈。

“狼来了，狼来了……”每年的6月就开始呐喊。呐喊声中，有时狼并没有来。到了9月人们悬着的心才能渐渐放下。

然而也有反常的时候。1996年的10月中旬，已经接近冬季，淮河上中游又普降大雨，淮河水位陡涨，超过警戒水位，王家坝经历了将要开闸分洪的险情。省市县乡兴师动众组织几百名干部和几万名民工日夜守护在淮北大堤上，直到洪峰顺利通过王家坝大家才松了一口气。

桀骜不驯的淮河就是如此刁钻，有时又那么暴戾。

今年，“狼来了，狼来了”的呐喊会怎样呢？

经过高科技对气象水文资料的精确分析，专家们会商，淮河全流域洪水已不容置疑。

7 月 4 日，阜南县县长白飚在淮河王家坝防汛紧急会议上说：“从 7 月 1 日到 3 日，淮河王家坝水位迅猛上涨，三天涨了 6 米多，全县已启动了防汛应急预案。”从皖南山区到淮北平原刚刚一年的县委书记倪建胜虽然还不完全熟悉淮河的情况，却有着惊人的胆识与毅力，他说：“在党中央、国务院和省市委正确领导下，我们一定认真贯彻落实胡锦涛总书记和温家宝总理关于淮河防汛抗洪的重要指示精神，坚持科学发展观，以人为本，万众一心，夺取抗洪抢险全面胜利。”

乌云笼罩下的王家坝。（陈巍 / 摄，图片来源：新华社）

2007年淮河抗洪抢险的战斗在王家坝打响。

阜阳电传。

合肥电传。

北京电传。

电传，一份接一份，络绎不绝；电话，一个连一个，万分紧急。节奏最快，频率最高的主要是：

“王家坝现在的水位多少？”

“27.68米，超警戒水位0.63米。”

“指挥人员到岗没有？”

“已全部到岗，正紧张运作。”

“上堤民工多少？”

“26 850人，日夜巡查，寸步不离。”

……

随着王家坝水位继续上涨，淮河防汛抗洪的形势日趋严峻。当中央气象台天气预报随着王家坝的小点儿不断闪烁，亿万人的目光再一次投向王家坝。

在中央、省、市领导的关怀支持下，王家坝灯火通明，秩序井然。堤坎上，庄台上，一面面印着党徽和突击队字样的红旗鲜艳夺目，熠熠生辉。随着洪水的继续上涨，王家坝闸可能要开闸和蒙洼蓄洪区将要蓄洪的信息一天天逼近，面临着搬迁和转移的近16万蒙洼人从容应对。许多人望着自家的房屋可能会被洪水冲倒，18万亩绿油油丰收在望的庄稼即将被滚滚洪水吞噬时，那种无奈和茫然在“舍小家保大家”的精神鼓舞下，也难免生出缕缕“7月，该死的老天爷”的诅咒与叹息。

老天爷仍在肆无忌惮地大雨倾盆，王家坝水位不停地往上涨。省委书记郭金龙又一次风尘仆仆地赶往王家坝，一下车就朝大闸奔去，眺望着淮河对岸河南省一望无际的汹涌大水，又回望身后十多万亩蒙洼蓄洪区，对身旁的市县领导说：“抓紧时间动员蓄洪区的人民，作好开闸蓄洪的准备，大局为重，大局为重！”

国家水利部副部长矫勇率工作组从北京也星夜赶来。面对一直上涨的滔滔洪水，矫勇神情凝重地说：“王家坝又要做出牺牲。”这是第十几次牺牲，作为水利战线上专家型的领导者，他的心里非常清楚。

时间在一分一秒地流逝，王家坝的水位在一毫一厘地上涨。

一分一秒，一厘一毫，在平常的日子里只是白驹过隙，稍纵即逝。但此时，人们的心里却异常沉重，恨不得时光倒流，水位下降，哪怕是万分之一秒之一厘之一毫，也是多么的珍贵。

然而，这只是人们的愿望，雨照样在下，水照样在涨。数十立方米的洪水随时会给人们带来灭顶之灾。

7月10日12时28分，根据国家防总命令，王家坝开闸分洪。

期待，当王家坝水位达到29.35米时，在场的省市县乡领导和蒙洼蓄洪区人民的眼睛还目不转睛地盯着闸门旁边的标尺。那一刻，人们好像要喘不过气来，甚至屏住呼吸瞅着以厘以毫显现的红杠杠。

“天啊，水位千万别升了。”

2007年7月10日12时29分，淮河王家坝闸开启闸门，向蒙洼蓄洪区分洪。（李健/摄，图片来源：新华社）

“天啊，该降下一点儿了吧！”

“天啊，降吧！一毫，一厘，就那么一点儿，闸门就不需要开了。”

从7月9日上午到10日上午，国家防总在北京共召开五次高规格的会商，会议的焦点是要不要王家坝开闸启用蒙洼蓄洪区。9日深夜，国家防总办公室的值班室里灯火通明。淮河干流王家坝的水位牵动着每个人的心，许多同志彻夜未眠。王家坝是淮河防汛的“风向标”，在它以上的淮河上游，坡陡水急，倾盆而泻，防洪压力特大。

蒙洼蓄洪区作为千里淮河的第一座防洪屏障，涉及15.78万人、18万亩耕地。按照国务院批复的《淮河防御洪水方案》规定，当王家坝水位达到29.30米时，且水位持续上涨，根据水雨情况和工程情况，适时开闸启用蒙洼蓄洪区。

国家防总副总指挥、水利部部长陈雷主持国家防总会商会，研究王家坝开闸蒙洼蓄洪区运用有关问题。作为决策者，人们的神情都那么凝重。陈部长环视大家，意思是请大家充分发表意见。会场里异常宁静，大家互相注视着，眼神里都是同样的期待与庄重。期待的和正处于王家坝抗洪前线的各级领导、专家和老百姓的心情一样，希望王家坝的水位能够回落。

“防汛抗洪决策难，最大的难就难在行蓄洪区里居住着广大群众。需要科学决策，慎之又慎。”这是国家防总秘书长、水利部副部长鄂竟平的发言。

防汛抗洪调度决策的难度，还体现在雨情水情预测预报上。水文、气象部门24小时实时监测水雨情，洪峰推进演算也在紧张进行。

“能不能再计算一次，精度再准确些，力求万无一失。”一位专家再一次郑重提醒。“对，再计算一次。”另一位专家立即附和。专家们纷纷点头称是：“再计算一次。”

再演算的结果出来了，10日8时水文部门根据演算数据判断：10日12时王家坝水位将达到分洪水位29.30米，11日14时王家坝将出现29.60米以上的高洪峰水位。按照这个数据，如果王家坝水位超过29.30米不分洪，不但王家坝淮河堤防全部超保证水位，随时都有决堤行洪的危险，上游河南省淮河、白露河14个圩区的42万人民的生命财产也危在旦夕，40.4万亩耕地也将淹没在大水中。权衡利弊，最终果断决定：王家坝立即开闸实施蒙洼蓄洪区蓄洪。

会商结果和命令传到惊涛骇浪的王家坝。王家坝13孔闸门迅速开启，汹涌的洪流像脱缰的野马向蒙洼蓄洪区奔去。

广袤的蒙洼大地，波涛滚滚，浊浪阵阵。13 万多人民住在蓄洪区里 136 座庄台上，成为汪洋中“孤岛”上的居民，只有用船只与外界来往。特别是住在低洼地上的 1 257 户 3 684 人，房屋淹倒了，财产冲光了，吃穿住都靠政府救济。据统计，蒙洼蓄洪后经济损失达 6 亿多元。

蒙洼人并没有怨天尤人。奉献，成为蒙洼人的精神支柱和战胜困难的力量源泉。

位于蒙洼蓄洪区老观乡和平村的农民陈如松全家六口人，住在庄台下面的平地上。接到搬迁转移通知后，他二话没说，立即将家里的粮食装上拖拉机朝庄台上运。老陈为人憨厚、勤劳能干，不但耕种着 20 多亩土地，还养着几十头猪，日子过得较为殷实。平地上的房子和猪圈历时六七年才建成，每次洪水一来他都要搬家，洪水退后再搬回来。当笔者提起搬家的事，老陈说：“水火无情，不搬不行。”

“你家的损失严重吗？”

“少说也有几千块。”

“你一定很心疼！”

“庄稼人的钱都是用汗水换来的，哪能不心疼。”

“你家损失那么多，心里啥滋味？”

“为了大家，损失的以后再挣。过去政府救济我们那么多，如今的日子好过了，奉献一些，值得！”陈如松的表情一点不沮丧，还挂着笑意。

陈如松没什么文化。这位面朝黄土背朝天的敦厚农民为了蓄洪义无反顾地搬出原来住的房子住进临时的庵棚里，无怨无悔。

他没有豪言壮语，也讲不出深邃的道理，但他铭记着党和政府给他的好处，怀着感恩的心理，在政府和社会需要他作出些牺牲时，他没有犹豫，更没有想到索取，而是按照指令默默无闻地提前完成了搬迁任务。

听乡村干部介绍，陈如松除了提前完成自家的搬迁，还用自己的拖拉机分文不取地帮助村里其他三户完成了搬迁。对于陈如松的言行，除了奉献给他的力量，还能用什么诠释呢？！

奉献，蒙洼人的精神支柱。

在安徽，在阜阳，在阜南，在临泉，在颍上，在王家坝，在每一个行蓄洪区，都说今年是自 1954 年以来淮河流域性最大的洪水，也是抗洪抢险最严峻最紧张社会秩序最正常群众情绪最稳定的一次。

“洪水可怕吗？”

“不可怕！”

“住房塌了可怕吗？”

“不可怕！”

“庄稼淹了可怕吗？”

“不可怕！”

“生了病可怕吗？”

“不可怕！因为有党和政府给我们的关爱，有人民子弟兵的帮助，有地方党委政府管我们吃住，有医疗队，有临时党支部和广大党员为我们服务。我们没有想到的他们都为我们想到了，办好了，怕啥哩！”

这是一位远在外地打工的亲友和家在蒙洼蓄洪区里的亲戚在电话里的一段对话。没有豪言壮语，也没有动人画面。这简洁的话语正是发自蒙洼人内心深处的真实表白。

为抗洪救灾提供坚强有力的组织保证，淮河汛情刚刚出现，安徽省委组织部第一时间发出紧急通知，要求在抗洪救灾中充分发挥基层党组织的战斗堡垒作用和广大共产党员的先锋模范作用。阜阳市委、阜南县委提出了“把党支部建起来，把党旗飘起来，把党徽戴起来”的要求。阜南县从县直机关抽调了140名科级干部和后备干部，在蓄洪开始前就分赴136个庄台和4个保庄圩组建临时党支部，担任临时党支部书记。

这些临时党支部负责安置受灾群众，宣传政策，排查危房，核实灾情，发放物资，救治病人，维护治安等工作。为方便服务群众，告知服务地址，每个临时党支部办公室门前都飘扬着鲜红的党旗。“说实话，洪水上来了，这生活咋过，本来心里没啥底，现在好了，看到这面党旗，俺这心里头就踏实了。”蓄洪区里郜台乡一位50多岁的老汉说出了心里话。

“我们的职责就是确保灾区群众有住、有吃、有衣、有医、有序、有干净饮水，无人身安全事故，无重大疫情发生。”蓄洪区曹集镇王塥庄台临时党支部书记徐道辉说，“这‘六有二无’是每个临时党支部成立时都要在党旗下作出的郑重承诺，立下责任状。”

许多灾区村民对临时党支部赞不绝口：“临时党支部就在俺身边，书记是上面派来的，没亲没疏，没偏没向，办事公道，一视同仁，他们啥都为俺们想到了。只要看到党旗，我们的心就踏实了！”

“爹亲娘亲，没有党亲。”这句曾经传唱几代人的歌词，随着时间的流逝，社会的变革，人的观念的变化，它的内涵似乎已经改变。但在重大事件发生的关键时刻，其永恒的意义却凸显出来，迸发出惊天动地可歌可泣的光辉形象和无穷无尽的力量。

7月12日，曹集镇镜湖村大杨庄台的村民王米丽生命垂危。面对滔滔洪水，庄台医生和她的家人都束手无策。9时20分，县派驻工作队员、县房产局干部、村临时党支部书记程鉴吾得知情况后，一边组织紧急救助，一边向县、乡、村三级防汛抗洪指挥部报告情况，请求救助。县防指接到报告后，立即安排乡镇和卫生部门及时救援，迅速调来船只。在程鉴吾亲自护送下，9时50分，病人被安全转移到曹集镇卫生院。这时卫生院已经接到县卫生局局长骆桂新“全力以赴，免费救护”的指示，医护人员立即投入抢治病人的战斗中。病人脱离了危险，病人家属感激地说：“真是社会主义好，共产党亲啊！”

肆虐的洪水，吞噬了美好的家园。危急关头，党组织充分发挥领导核心和战斗堡垒作用，积极组织和动员一切可以动员的力量，形成了一道冲不垮的“钢铁长城”，谱写了气吞山河的抗洪壮歌。

在王家坝镇郎湾村防汛大堤上，始终有一对特殊的身影，一瘸一拐来回走动，这是郎湾村党支部书记王德中和他的妻子。十几天前，老王在搬运防汛物资时出了车祸，腿被撞断。卧床期间，了解到防汛抗洪形势严峻后，王德中要求妻子搀扶着他，一起坚守在堤防上，参加巡逻查岗。

7月4日5时，淮河王家坝水位达到27.72米，一线民工全部上堤了。王德中躺在病床上，对妻子说：“现在就扶我到堤上防汛。就是爬，我也要爬到堤上。”他妻子眼看拧不过去，只好用板车把他拉到村指挥所。为了照顾他，妻子就陪同他一起防汛，在巡堤时，她扶着他艰难地行走在大堤上。

郎湾村防汛大堤有1 500米长，作为一个正常人，来回一趟不费劲，而王德中却要费好大的精力，来回一趟要两个小时。同事们劝他休息，让他别再巡堤了，只管坐在那里就行了。他坚决不从，“我是党员，又是村干部，为了大堤安全，牺牲点个人利益不算什么。”说着，他又在妻子的搀扶下巡堤查险去了。

一道道闸门缓缓升起，共产党员54岁的冲锋舟手郎泽群心里也是阵阵发紧。家里三亩多地的毛豆，只能眼睁睁地看着大水淹了。他正驾舟待命，来人通知他："你爱人晕倒在家里。"爱人颈部锁骨骨折还没有痊愈，郎泽群出门前就劝她在家休息，她舍不得地里的庄稼，对他说："你抗洪抢险要紧，只管好好忙你的，家里的事我干，你是党员，应该带头，俺不扯你后腿。"

郎泽群回到家，立马请人为爱人打点滴。爱人刚刚苏醒，他的手机响了："六名群众被大水围困，赶快驾舟前往救助！"时间就是生命，郎泽群来不及向爱人打招呼，就飞一般跑了出去。

7月8日上午，风大雨急。老蒙河口大堤上，一面鲜红的党旗被风刮歪。共产党员赵年义急忙冲到雨中，紧紧地握住旗杆，用力重新将它稳稳地扶正插牢。看着迎风傲雨的党旗，全身湿透的赵年义意味深长地对守护大堤的党员和村民说："党旗下，咱王家坝人永不动摇！"

7月13日9时30分，一架飞机冲破厚厚的云层，徐徐降落在阜阳机场。正当安徽人民与洪水艰苦鏖战的关键时刻，中共中央政治局常委、国务院总理温家宝亲临安徽抗洪抢险第一线视察汛情灾情，慰问参加抗洪抢险的人民解放军和武警官兵及灾区广大干部群众。

温总理刚刚走下舷梯，安徽省委书记郭金龙上前紧紧握住总理的手说："又惊动总理了！"

"我上次来这里是四年前，也是因为淮河洪灾。"温总理神情凝重。

温总理一行离开机场，顾不上休息，立刻驱车直奔灾区。听说临泉县迎仙镇几天前曾在12小时内骤降500多毫米的暴雨，几百名百姓被围困的险情，温总理乘车颠簸一个多小时赶到这里的灾民安置点，踏着泥泞走进救灾帐篷和临时医疗室探望群众。

一直忙到下午1时许，温总理才吃上午饭。随后，总理一行又匆匆赶往阜南县王家坝的蒙洼蓄洪区。

这是温家宝总理四下蒙洼。

2000年6月，时任国务院副总理的温家宝第一次来到位于王家坝的蒙洼蓄洪区，检查防汛工作，了解行蓄洪区治理情况，并就农村税费改革问题进行调研。在蒙洼刘郢庄台，温家宝走村串户，与村民促膝谈心，听取意见。他强调，要切实搞好淮河的治理工作，加快沿淮工程建设进度，进一步研究淮河流域治水的长远思路。

2003年7月，也是在淮河防汛抗洪的紧张时刻，温总理第二次亲临王家坝蒙洼蓄洪区指挥抗洪抢险，并详细了解王家坝闸两次开闸的水位变化情况，走进大堤上一顶顶临时帐篷内看望慰问灾民。面对严重的灾情，总理语重心长地告诫地方干部，一定要时刻牢记人民的生命安全重于泰山。

10月，时刻牵挂行蓄洪区群众生活的总理，又在百忙中第三次来到王家坝蒙洼蓄洪区，亲切看望正在进行灾后重建的群众。在蒙洼金黄村，总理深入田间地头，与闻讯前来的村民们亲切交谈，问寒问暖，了解村民们的生活和生产情况，再三关照大家抢时补种，力争多收一点，把灾害损失减小到最低程度。

这是温总理第四次来到王家坝蒙洼蓄洪区。当总理的汽车刚刚停下，天空下起了雨，温总理打着雨伞，穿着黄军鞋，伫立闸坝边。眼前，淮河水波涛滚滚，浪花四溅。温总理又回望洪水茫茫的蒙洼蓄洪区，久久没有说话。雨中，温总理又仔细听取了淮河水情雨情的汇报，实地察看了王家坝闸总控制空操作情况。当时气温30多度，总理的衣服汗湿了，他全然不顾，又不顾劳累走进灾民家里……雨，还在不停地下。温总理的车驶向蓄洪区深处，路两边的积水越来越深，绿油油的庄稼在水中挣扎。踏着泥泞，总理一行来到解放庄台，走到村民中与大家亲切握手，致以问候……

雨，还在下着。抗洪抢险还没有定局。在党中央、国务院和省市县委领导下，王家坝人心中有着矢志不移的信念：人定胜天，重建家园！

当我们抖落日夜奋战的沉重、疲惫和痛苦，重新正常生活、生产和工作时，那惊心动魄生死攸关激情燃烧的分分秒秒将渐渐远去。随着淮河流域综合治理19项骨干工程陆续竣工，昔日不堪回首的淮河特大洪涝灾害也许将再也不会发生。但王家坝特殊的地理位置和蒙洼人民的牺牲奉献精神已经而且将永远成为千里淮河上巍巍丰碑。

开启记忆的闸门，镌刻尘封的岁月，滔滔淮河水，流，流，流……

（选自2007年第9期《中国作家·纪实》，有删节，作者：张守志）

蓝色的畅想

——中国海军驱逐舰队成长纪实

2007年建军节前夕，中国海军新型导弹驱逐舰远赴俄罗斯、英国等国家出访，此次远航访问，呈现出“新使命、新任务、新舰艇、新军装、新海区”的特征。

有外国专家大胆预言：中国海军在拥有了这批新一代大型水面作战舰艇后，其整体作战能力将取得飞跃式的提高，也标志着中国的水面舰艇建造技术上了一个新的台阶，达到了世界领先水平。随着时间的推移，中国海军在全亚洲将会首屈一指，在全世界也将是远洋进攻型海军！

亮舰

遥远的航程

1980年4月底，上海的吴淞口军港荡漾着一片喜悦，参加我国第一枚洲际导弹发射实验的中国赴南太平洋编队就要启程了，中国自己研制的海军导弹驱逐舰就要正式亮相在世界面前。

代号为“580”的海上远程运载火箭试验，在我们国家还是第一次，一旦试验成功，我们的战略导弹就有了突破性的进展，中国驱逐舰也将如虎添翼。当年，海军副司令员、编队副总指挥杨国宇回忆说：

海军为了胜利地完成担任远程运载火箭的末区弹着点测量、打捞数据仓和护航警戒任务，截至出行前，海军共组织了100多艘次舰船近海演练，2 652架次直升机着船训练；举办了45期900余人次参加的各种专业培训班。

从海军接收“580”任务开始，我作为海军副司令员兼参谋长，期待着能有一天亲自带队出航南太平洋。因为我从1958年参加组建海军试验基地起，就与导弹科研试验结下了不解之缘。1967年至1975年，我又在第七机械工业部做过近八年的导弹科研领导工作。我很清楚，导弹，我们是从无到有、从小到大，并且都是在陆地上试验，从未进行过海上远程运载火箭试验。这是高技术、大型的系统工程，它一直是广大科研人员的夙愿和奋斗的目标。早在1965年，中央专门委员会就提出了关于建立海上观察船的问题。1967年七八月间，国防科委先后两次在上报中央军委有关规划中，请求批准研制远洋靶场测量船以及进行海上导弹试验时担任护航警戒任务的驱逐舰、保障海上补给的辅助船舶。有关规划很快在中央军委常委会会议上讨论通过，中央军委责成国防科委拟制具体规划上报中央军委审批。但由于“文化大革命”的影响，具体规划一直未拟制出来。到了1969年，才经周恩来总理批准……

中国海军有史以来最大的海上特混编队，缓缓离开了码头，开始了遥远的航程。

太平洋不太平，这里大浪滔天，深不可测。1250年，世界著名的航海家麦哲伦经过太平洋的时候，想证明一下这里到底有多深，一连放下去几根绳子都没有落到海底。随着科学技术的发展，人们有能力测到它的深度了，在当年麦哲伦用绳测的地方，科学家发现其深度逾5 000米。如果把珠穆朗玛峰放进去，它的顶峰离海面还有2 000多米。太平洋之深，可见一斑。

无疑，太平洋是令人向往的，然而它也无时不在考验着每一位光临的人，一个个巨浪，把舰船抛上抛下，有的人头重脚轻，头晕目眩，有的人在大口大口地吐，五脏六腑，翻江倒海。

“那痛苦不可想象，胆水都吐出来了，直吐得你痛不欲生。有的人神经好像失去了控制，头猛烈地撞击着床板，真想一头扎进海里，老鼠也吐得一塌糊涂，就那样和人对着吐。”一位当年的老兵说。

中国特混编队在海上航行近40天，仅往返就20多个昼夜，总航程8 733海里。虽然，漫长的航行寂寞而又痛苦，但对于我们人民海军来说，这一天是来之不易的，我们终于走出了近海，走向了大洋。

偌大的一支特混编队远航太平洋，需要全方位的配合，远洋考察船在太平洋上测量导弹的弹着点，离不开导弹驱逐舰的护航，而导弹驱逐舰也离不开远洋补给船。

特混编队在航行中，132导弹驱逐舰给指挥部发来了电报，请求补给。

中国导弹驱逐舰第一次在太平洋上接收补给，吸引了外国侦察机和舰船。

接到命令的补给船疾速赶来。132导弹驱逐舰开始和补给船并驾航行，达到补给要求后，一声令下，只听到补给船甲板上砰的一声响，一根撇缆枪腾空而起，很快准确无误地落在导弹驱逐舰上，战士们以最快的速度拖缆引钢索，瞬间接好了一切装置。此时风急浪大，舰船起伏不已，然而，导弹驱逐舰还是在顺利地接受补给船的油水。

时任中国第一支驱逐舰部队A导弹驱逐舰的舰长刘子庚回忆起过去的一幕说：

"海上补给对舰长来说是个高难的课题，遇上大浪有时候会突然偏航，两舰远近要适度，近了就会碰撞，远了就会把输油管拉断了。"

外国侦察机出现在驱逐舰桅杆上空，飞行员探出头来不时向下张望，新西兰"莫诺韦"号船长命令说：

"靠过去，靠过去，我们要看看中国人的海上补给。发信号，快发信号！"

信号兵给132导弹驱逐舰打出信号：我对你们的补给很感兴趣，请允许我们在你舰右舷观看。

我方信号兵答复：同意。

大浪扑来，132导弹驱逐舰犹如一叶小舟，开始向外偏航，从舰长到士兵，大家的心一下子收紧了。

"看中国的军舰，偏航了，补给要成泡影了。"新西兰"莫诺韦"号的船员开心地叫了起来。

"右5度！"132的舰长季昌明果断地喊道。

"我们是在太平洋，很多双眼睛都在盯着我们，决不能给中国军舰丢脸！"季昌明又喊道。

40多分钟之后，油料补给完毕，补给船又开始给导弹驱逐舰补给鸡蛋和啤酒。这时，铁架子从导弹驱逐舰上升起来，补给船高大的龙门吊，把引桥伸向导弹驱逐舰，两船之间便有了一条长长的软索桥，货物凌空滑向驱逐舰。

这一幕被外国侦察机和舰船拍下来，不久就出现在了西方国家的媒体上：中国132导弹驱逐舰，在太平洋成功地接受了补给。中国人不仅拥有了新型导弹驱逐舰，也有了远航补给能力，这标志着中国海军已经有远洋作战的能力了。

1980年5月8日，新华社向全世界发布了庄严的公告：

中华人民共和国将于1980年5月12日到6月10日，由中国本土向太平洋南纬7度0分、东经171度33分为中心，半径70海里圆形海域范围内的公海发射远程运载火箭。为了进行这次试验，中国舰船和飞机将在该海域作业。为了过往船只和飞机的安全，中国政府希望有关国家政府，通知本国的船只和飞机，在试验期间不要进入上述海域和海域上空。

中国首次发射远程运载火箭，中国海军特混编队首次出现在浩瀚的南太平洋上，中国自行研究制造的驱逐舰106号、107号、108号，首次浩浩荡荡地在浩瀚的南太平洋亮相，无论怎么说，都充满强大的吸引力。虽然比起发达国家，我们的装备还刚刚完成或正在完成，可西方国家还是表现出莫大的兴趣。

一架美国侦察机低空掠过我们编队的上方时，从上面落下了一个冒着咖啡色浓烟的东西，最后跌在了海面上。

“不好，敌人投炸弹了。”不知谁惊叫起来。

“他们没有那个胆量，这是声纳浮标，用来侦察的。”杨国宇将军说完，很快出口一诗：

远望海天一点白，
近看飞机遮眼帘；
P-3C来探为何事，
愚公移来众铁山。

短短几日，外国飞机舰船乐此不疲，非常有耐心地游弋盘旋在我们上空。据统计，几个国家派来的飞机有74批、78架次，舰船77艘次。其中，澳大利亚就有侦察机一架，教练舰、驱逐舰、雷达巡逻艇各一艘。美国海军也不甘落后，反弹道导弹特遣部队放出了导弹观察机，还有一个大国干脆就把宇宙空间跟踪船和电子侦察船派了出来。

12日，大编队开始合练，驱逐舰摆开阵势，直升机盘旋轰鸣。从空中俯瞰，特混编队浩浩荡荡，威武壮观。在这浩大的阵容中，中国导弹驱逐舰格外引人注目。

一位外国军事观察家说：

“中国导弹驱逐舰远洋护航，已经充分体现了中国海军有了远洋作战能力，这是中国海军的一个大突破。”西方的通讯社说，中国人真是一举两得，不仅成功地发射了洲际导弹，还把自己研究制造的驱逐舰展现在了众目睽睽之下。

很快，日本的《世界舰船》杂志也报道说：1980年5月1日夜，由6艘“旅大”级导弹驱逐舰、2艘导弹跟踪测量船、2艘海洋调查船、2艘补给船、2艘打捞救生工作船、4艘远洋拖船共计18艘舰船组成的中国海军舰队，于宫古岛、冲绳岛之间横穿琉球群岛，消失在东南方的海面上。5月末，该舰从相反的方向通过该海峡。在这次导弹试验中，中国舰队的行动理所当然地受到世界各国海军有关部门和人士的关注。在现场见到中国舰队的澳大利亚和新西兰海军公布了很多照片，使过去很少为人所知的中国海军舰队见之于世。

中国战舰第一次拉开了远航大洋的序幕，同时，也为中国海军出访异国，埋下了重重的伏笔。

这次远行还有一些很有意思的插曲。

海上“外交”

离中国远程运载火箭发射还有三天的时候，南太平洋气氛骤然紧张起来，外国飞机舰船更是迫不及待，我方向澳大利亚教练船发出警告：

“继续前驶危险，靠近我舰危险，我方正在作业，请让开。”

澳大利亚教练船长很强硬，命令信号兵回答我方说：

“愈靠近你们愈安全，我有公海航行自由，我们互不干涉。”

新西兰“莫诺韦”号紧咬不放，空前活跃。

“你已经进入危险区，应该马上离开！”我们开始发出严厉警告。

“我有公海活动权利，你方无权干涉！”“莫诺韦”号回答。

“我们正在作业，遇有危险，你方负责。”我方再次警告。

“莫诺韦”号根本不理睬了。

张序三，时任海上编队参谋长，作为一位驱逐舰的老舰长，还在中国第一支驱逐舰部队的时候，曾驾舰在海上驱赶过入侵我们领海的美国驱逐舰“狄海文”号，他说：

“看来动硬的不行。”

“我们要智取。”编队总指挥刘道生说。

刘道生，时任海军副司令。作为一名老红军，当年，从抗日和解放战争的战场上走下来，征尘未洗，就来到了海军。在这一个全新的天地里，仅有小学文化的刘道生知道，没有知识是不能为这个现代化的兵种作出贡献的，他边学边干，为了得到全面提高，又来到苏联留学了四年。

几十年的海军生涯，他亲眼目睹了中国海军从无到有，从小到大，由弱到强的发展历程。当他率队走向太平洋的时候，已经是满头银发的老人了，面对着中国的驱逐舰游弋在大洋上，想起当年海军组建之初的小舢板船，激动之情自然是难以言说的。

面对着今天的复杂局面，老将军说：

“当年，我们在陆地上打仗的时候，能随心所欲地调动敌人，今天也不妨来一个海上大调动嘛。”

刘道生沉吟一会又说：

“我们速度快，舰船也多，调虎离山后，我们再回来。”

一声令下，大编队开始行动，驱逐舰高速驶离试验作业区，犹如磁石的作用，外国飞机舰船以为远程运载火箭就要发射，纷纷向我编队追来，我慢他慢，我停他停，看对方已经中计，又是一声令下，我们突然驶回试验区，对方猝不及防，一时乱了阵脚。

此时，祖国大西北火箭试验基地已经进入了紧张状态，离发射远程运载火箭还有一个小时。

无数双眼睛投向大西北，投向遥远的南太平洋。

2007年9月28日，当地华人舞狮欢迎中国海军“哈尔滨”号导弹驱逐舰抵达澳大利亚悉尼港。

（米立公/摄，图片来源：新华社）

让我们再次回到太平洋上，回到我们的特混编队的身边吧。

我们看到，新西兰的“莫诺韦”号又一次向我们作业区驶来，A导弹驱逐舰发出阻拦信号。

这时，“莫诺韦”突然改向，冲到了A舰的左前方，舰长刘子庚急了，正命令信号兵发信号的时候，“莫诺韦”号打出信号：

“我船发生故障。”

刘子庚知道他们的意图，国际航行规定，凡是左舷的舰船，都会受到避让。“莫诺韦”号发生故障是假，想在A舰避让时插入我试验区是真，为得到我方的情报，他们真是用心良苦。

刘子庚一声令下，A舰瞬间掠过“莫诺韦”号的右舷。

“佩服，佩服，中国海军果然过硬，不好对付。”“莫诺韦”号的船长不自觉地叫起来。

正当“莫诺韦”号再次寻找良机的时候，刘子庚沉吟一下，很快让信号兵打出这样的信号：

“中新人民是友好的，我们正在作业，为了你们的安全，不要进入我们的作业区。”

“中国海军很友好，我们要和他们会会面。”新西兰船长对二副说。

一会儿，一艘橡皮艇从“莫诺韦”号上放下来，“莫诺韦”号给A舰送来了纪念品，有船员帽子、船徽等，亲自出马的是新西兰的二副，副船长要求说：

“我们的船长想访问贵舰，允许吗？”

刘子庚陷入了沉思，由于远程运载火箭即将发射，编队的通讯已处在静默，无法请示了，这时，有的同志说：

“和外国人接触，可是非同小可，搞不好要蹲大狱的。”

“他们是在挑衅，我们要坚决阻截。”

刘子庚一时无语，过去的一切很快掠过脑际，时间并不遥远。那时，中国第一艘自己研制的导弹驱逐舰105号，在特殊的年代，一度被贬为“黑舰”，自己也陷入两难境地，政治命运曾一度跌落在低谷。20世纪80年代的第一个年头，我们刚刚从那个梦魇般的岁月中走出来不到五年的时间，尽管一切都越来越好，可是我们的思想还没有步出传统观念的“惯性”，和外国人打交道，是一个慎之又慎的大事，在军队中更是敏感。当年，“崇洋媚外”“里通外国”，曾让多少人蒙受不白之冤，又让多少人含恨九泉。

“莫诺韦”号见对方没有动静，又开始“闯关”。

“我们的任务是护航，远程运载火箭的试验不能受一丝一毫的干扰，我建议会会他们的船长，这是最好的办法。”刘子庚对政委娄星才说。

“我同意！”娄星才很果断。

他们虽然从彼此的目光里都看到了对方内心深处沉甸甸的东西，但也看到了彼此之间给对方的那种可贵的信心和鼓励。

多数党委成员表示同意，最后刘子庚站起来说：

“请他们船长过来，还有另一层意思，一旦发生变故，我们也好随时协商。关键时刻，我们行动吧，一切责任由我刘子庚承担！”

信号兵发出信号：

“邀请贵船船长来我舰做客！”

“莫诺韦”号回答：

“谢谢，我们的二副代表船长马上过去！”

很快，“莫诺韦”号的橡皮艇又放下来。

“感谢，谢谢你们。”“莫诺韦”号二副满脸笑容地登上了A舰，我方副长接待了他。在1号房间，早就备好了美酒佳肴，新西兰二副一见，感激之情溢于言表，他连连说：

“我们的调查船是新西兰皇家海军的，已经来了多天，中国人太友好了，你们放心，放心。”

最后，刘子庚接见了这位二副，他握着二副的手说：

“李先念副总理不久访问了贵国，中新友谊长存。”

“你们有了自己现代化的驱逐舰，中国海军强大了，谢谢你们的热情接待。”二副真诚地说。

宾主握手告别的时候，A舰向“莫诺韦”号赠送了青岛啤酒等礼品。

第二天，新西兰的“莫诺韦”号，特派直升机给A舰送来了“莫诺韦”号全体船员痛饮青岛啤酒的照片。

与此同时，澳大利亚的203号教练舰对我们的B驱逐舰也表现出了友好，特派人送来了一封信：“你们的导弹驱逐舰很先进，我们第一次看到中国海军现代化的武器装备，中国海军已经今非昔比了。”

“说句实话，当时我们真没有什么东西向人家赠送的，我的房间里挂着一幅青岛栈桥的贝雕画，情急之下拿下来送给了他们。就在我们见面的时候，运载火箭发射了，我舰高速驶去，客人还没下，他们的橡皮艇在后面猛追。”刘子庚回忆说。

就在A舰和新西兰的“莫诺韦”号进行海上“友好往来”的时候，浩浩荡荡的太平洋微波荡漾，高空中万里如洗，人们此时可以清晰地看到遥远的海平线是那样平直，太平洋一时间温顺了许多。

中国特混编队已经各就各位，导弹驱逐舰在警戒线上摆开了阵势，超黄蜂飞机在空中盘旋轰鸣，在靶区，测量船正在等待着中国远程运载火箭的到来。

这时，天空中出现了一个夺目的亮点，闪着灿烂的火花，带着一条白烟，越来越近，也越来越大，最后，很快落在预定的海域，一声巨响，水柱冲天，在进入大海的瞬间，一个记录飞行参数带着小型降落伞的数据仓分离出来，最后飘落在海面上。瞬间，数据仓入水时发出的荧光染色剂把周围染成了鲜明的碧绿色，这是为了方便寻找目标而特地设置的。

直升机很快飞到降落数据仓的上空，下降到30米的高度后，把软梯放下来，一位叫刘志友的潜水员从悬梯上走下来，快接近海面的时候，一下子跳进了太平洋，几分钟的时间，数据仓被捞了上来。

这时，一架美国飞机俯冲而来，盘旋一会儿后，看到海面上没有什么可疑物了，便用飞机上的设备打了一桶被化学物染绿的海水飞走了。

是的，无论对外对内，这都是富有历史性的一幕。

庄严的仪式

值得一提的是，当我们的编队在太平洋上欢呼胜利的时候，又有一个庄严的仪式开始了。

于笑虹，人民海军的第一任装备部的部长。当年，他为了舰艇的研制，风餐露宿，呕心沥血，立下了汗马功劳。最终重病缠身，又遭“四人帮”的迫害。他无时不想着中国的舰艇能远航大洋，然而，未能等到这一天就匆匆而去。

在特混编队就要出发的时候，他的家人把骨灰送来了。

“老于说了，他最后的愿望就是把他的骨灰撒到太平洋上。”于笑虹的家人哭着说。

撒骨灰仪式开始了，八名战士鸣枪致敬，于笑虹的骨灰溶进了浩瀚的太平洋。假如于笑虹苍天有知，他会骄傲的，他会为他的事业和人民海军的日益强大而骄傲的。

我们理应自豪，也有理由骄傲！

驶出中国海

漫漫出访路

明朝，郑和下西洋。

史书形容郑和浩浩荡荡的船队在大海里“洪涛接天，巨浪如山，云帆高张，昼夜星驰，涉彼狂澜……”，28年间，郑和船队过东南亚，走印度洋，历尽千难万险，斗罢狂风恶浪，最后又来到了红海和非洲。一路受到30多个国家和地区的欢迎。时至今日，为了纪念这位人类历史上的伟大航海家，有些国家在当年郑和涉足的地方，还建起了郑和庙。

西方人为他们的几大航海家叫好，哥伦布虽然发现了新大陆，但他的远航比郑和晚了87年。当年，葡萄牙航海能手达·伽马的小帆船出现在印度洋上时，曾令西方人大大激动了一阵子，可他比郑和下西洋晚了87年。备受人们推崇的麦哲伦，作了一次环球远航，但比郑和整整晚了一个世纪。无论怎么说，中国人的远航之早，规模之大，在世界上都是独一无二的。早在秦始皇时代，徐福就曾携童男童女，驾船东渡日本。

清朝末年，也就是甲午海战后的15年，我们曾有次远渡重洋的壮举。公元1911年6月，英国举行盛典，庆贺乔治五世承继爱德华皇冠。新旧交替，隆重非凡。海军部决定为新皇加冕在海上举行盛况空前的阅兵，皇家闻听，大为高兴，并作出决定，邀请各国海军参加。清廷也在受邀之列，4月11日，载洵上殿见驾。作为海军大臣，载洵自有打算，准备派舰前往，以扬海军之名，借此巩固其位。甲午海战，北洋水师全军覆没，朝野上下怨声载道，宣统也郁郁寡欢，心气不通。海军名存实亡，已是明日黄花。载洵着急上火，如今机遇降临，载洵难免欢天喜地。

载洵叩拜完毕奏道："皇上，这次英格兰人盛情相邀……"

"不要再说了，想我堂堂大清，当年何等威风，却被这些茹毛饮血的外贼列强，搅得鸡犬不安国无宁日，好好的圆明园焚烧殆尽，北洋水师烟消云散。巍巍山河支离破碎，割地赔款，天理何在。如今，想让朕去给他们贺喜，岂不惹天下人笑谈，断然不可！"

宣统龙颜大怒，气冲冲地吼道。

"皇上息怒，皇上息怒。"

载洵扑通一声跪在地上接着说："皇上，臣断然不敢向洋人弯腰献媚。皇上，英格兰人此举证明他们还不敢小觑我大清帝国，而我们借此可扬我大清之龙威呀。明朝时期，郑和从1405年到1433年，率数万之众，七次远航重洋，访问了印度洋、红海、东南亚等几十个国家和地区，影响可谓之大，声势可谓之强。想我大清自开国以来，极少出访异国，以展雄风，我们怎能扬眉吐气呢。"

"住嘴！"

宣统再也说不出话来。

"皇上，为臣可是一片苦心，忠心为国呀！"

载洵低下头去。

宣统叹了口气："你起来吧。"说完话锋一转："出访之事，你有何打算？"

载洵心中一喜，弯腰奏道："回皇上，拟派巡洋舰统领程光壁率领"海圻"巡洋舰前往，以将敬意而敦睦谊。"

值得一提的是，"海圻"号是清朝政府倾巨资从英国订购的，连同"海天"号，共计32.8万英镑。

1911年4月24日，"海圻"号缓缓离开黄浦江，一路风雨，经马六甲，越印度洋，从苏伊士，跨地中海，乘风破浪经过57天的艰苦航行，驶进了英国的朴次茅斯。盛典之时，"海圻"号同世界各国的一百余艘军舰，接受了英皇和皇后的检阅。"海圻"号的那面猎猎作响的龙旗，格外让人注目。检阅前，管带程光壁对大家说，咱们的胸脯要挺得高高的，让这些老毛子看看大清的雄风。

庆典一毕，"海圻"号来到比利时，补给了煤炭，征尘未洗，便在墨西哥、美国、古巴进行了友好访问。就在“海圻”号驶进大洋，放眼世界的时候，清廷日落，辛亥革命爆发了。“海圻”号一时无所适从，只得返航英国。时至1912年盛夏，正当“海圻”号官兵望眼欲穿之时，民国政府命其回国。这距“海圻”号出国已经一年有余了。全舰官兵闻讯，先是欢声一片，最后，大家相拥抱头痛哭。

今天，我们去反思这段历史的时候，从中可以看出，清廷借此重振海军的梦想，随着时代的变迁，已经成为破碎的幻想，留给宣统的当然是无限的遗憾，最后，也只能在皇陵里作无尽的叹息了。但是，“海圻”号的出访，却也在历史上为中国军舰走向大洋，远海航行，开了先河。在中国海军史上，谱写了辉煌的篇章。

意味深长的来访

几十年后的1956年6月20日，苏联太平洋舰队“季米特里·巴热尔斯基”号巡洋舰和驱逐舰“智谋”号、“启蒙”号远航来中国访问。

巡洋舰和驱逐舰让中国官员还有广大的海军官兵大大地开了眼界，也让我们感到了一种紧迫感。

“我们欢迎你们军舰到我们国土访问。”客人真诚地邀请我们。

“会去的。”我们的回答让客人感到有些遥遥无期。

是的，我们确实无从肯定地回答，因为我们的军舰难以远洋横渡，陈旧的设备经不起狂风巨浪和大洋的冲击，因此，军舰出访，只能是一个遥遥无期的梦。

1978年，历经10年磨难的共和国，抖落沉重的负荷，终于步入了新的春天。十年浩劫，给中国带来了巨大灾难，同时，也影响了军队的发展，海军自然也难以幸免。就在人们沉浸在为再生的共和国庆祝欢呼的时候，4月1日，在一个明朗的春日里，法国的“迪尼埃·特鲁安”号反潜驱逐舰，来中国访问了。法国军舰来访，揭开了西方海军出访中国海军的帷幕。

我们在等待，等待着中国的军舰出现在异国的海港。

这是共和国海军不朽的梦想。

1986年11月，美国太平洋舰队来中国访问，这次具有特别重要意义的访问，几乎让世界的每一个国家都感到中美关系已经进入了愈来愈好的时期。

美国人骨子里的一些东西是很难改变的，这次来访，在青岛军港也闹了一段不愉快的小插曲。

按国际惯例，双方都应该悬挂满旗，互相表示敬意，可美国人却横生事端，只挂了代满旗。对美国人的这种傲慢行径，我方也毫不示弱，北海舰队司令员说：“停止欢迎仪式，等他们挂满旗。”

太平洋舰队的司令来昂斯上将不敢怠慢，命美舰挂满旗。

很快，双方被友好的气氛包围了，来昂斯上将对海军司令员刘华清说：“请让我把这枚美国海军的徽章给司令阁下戴上。”

在美国军舰的甲板上，两位将军进行了一段意味深长的谈话。

“将军阁下，将来有机会我要指挥你的舰队。”刘华清微笑着说。

“司令阁下，你与我共同分享好吗？”来昂斯说。

“可以，将军阁下。”刘华清说。

双方握手大笑。

“长大成人”的海军

也就是一年前的1985年冬天，在浩瀚的印度洋，美国的第七舰队前方，一支驱逐舰编队驶来，这是中国海军东海舰队司令员聂奎聚率领的132号导弹驱逐舰、X号远洋补给船编队，按照国际惯例中的海军礼节，吨位小的我方驱逐舰开始鸣炮致敬，美国第七舰队马上向我们鸣炮回礼。

这是一个关键时刻，双方在擦肩而过的时候，友好的目光里多少带有几分好奇。

美国第七舰队水面舰艇的司令员韦伯特少将命令旗舰向我方发国际信号，表示主动接受中国海军编队军衔最高的指挥长的检阅。

我方发信号以示友好，并愉快地接受了韦伯特少将的邀请。

中将司令员聂奎聚的指挥舰缓缓从美国编队的舷边驶过，美国官兵身着洁白的礼服向我们致敬。

检阅完毕，韦伯特少将请求中美编队双方进行演习，并把指挥权交给了聂奎聚司令员，由他统一指挥编队演习。

这是富有重大历史意义的一幕。

中国驱逐舰编队首次在世界面前亮相，一路远航，访问了巴基斯坦、斯里兰卡、孟加拉国。这一天，也许等得太久了，立在异国的军港上，作为编队总指挥的聂奎聚面对着各种肤色的外国人，内心深处流溢着一股激动。在国际上，人们习惯把远洋的海军叫作“长大成人”的海军，作为一位老水兵，聂奎聚能不感慨万端么?

我们曾经被西方看作未长大成人的海军。

访问期间，中国编队受到了热烈的欢迎，而聂奎聚将军则得到了很高的礼遇。孟加拉国的吉大港市，有一个波罗广场，乔杜里市长特地在这里举行盛大仪式欢迎中国海军编队。在市中心的大广场举行如此的欢迎盛会，对孟加拉国说，应该是个例外。由此可见，孟加拉国对中国海军来访的重视程度。

中国海军首次出访，吸引了整个世界的目光。随后，中国军舰在异国的海港，留下了一道道航迹，1996 年 7 月 8 日，时任北海舰队司令员的王继英中将，率“哈尔滨”号等驱逐舰编队访问了朝鲜后，也就是在同一个月的月底，“哈尔滨”号再次远航出访俄罗斯。

1996 年 7 月，是俄罗斯建军 300 周年，俄罗斯总统决定邀请中国、美国、韩国、日本等国家的海军军舰，来世界著名的俄罗斯远东海军城——海参崴，参加俄罗斯建军 300 周年大典。

7 月 26 日，海参崴金角湾 33 号码头，韩国海军教员司令官朴少勇率领的“清河”和“马山”号护卫舰；日本的第二护卫群司令牧本信近少将的“鞍马”号导弹驱逐舰；美国“蓝岭”两栖指挥舰，是海军的旗舰，此时，在美国太平洋舰队司令员克莱明斯中将的率领下，依次而泊。不久，中国最新型的 112 号导弹驱逐舰，也入列而卧。在超级大国的海港里，中国军舰置身在美国、日本、韩国，这些在世界上拥有强大海军的军舰群里，作为北海舰队司令员、时为海军少将的张定发，内心深处涌荡着激动、兴奋和骄傲。这是一次具有世纪意义的聚会，其影响力是不言而喻的。

我们相信，当中国军舰出现在异国的军港上的时候，每一个中国人都会无比骄傲和自豪，因为这一天我们等得太久了。没有哪个国家可以派出坦克、飞机去访问，唯有海军可以驾驭着军舰，传播着国与国之间的友谊。军舰出访意义重大，它体现了一个国家的综合实力。

令我们振奋的是，21 世纪初，共和国海军已经有了突飞猛进的发展。如果我们把 20 世纪 90 年代初“中华第一舰”作为一个参照的话，那么 2000 年前期驰骋在万里海疆的168号、169号、170号、171号新型导弹驱逐舰，其装备能量和科技含量已经有了质的飞跃。

2005年8月23日，中俄“和平使命-2005”联合军演中，参加演习的168号驱逐舰一经亮相，就让嗅觉敏感的西方国家感到了它的咄咄逼人。

演习开始后，一声令下，“168”号驱逐舰超音速反舰导弹呼啸而出，最后分别击中了俄方精心设置的约210公里处两个“靶标”中的“红圈圈”。

我们看到了这样一个细节：俄方专家举着望远镜面对着目标整整六分钟没有放下。

也就是这位专家，后来在接受记者的采访时戏称道：我以前不屑一顾于所传闻的中国的这种导弹可匹敌俄罗斯的“红宝石”或“俱乐部”，但今天我要说的是，看

2007年9月28日，当地华人舞狮欢迎中国海军“哈尔滨号”导弹驱逐舰抵达澳大利亚悉尼港。（米立公/摄，图片来源：新华社）

来还是世界上最现代化的军舰最够资格充当这种导弹的“实靶”了。

170号和171号，是中国海军新一代防空型导弹驱逐舰，担负着作战编队的防空、反潜作战以及配合其他舰艇进行反舰攻击。170号驱逐舰快速性、抗浪性比前舰都有了很大的提高，在一定程度上减少了舰艇在高速航行时产生的兴波阻力，机动灵活，快速性好，它的性能和特点为未来作战提供了强有力的保障。

作为共和国驱逐舰的亲历者和研制者，总设计师潘镜芙说：“新型驱逐舰排水量大大提高了，防御能力和作战能力也大大上了一个台阶。”

有外国专家大胆预言：中国海军在拥有了这批新一代大型水面作战舰艇后，其整体作战能力将取得飞跃式的提高，也标志着中国的水面舰艇建造技术上了一个新的台阶，达到了世界领先的水平。随着时间的推移，中国海军在全亚洲将会首屈一指，在全世界也将是远洋进攻型海军！

2007年建军节前夕，中国海军新型导弹驱逐舰远赴俄罗斯、英国等国家出访，此次远航访问，呈现出“新使命、新任务、新舰艇、新军装、新海区”的特征。

在这几大新中，“新舰艇”吸引了整个世界的目光。也就是在这次出访的3月上旬，美国海军部情报局正式发布了一份名为《中国海军2007》的美军内部手册。该局局长威廉·特里在序言中表示，手册没有分析趋势或意图，而是旨在使读者与美中两国海军“加强接触之际”，更好地了解正在快速发展中的中国海军。

我们看到：该手册以中国海军171、168号新型导弹驱逐舰与887号大型综合补给舰组成的舰艇编队为封面。

这里而蕴含的东西应该格外意味深长！

太平洋不太平

1945年，名为“大胖子”和“小男孩”的两枚原子弹在日本广岛、长崎相继爆炸，两座城市烟飞灰散，十万生灵命丧黄泉，几十万人受到核辐射。就是到了今天，当年的“大胖子”和“小男孩”，还在折磨着那些无辜和不幸的人。岁月的脚步匆匆而来，人类的核恐慌一直延续至今。

人类厌恶战争，可人类也在一次次地掀起战争。五千多年来，战争的硝烟连绵起伏，几乎每一代人都经受了战争残酷的洗礼。战争一面推动人类的进程，也同时在毁灭着人类。

世界的军事强国，还在不遗余力地发展高科技武器装备。当年，美国总统里根推出了一个“星球大战”计划，最后虽不了了之，但也让众多的国家感到了美国人的能力。

1998年7月25日，美国的“杜鲁门”号航空母舰胜利竣工。在美国的诺福克海军基地，盛况空前的航空母舰服役典礼开始了，美国总统克林顿笑容满面，在主席台上，面对着台下万人之众，克林顿侃侃而谈。

几乎每一任美国总统入主白宫、坐在椭圆形的办公桌前的时候，在军事上都会有个引人注目的大举措。克林顿上台后，不仅大大增加了军费开支，还推出了个不亚于里根总统的宏伟计划，名为“信息高速公路”，这又引起了世界上一次不大不小的骚动。

进入20世纪80年代末，美国的海军经费高达1 002亿美元，这个已有二百余年历史的兵种迅猛发展，武器装备全面更新换代，2000年军费开支是2 888亿美元，是英、法、俄、日、中六个国家总和的1.67倍，其中，海军占30%还多。小布什就职后准备在2001年军费开支逾3 000亿美元。在21世纪里，美国的海军装备就有一个突破性的飞跃，导弹垂直发射系统将大幅度增长，自动化水平也越来越大，越来越高。

令人们警觉的是，弹丸之国的日本，已经不再满足于所谓的“自卫”，战后半个世纪的时间，日本默默发展着军事，当人们回头审视着这个小国的时候，才惊讶地发现，日本人已经今非昔比，已完全有足够的能力称霸太平洋了。日本人精明强干，强大的经济后盾，使其有足够的能力发展武器装备。

20世纪90年代，驱逐舰武器装备的性能已经被推到了全新的高峰。1991年7月4日，在美国的大西洋舰队，号为“阿利·伯克”的驱逐舰一经亮相，便引起了世界海军的广泛关注。“阿利·伯克”号，是驱逐舰史上的一场大革新，首次安装了“宙斯盾”装备作战系统，不仅能有效地对付来自空中的全方位攻击，其隐身功能更是大大降低了对方的探测能力。

“阿利·伯克”号编制300余人，航速最高达32节，排水量8 315吨，宽20.4米，长153.8米。为了加大抗击能力，美国人除了在“阿利·伯克”的主要位置覆盖了百多吨的装甲钢板外，还在计算机、通信、弹药、作战指挥中心等主要舱，用了一种名为“克拉夫”的复合装甲材料，这种材料能大大削减敌方的弹头穿透力和爆炸时的威力。

在现代战争中，既要有强大的攻击力，还要有必要的生存能力。聪明的美国人把“阿利·伯克”号的作战系统采取了一种分布措施，当初，这一问题还引起过争论，一位高级工程师说，这样做的目的，是驱逐舰受到一枚导弹攻击的情况下，还有一定的生存能力，不至于全盘皆毁。

作战中心也打破常规，被深深地隐在了水线下的主船内部，这样可以减少对方的打击力量。

驱逐舰机动灵活，具有强大的攻击能力，被人们誉为海上的“多面手”，是水面舰艇的主力舰，在协同编队中不仅有效反潜、防空和对海攻击，还能进行搜索、封锁救援等任务。由于各国的情况不同，驱逐舰的任务也大小各异。在美国，驱逐舰的主要作用是为航空母舰护航，一个航母编队需要四艘驱逐舰来保驾护航。

“阿利·伯克”号不仅是世界上第一艘装备导弹垂直发射系统，还是第一艘安装“宙斯盾”系统的驱逐舰，这个先进系统，能够在同一个时间内跟踪处理数个目标，并引导数枚导弹在空中拦截。导弹垂直发射装备，反应时间极短，每秒能发射一枚。据《水面舰艇和战争》载：

> 由于“阿利·伯克”号，装备了鱼叉反舰导弹和战斧式巡航导弹，因而使该舰对海、对岸作战能力得到了极大的提高。鱼叉导弹是美海军装备比较普遍的一种反舰导弹，它的射程可达130千米。“阿利·伯克”级装有两座四联装筒式鱼叉舰对舰导弹，可依靠协同作战的舰载直升机进行超视距攻击。更为引人注目的是伯克，级装备了垂直发射的战斧式巡航导弹，其中对舰型的战斧导弹，射程可达460千米，常规弹头可依靠空中预警飞机引导进行超视距攻击。对岸型战斧导弹射程可达2500千米，战斗部带20万吨TNT当量的核弹头，采用地形匹配导航系统制导……

驱逐舰的作用有目共睹，世界各国都下大精力来发展，美国人更是后来者居上，其武器装备性能超群，让世界各国望尘莫及。在研制“阿利·伯克”号的时候，美国人的眼光是超前的，即使在信息和科技日新月异的21世纪，“阿利·伯克”号依然是遥遥领先，毫不逊色。

作为大国的苏联，自然不甘于落后美国，其“现代级”驱逐舰绝非等闲之辈，该舰一登台亮相，西方媒体便大加赞叹。

英国、日本、法国等研制的驱逐舰，虽比美国、苏联的驱逐舰稍有逊色，但其装备也有众多过人之处，令这些军事大国丝毫不敢懈怠。

今天，我们已经非常清楚地看到，世界军事强国给全球带来了很大的潜在威胁，浩瀚无际的太平洋依然不太平，人类的太平盛世也不时受到战火的洗礼。昨天，我们曾经饱尝了战争和外寇给我们带来的巨大灾难，我们主张和平，但不能放松高度警惕和大发展，因为世界上还有很多的战争贩子，没有一支现代化的精良军队是不行的，今天，没有一支现代化的精良海军是绝对不行的。

南沙群岛，荡漾着历史的风云。

这里，有着丰富的天然气和石油，被誉为“第二个中东”，由于它辐射着巨大的诱惑力，自然吸引了不少国家的贪婪目光，他们组织了“远征队”，以各种各样的理由，实施着侵略和扩张。

第二次世界大战之前，法国人占领了我们的小九岛。当地的渔民一片愤怒，他们冲上岛去，把法国人的大旗投进海里，法国派出军舰挑衅，渔民用渔炮轰击，最后，法国人不得不退去。

南沙群岛，是中国人的领土，这是不争的事实。1802年，英国人上岛勘测，随后，美、德、日等国家也接踵而至，清朝政府抗议后，他们只得停止了各种活动。

1951年的8月15日，周恩来总理发表声明：南沙群岛向为中国领土，联合国承认，不可一世的美国人也承认。然而，一些国家一直垂涎着我们这块领土，战争的风云不时笼罩着南沙群岛。

还有钓鱼岛问题。

还有，也许很多人还记得“银河”号事件。1993年7月15日，“银河”号货轮从大连港起航，开始向伊朗驶去，就是这次普通货物运输，“银河”号却在海上经历了梦魇般的厄运。

8月1日，“银河”号突然发现在自已航线左右两海里处有美国的两艘军舰跟踪，接着，美国的飞机又在“银河”号的上空盘旋，并不时地拍照，“银河”号因航行被阻，只得在海上抛锚。就在我船抛锚的同一天，也就是8月3日，美国人竟要求中国政府让“银河”号返回原地，或接受美国的检查或在某个地方听凭处理。早在7月23日，驻华的美国官员就急匆匆约见了我方官员：

“你们‘银河’号载化学武器原料，请立即采取措施禁止这一行为，云云”。

接下来，当在我们把调查结果通报给美国政府的时候，美国人不仅依然我行我素，还在国际上大造谣言，坚持我们货船的货物是化学武器，并提出亲自对“银河”号进行检查。

中国政府为了尽快解决“银河”号的问题，同时用事实证明并向国际社会公布真相，8月，在沙特阿拉伯的达曼港，中国检查人员、沙特代表、美国技术顾问三方共同对“银河”号进行了全面检查。

1993年9月4日，三方代表在报告单上分别签了字，内容如下：

> 通过对“银河”号轮船上全部集装箱的彻底检查，结果表明，船上未载有硫二甘醇和亚硫酰氯两类化学物品。美国政府承诺将上述检查结果通知中国货轮“银河”号预定停靠港的各国政府，并努力确保“银河”号货轮进入有关港口卸货。

国际舆论纷纷指向美国，一时间让美国人丢了不少面子，骄傲的美国人也垂下头向我们道歉。就在报告单签字的同一天，我们的外交部就“银河”号事件发表了严正声明说：美国肆意向别国施加压力，这是地地道道的霸权主义和强权政治的表现……

在道义上我们胜利了，我们在欢呼的同时也感到了一丝的苦涩。美国人为什么这样肆无忌惮，无非是自恃有着强大的军事力量，在国际上以老人自居罢了。

面对着一次次的挑衅，我们还有很多事情要做。我们应该正视这样一个不容置疑的现实：我们的海军还不够强大，同他们相比，我们还有很大的一段差距。这是不争的事实。

海洋世纪

我们离海洋很近，但我们的观念离海洋还很远。当我们生活在海洋世纪里的时候，我们又常常漠视海洋。日本一位叫高木韧的海洋专家曾经高呼：21世纪科研重点将是人类生存战略。人类像滚雪球一样越来越大，人口危机、环境危机、粮食危机，一句话，地球上可供人类生存的能源已经越来越少，也越来越小。陆地上的石油已近枯竭，可供开采的也就100年的时间，煤炭是200年。

这绝不是危言耸听，自然更不是杞人忧天。我们清醒地看到，人类的最后生存资源将是海洋。

放眼世界，整个世界的海洋面积是3.61亿平方公里，是地球面积的70%，海洋有着丰富的资源，是陆地的1 000多倍，这巨大的资源，将来是人类最有力的生存基础和保证。

中国是一个海洋大国，大陆海岸线达18 000多公里，还有300多万平方公里的海域，这里面蕴含着的海洋资源非常丰富。在海洋石油天然气方面，我们就已经发现了含油气构造100多个，仅近海岸石油经济资源量80余亿吨，天然气为2万多亿立方米。丰富的海洋资源，对我们将来的经济发展和生存空间无疑是至关重要的。

据资料显示：在最近的20多年里，世界海洋产业的增长率高达20%，成为世界经济的新亮点。我国海洋产业在80年代的发展速度就达到17%，进入90年代以后，增长率达到22%以上，大大高于国民经济增长速度。海洋产业总产值从1979年的64亿元，上升到1996年的近3 000亿元，预计到2000年，将突破5 000亿元。

在未来的海洋资源挖掘中，这将是一个很小的数字。

马汉，美国历史上一位有名的理论家，谈起海洋和海军，我们不能不说到他的那部非常著名的《海权论》，马汉断言："谁控制了海洋，谁就控制了世界。"1 500年前，作为军事家的希腊人地米斯托克利就预言说："谁控制了海洋，谁就控制了一切。"哲学家培根进一步说："谁控制了海洋，谁就有极大的行动自山，对战争进退取舍，可以随心所欲。如果只有陆权，即使极为强盛，也会常受阻挠。"

20世纪90年代末，中国海洋石油总公司等单位，搞了一个"蓝色国土"的征文，旨在唤起国人的海洋意识。这在当时引起了很多人的关注，作为中国海洋石油总公司，自然知道海洋资源的丰富，更深知海洋资源将来对人类发展的重要性。然而，也就是这次非常有历史意义的活动，竟引起了很多人的议论，甚至还有非议，有人说，"蓝色国土"的说法可能不合适，万一引起国际争端怎么办?

每一个国家的领海自然就是这个国家国土的一部分，是一片流动的国土，既然这样，那“蓝色国土”的说法又有什么不合适？这也难怪，从我们上学的那天起，就看到我们的地理课本上明白无误地写道：我们的国家拥有960万平方公里的领土。对海洋的重视莫过于海洋专家了，对于中国人的海洋意识，我们的海洋专家忧心忡忡，他们曾作过一次问卷调查，面对中国的国土有多大这样的问题，我们98%的被问卷学生，纷纷写下了960万平方公里，没有一点犹豫。

更令我们吃惊的是，作为一本在90年代流行一时、被媒体称为优秀少儿读物的《新三字经》，竟然把300多万的海洋国土遗忘了，是疏漏？抑或根本就不知道？在整个人类都如此看重海洋的今天，我们的编书者绝不会疏漏到这种程度，这也许是一种海洋意识淡薄的最有力的表现。

一个不经常反省的民族，是很容易患健忘症的民族，不反省就没有发展，没有发展就会受到欺凌，就会处处挨打。

历史给了我们很多教训。

（选自2008年第1期《报告文学》，有删节，作者：铁流）

都说“牛市”好风光

2007年是中国股市由牛转熊的关键一年。“2·27”“5·30”一次次向股民们证实着股市的风险与残酷。风光的“牛市”也造就了一批风光的“股神”，唯独天天守在营业厅里的股民们没有“风光”。

无限风光在基金

2003年10月28日，《证券投资基金法》获得通过，并于2004年6月1日起正式实施。虽然通过并实施了《证券投资基金法》，但2003年和2004年并没有迎来基金的“黄金年”。到2006年的大牛雄起，基金才真正迎来大发展。

管理层一直有这样一个理念，认为机构投资者是稳定市场的“定海神针”，是长期投资的倡导者。其实在许多股民眼里：他们不是！所谓的“长期投资”是因为资金庞大，进出的速度慢。多年的股市经历告诉股民，机构投资者只是能够操纵股价的那些人，由于他们的资金庞大，能在这个市场上得到更多的好处。比如他们可以作为战略投资者，在新股的认购上稳赚一级市场无风险利润，而散户不能成为“战略者”，只能成为打一枪换一个地方的散兵游勇。

在香港证券市场上，散户们可以得到公平和保护，比如香港《证券上市管理规则》规定：无论何时，任何类别的上市公司均须有一指定的最低百分比由公众人士所持有。根据这一条，在申购新股时，无论资金大小、中签与否，每一个有效申购账户至少配售1手。另外，香港市场对参与询价的资格未作限制，不仅是全球的机构投资者，有实力的散户也可用个人名义参与询价并成为战略投资者。而内地股市，散户没有话语权，也没公平待遇。不过股市十几年过来了，大多数散户也已习惯了

深圳证券交易所大楼内的金牛雕像。（图片来源：互联网）

低人一等的处境，谁叫咱不是生在帝王家呢。

2006年大牛雄起后，管理层为使牛劲持久，开始大力发展机构投资者，其中最主要的就是基金。2006年6月22日，证监会正式对外发布施行《证券投资基金管理公司治理准则（试行）》，对基金持有人利益、公司独立性、股东责任、独董制度、关联交易、激励约束机制等方面进行了原则性规定，希望基金在规范中给股市带来稳定和长期投资的理念，希望基金信心坚定地持股十年。

既然管理层有此美意，基金管理公司当然“自言歌舞长载”，乘机来个大扩张。2006年，基金不仅是历史上发展最快的一年，也是取得有史以来最大丰收的一年。53家基金公司的287只基金全年经营业绩达到2 708.16亿元，净收益达到1 248.31亿元。业绩越好，买基金的人就越多，基金就越发庞大起来。到2007年，有9家基金的净值规模超过了1 000亿元，而其中的前三，华夏、博时和嘉实基金，管理的规模更是超过了2 000亿元。2007年又有61只新基金发行，其中包括19只封转开基金。一时间基金成为紧俏商品，连夜排队买基金和买房子，成为中国的两大“奇观”。到2007年年底，还有33只“老式”封闭式基金，买不到新基金的人，就视此为稀缺资源，入市横扫，热烈追捧。

截至2007年12月31日，有基金产品的基金公司共有58家，其中管理的开放式股票型基金的资产净值为22 205.12亿元，比2006年增加了17 126.49亿元，增幅达到337.23%。此外这些基金公司还管理着2 362.74亿元的封闭式基金。而股票型基金的资产净值总规模达到了24 567.78亿元，占证券投资基金资产规模的77%。由此基金构成了股市中最大的“集团军”，气势浩大，无人能敌。

58家基金公司组成的“集团军”中有四大军团。第一军团管理资产超过1 000亿元的有9家基金公司，最大的2 261亿元，最小的1 069亿元，它们依次是博时、华夏、嘉实、易方达、南方、大成、广发、华安和景顺长城。第二军团管理资产在500亿～923亿元之间，共有16家，规模靠前的分别是银华、融通、鹏华、中邮等。管理规模超过100亿元的第三军团有21家，而规模不足100亿元的第四军团共有12家。

2007年，上证指数上涨了130%，在2007年共有59只基金实现了130%的收益，跑赢了大盘。收益翻番的更是多达123只。尤其是那些老基金，收益最为可观。成立一年以上的基金平均年收益率达128%，其中一半的基金收益都在125%以上。从收益前十名来看，均属于股票型基金，其中包括6只主动管理的股票型基金、3只偏股型基金和1只指数型基金。2007年净值增长率排名前4位的基金分别为：华夏大盘精选（226.28%）、博时主题行业（186.84%）、易方达深证100ETF（186.84%）和广发聚丰（181.91%）。2007年封闭式基金整体净值增长率为122.25%，上证基金指数全年上涨142.6%，深圳基金指数上涨149%。可以说，基金的业绩全面跑赢大盘。面对如此业绩，那些跑不赢大盘的散户，只能“一递一声长吁气”。

于是有人就认为，由于基金是专家理财，所以能有如此增长，能跑赢大盘。但也有不同观点，有人觉得基金能跑赢大盘，只是因为更容易影响股价。这种可能性不是没有。比如2007年新推出QDLL基金，到年底具备QDLL资格的基金管理公司有11家，4家已成立QDLL基金，发行时受到疯狂抢购，造就千亿申购的神话。然而不到半年，出海的QDLL基金全部跌破面值，有的跌破了0.9元。这些专家一到海外就出师不利，说是因为不熟悉，或许也有操纵不了的原因吧。

实际上随着基金的扩大，问题也越来越多。2007年5月，基金经理唐建因建“老鼠仓”而成为中国证券市场第一个被查处的基金经理，并被基金公司辞退。2007年

8 月，三家基金公司旗下的五只基金因未能及时转股或卖出所持有的上电转债而被上市公司强制赎回，直接造成 2 200 万元的损失。“上电转债门”事件令投资者惊愕，犯这种低级错误，显然是根本不把投资人的利益放在心上导致的。

最大的问题是基金经理的“出走”。骄人的成绩使一些吃公家饭的基金经理打起了小算盘，领公家的工资毕竟有限，咱有那么大的“本事”，何不自己出来单干？弄个私募基金或者跑到私募基金那儿拿更多的报酬。于是乎一些公募基金中的明星级经理来了个胜利大逃亡，纷纷离职，投奔私募而去，如肖华、江晖、闵昱、李学文等明星经理或投资总监。

其实基金经理跳槽之风在几年前就刮得昏天黑地。2006 年有一份数据统计，在 2003 年到 2005 年，3 年里离职的基金经理平均任期分别为 1.25 年、1.35 年和 1.34 年，其中有 9 位基金经理任期不到半年，有 35 位不到 1 年。当时为了遏止这股愈演愈烈的跳槽之风，证监会出台了《基金投资人员管理指导意见》。意见提出，在合同期间，基金经理不得随意辞职，基金公司也不得随意解聘和更换经理，双方必须按合同办事。如果不按合同办，将在基金经理个人“诚信档案”里记上一笔。同时为了保护基金投资者的利益，跳槽的基金经理将被实施半年的“冰冷期”。但意见毕竟是意见，在这个市场里恐怕最没用的就是“意见”了，有意见可以提，虚心接受，坚决不改。很少有基金公司和基金经理会按这个“指导意见”行事。“车儿投东，马儿向西。”基金经理哪儿薪高流向哪儿，各找明主，“恨相见得晚，怨归去得迟。”熊市尚且如此，牛市里成了名的经理们还不跳槽跳得腿酸哪。

2007 年共有 353 份基金经理变动公告，其中最招人眼球的是大量明星基金经理出走私募。2007 年 6 月，证监会通知基金从业人员可投资开放式基金，8 月，首份基金经理份额激励计划出台，华宝兴业以 210 万的自有资金全部用于基金经理的份额激励计划。随后，多家基金公司跟进。然而激励他们并不能阻止他们“出走”。据统计，2007 年上半年，公募基金经理离职多达 163 起，占当时基金经理总数的 40%。而从公募转向私募的基金经理就达基金经理总数的 30%，只有 10%的基金经理从公募基金公司转向了券商、保险和银行等机构。

最引人注目的是上投摩根基金管理公司的投资总监吕俊“出走”。吕俊在担任上投摩根中国优势基金时，因取得优异业绩而成为基金界的明星。成为明星后，吕俊离职单干了，他成立了一家叫 Winswear 的资本管理公司，计划推出一个总管理资产达3亿元人民币的证券投资基金，还计划在新加坡启动一笔对冲基金，启动资金为5 000万美元，筹资对象为海外华人和部分欧洲投资者。他雄心勃勃地准备为自己大干一场了。

然而基金经理的“本事”不完全属于个人，其中有规模效应的因素。一些转到私募的基金经理上市调研时就受到上市公司的冷遇。公募基金管着几百亿甚至上千亿的资产，所到之处，受到上市公司热烈欢迎，上市公司每年还有开放的交流日，与上市公司的高管与公募基金经理面对面交流，能很好地了解上市的情况与消息。私募基金管的资产才几亿，充其量也只是个超级散户。几亿资金上市公司根本瞧不上眼，不屑与你沟通，顶多泡杯茶给你喝喝。有位“公转私”的基金经理感叹道：“过去对基金公司这棵大树的资源认识不足，看来基金公司隐形资产的价值需要重估。”

同时规模效应还影响市场操作，私募基金资金少，很难影响股价，必须完全跟随着市场走，所以他们一般都比较小心。比如2007年上半年股指狂涨，一批私募基金经理变得越来越小心，纷纷开始看空。到七八月份，一些私募基金经理已经空仓，甚至清盘，其中被誉为“私募教父”的赵丹阳也宣布其管理的基金清盘。一些空仓或清盘的基金经理跑到西藏旅游去了，结果在青藏高原不是“一览众山小”，而是一览股指高，股指迭创新高，使他们成为基民们嘲笑的对象。到2007年10月以后，股指大幅下挫，那些没有清盘或空仓的私募，由于资金量少，难以生产自救，损失惨重。这时“公转私”经理们才意识到私募难做，有些人又产生了重回公募的念头，不过证监会高层对此指示：“基金经理出走可以，但要回来没这么容易！”

基金问题一多，管理层就得清理，于是2007年11月，证监会下发“44号文”，即《关于进一步做好基金风险管理工作有关问题的通知》，从11月中旬开始，基金大规模暂停申购了。这意味着基金最风光的一年过去了，那些“出走”跳槽的基金经理，终于也明白了自己的本事有多大。要是他们一旦成为小散户，是不是能跑赢大盘呢？

幸运造就一“股神”

在股改启动的大牛市中，无限风光的当然不止基金。有一个所谓的“民间股神”

见诸媒体报端。“8 000元变10亿”“谱写中国股市神话的人”之类的报道标题，招人眼球，惹人惊羡。“中国的巴菲特”“杨百万第二”之类的赞叹在股民中传播着、弥漫着，甚至有些股民喊出了“学习林园好榜样”的口号。

这位“股神”是何方神圣？把8 000元弄成了10个亿，咋弄的？

所谓时势造英雄，林园并非“羽化而登仙”之辈。此人毕业于陕西一家卫生技术学校，学的是临床医学，跟金融一点边都不沾。毕业后他被分到深圳红十字会医院工作，后来又调到了深圳博物馆。他所干的，与经济，尤其是股票也完全不沾边。1989年深圳股票发不出去，动员党员干部买股票。林园就是在那一年响应了深圳市政府的号召，把自己的积蓄和母亲的积蓄加在一块儿，凑了8 000元钱，买了深发展股票。那年他才26岁。这不叫机遇，而是“政治素质”。说句老实话，那时8 000元面值的深发展，放到现在近20年，不用忙里忙外地炒进炒出，也在1亿元以上了，不信你自己去比较一下深发展初发时与现在的总股本。

年轻人哪放得住哇。1990年深圳股票交易火爆异常，林园毅然投入做差价的大军。当时深圳有四个股票交易的网点，委托和交易都还没有电脑化，而且有价无市，这样使得深圳各个角落的地下交易价格都不一样，林园和当时其他的炒股者一样，骑着自行车，各个街区跑，来回做差价，这样跑短线四个月后，他的8 000元翻到12万元。“天教你富，莫太奢，无多时好天良夜。”深圳政治素质高的不只林园一个，做差价的炒手也不只他一个。但绝大多数人都被后来的熊市打回原形，深圳第一次熊市平均跌幅在90%，而且连夜排队都抛不掉。就算林园8 000元炒成了12万元，基本上也被打回原形了。

幸运的是，林园没被打回原形，他与当时深圳的一批股票大户一样，早早地转战上海股市，躲过了深圳崩盘的劫难。林园到上海后，住在百乐门酒店，继续从事地下股票黑市交易，买进卖出上海股票。直到1992年上海完全放开涨跌停板，从交易所可以买到股票时，林园不得不放弃这种黑市短炒的生涯。这时他8 000元资金已被炒到了1 000万元了。1993年和1994年，深圳和上海双双入熊。股市里的第一批大户，由于透支严重，纷纷“爆仓”，十有八九被消灭了。上海股市里赫赫有名的三只“羊”，两只被歼灭，只剩下“杨百万”。

幸运之神又一次眷顾林园，他退出黑市后，居然没再炒股票，可能是因为不习惯在正规渠道进行股票买卖，他退出了市场。把赚到的钱往兜里一揣，衣锦还乡，回老家西安去了。在第二次消灭大户的熊市中，他又成了漏网之鱼。据说他在西安做了两年房地产生意。在房地产上赚了多少钱，他没说，只说那年头跟老婆打离婚官司，并说他离过两次婚。

1996年林园重回股市。这次没了黑市，他只能在正规渠道买卖股票。不过1996年之后的股市，透支风刹住了，狂泻90%、彻底消灭大户的熊市没了，所以林园再怎么炒，也不会输出局。那时四川长虹拉长红，林园赶上了，大批买入四川长虹和深发展，他在60多元抛出四川长虹，在这只股票上就净赚了7 000多万元。进入21世纪以后，林园对白酒行业格外感兴趣。2003年4月，他开始买入茅台和五粮液。当时正值熊市，成交量稀少，林园就耐着性子一点点买。买了有六七个月，茅台大多都是20多元的。随着牛市的到来，白酒股涨幅惊人，像茅台复权的话，早已突破200元大关，林园的资产少说也翻了10多倍，突破了10个亿。

按林园自己的说法，他选股主要有三大特点："一是垄断性或产品有独特性（像上海机场、贵州茅台、五粮液、黄山旅游、丽江旅游、云南白药等）；二是快速消费品（像伊利股份、瑞贝卡等）；三是老字号品牌企业（像同仁堂、马应龙等）。"林园说他买卖股票，不仅满仓，而且透支。在2005年，他借钱买了三只股票和一只招行转债。当然这种做法是要有足够的眼光和控制风险的能力的。2006年大牛市，林园的收益超过400%。

命运唯所遇，有梦也难觅。林园并不是巴菲特，如果他是，肯定把8 000元的深发展捂到现在了。他只是在股改大牛市时，资产过亿之后，才开始学习巴菲特。这时他才抓住巴菲特的精髓：靠时间赚钱。他说："巴菲特52岁时也只有2亿美元，当时美国很多人比他有钱，但随着年龄的增长，他为什么会成为美国的顶级富豪？就是他用时间赚钱。"2003年他买入五粮液，平均成本是每股9.5元，2004年10送10，成本摊低为每股4.25元。虽然其后股价一直在5～8元徘徊，但他一直捂着，直到大牛市来临，产生十几倍的利润。

股户们有可以向林园学习的地方吗？恐怕没有。林园在股市初创时期的"黑市"短炒，完成自己的原始积累。两次逃脱被消灭的命运，不是有眼光，只能算幸运。对于没有原始积累的散户来说，这种炒短线的短炒时期已经过去。"卖茶叶蛋胜过造原子弹"的时代已经过去，现在街头摆个摊，不要说发财，糊口都难。1996年的大牛市林园买四川长虹，如果放到现在岂不亏惨了，所以那不是什么价值投资。

如今的林园开始了价值投资。价值投资是要有调研投入的，林园每年花300多万元到上市公司进行实地调研。他如今与一个小型的私募基金干的是一样的事。这点是一般的散户没有财力去学的。对于散户来说，与其学林园，不如学巴菲特，或许还能学得比他更好。

“带头大哥”保护谁

“领着人民大众朝前走，不必告诉他们到哪里去。”这话说得有些绝对，可有时还真对，有些人就是需要领路人。股民中有些人不好学习，你再把林园之类的人从榜样的位置上拉下来，他们就没方向了。尤其是一些证券知识有限，大牛市一来，急于入市的新股民，希望能找个指路人。

于是一个号称指路人的家伙出现了。从2007年2月16日到5月15日共88天，一位注册名为“带头大哥777”的人的网易博客，创造了点击量过千万的网络神话。在散户们眼里，又一位“股神”诞生了。

“带头大哥”真名叫王秀杰，长春市人。他自称出自高干家庭，说老爸是省委宣传部副部长。人都喜欢提拔自己，弄出个三公九卿的祖先，也没人会去调查。其实王秀杰的父亲只是建设银行长春市分行的一名职员，母亲是家庭妇女。1992年王秀杰中专毕业后，以老员工子女的身份进入建设银行工作。1995年他进入股市，像所有刚入市的新股民一样，喜欢到处打探内幕消息。2007年2月开始，他在网上设群传授股票经验，自称对股票预测准确率超过93%，又自诩“散户的保护神”。许多人缴费申请加入了“带头大哥777”的QQ群，少的每人每年3 000元，多的达到3万元。“天生我材必有用”，指指点点千金来。靠着给散户指点迷津，王秀杰大肆敛财。经查明，“带头大哥777”会员集中在近10个QQ群，约有900多个会员，收取会员费超过1 300万元，主要存为短期定期存款。

“带头大哥”看中某只股票，就号召其他会员大客户买进，再由其开设的10多个QQ群的会员分群买进，逐级推高股价，吸引公众投资者跟风。众人拾柴火焰高，俨然组成了一个散户的集团军，一声令下，向某只股票猛冲猛打，最后得胜归来，人人都把“大哥”夸。“带头大哥”之所以吸引那么多股民跟风，主要的原因有两点：

一是因为大牛市。在大牛市中绝大多数股票都会涨，尤其一声号令，散户一齐上，股票自然涨得凶。对那些新入市的股民来说，这功劳当然应该归于“带头大哥”。有人曾对“带头大哥”4月份的博客文章进行了统计，在20个交易日中，对次日大盘的判断7次是错误的，虽然成功率超过50%，但根本不是什么自称的“93%”。对错题盲目勾，成功率为50%，他能走过50%，说明还是有一点儿眼光的。这“一点儿”或许还是大牛市提供的。

二是因为他的强势语气。一位铁杆粉丝说：“我是刚入市的股市菜鸟，什么都不懂，点击了几个股评家的博客，都像老油条，滑不唧溜的，没带头大哥的股评来得痛快，来得实在。”的确，立场鲜明是他具有号召力的另一个原因。比如2007年2月16日，股市突破3000点后进入调整，在涨跌的争论中，“带头大哥”立场坚定地预测：股市突破3000点后将一路上行。这种鲜明的风格说得许多人“意似痴，心如醉”，立即沦为粉丝。为此“带头大哥”还凛然发话：要带领散户赚钱，打败庄家！被庄家害苦了的散户，自然把他奉为指路明灯。

可这盏指路明灯很快就熄灭了。2007年4月9日，“带头大哥”发文停博三天。在文章中他说：当我这最后一个江湖大佬消失后，这个市场就真的没人管大家的死活了。语气蛮悲壮的，似乎要出事。得此消息，一些股民没了方向，一个劲地上他的博客。5月16日，“带头大哥”的点击量超过150万。5月19日，“带头大哥”郑重声明关闭博客。

“大盘危险的时候我是散户的保护神，可我受到伤害的时候谁保护我？”他绝望地喊道。

再绝望也没用。2007年7月24日，王秀杰被长春市警方带走。因为他搞股评不合法，收钱更不合法。长春市检察院以非法经营罪起诉了他。

类似“带头大哥”这样以网络传授炒股经验的“黑嘴”并不少。证监会2007年7月26日召开新闻通气会，宣布对“带头大哥777”利用互联网非法经营证券业务案调查终结，同时透露，这类案件一共查了11起。根据已查清的事实，将其中六起涉嫌犯罪的案件和两起犯罪线索移交公安机关。

他不是散户的保护神，倒是给股市的“黑嘴”们带了一个很坏的头。股市没有保护神，散户们只能自我保护。

“2·27”狠拍“幸福泡泡”

进入2007年，真正狂热的是散户投资者，而基金赚的正是他们的钱，没有什么基金敢说自己是通过上市公司赢利成为大赢家的。据统计，2007年一季度以来机构资金增量为600多亿元，而个人投资者的增量资金高达2 000多亿元。2007年4月底，A股日均新开户数接近30万户，个人投资者成为市场的新增主力。这就意味着，在上证指数3000点以上的成交主要来源于个人投资者，持仓占市场流通市值60%的个人投资者提供了市场80%以上的成交量。从2006年6月到2007年4月，新发基金总额达4 510亿人民币，同期A股IP0仅募资2 730亿人民币。这意味着市场资金非常充裕，即所谓的流动性过剩。

2007年初到4月，股市的累计涨幅已高达82%，其中4月的涨幅就高达29%，老百姓的入市热情，又出现了1990年深圳狂潮时的高涨局面。据中金公司分析显示，2006年年底个股股价的平均中值仅为5元左右，而到2007年4月底，股价的平均中值已达到12元，5元以下的个股基本被消灭。这就是说，2006年大盘蓝筹股是上涨的主力，股价的变动不大。而到了2007年的前四个月，轮到了小盘股狂涨，短短四个月，小盘股和低价股指数分别上涨了133%和165%，这使得平均股价迅速上升。而这阶段，正值新开户的股民大举入市之时，有人依此认为中国国民的金融投资意识觉醒了。

这下子，拥有话语权的机构们不乐意了，因为他们资金庞大，小盘股无法顺利地进出，面对小盘股猛涨，散户们不介入大盘股去抬他们的轿子。这叫机构们如何玩？总不能把股价拉高之后，自弹自唱吧。长期待在大盘股的高位，是很危险的。于是机构们开始大声质疑市场的投机之风，大呼市场的泡沫巨大。的确，散户们没有团队的分析能力，在市场透明度不高的情况下，也无法得知公司内部的真实情况，他们当然买低价的和没有拉升过的小盘股。在2007年一季度上市公司的报表中，我们可以看出大盘蓝筹股的业绩增长幅度基本与其股价一致，而低价股小盘股的业绩远远跟不上其股价的上涨。另外从换手率来看，也说明投机气氛浓重。2006年全年日均换手率为2.4%，而到了2007年4月，日均换手率高达6%以上，其中低价股和小盘股的换手率远远高于大盘股。从理性上说，投机泡沫开始显现了；从感情上说，散户凭什么替机构抬轿子。

在“泡沫论”的传播之下，所有机构，包括保险公司、共同基金、QFII、社保基金等纷纷抛出股票，但散户们不为所动，在上证指数5000点之下，继续吹着他们的“幸福泡泡”。可事情总有个头，泡沫总有吹破的时候。

突然从日本刮来一股“加息”的风，使“泡泡”破了一次。日本原本是零利息的国家，存银行没利息，谁愿干那种傻事。所以日本许多家庭主妇就把钱投到其他国家去了，主要是买美国的国债。机灵一点的，还从日本银行里贷出钱来，购买美国的债券，一算还有利差可赚。蝇头小利，那也是利呀，又没什么成本。可是当日本宣布加息25个基点时，虽然仍有利差存在，可结束零利息的时代对日本主妇们产生了巨大心理影响，她们纷纷抛售美国或其他国家的债券，从而导致世界市场的一场暴跌。非常有意思的是，这次暴跌首先不是开始于美国，而是开始于中国。

2007年2月27日星期二，沪深两市放量暴跌，收盘时上证指数跌去268.81点，跌幅高达8.84%；深圳指数跌去797.88点，直破8000点整数关，跌幅更是高达9.29%。两市创下近10年来的最大单日跌幅。整个市场有800多只股票跌停，上涨的仅有59只，盘面一片惨绿，成交量创出2 000多亿元的历史新高。一天之内上万亿市值化为乌有。那天老股民冲向电脑，把手上的股票狠狠地向跌停板砸去；新入市的股民哪见过这样的跌势，顿时“眼中流血，心内成灰”。

跟着中国A股市场的暴跌，世界各国股市也纷纷上演“黑色星期二”。对于“2·27”暴跌，有人甚至自豪地说，中国股市开始影响世界啦！北京的《参考消息》在3月1日刊出了一篇标题为《中国股市影响世界，这似乎还是第一次》的文章。不过这种自豪是太渴望世界性导致的盲目。其实原因很简单，中国离日本近，加上中国的泡泡吹得最大，对“东瀛来风”会有过度反应。

“2·27”暴跌没有谁是先知先觉者，散户依然开着新的户头，在春节后第一个交易周，新增A股开户数为57万户，比节前一周猛增164%，创出历史新高。而在2月26日到3月2日的一周里，开放式基金平均仓位为73%，没有明显变化，说明那些“专家”也全线套在了里面。许多新开户的散户等的就是建仓机会，散兵游勇乱打一气也是蛮有实力的，他们对着低价股、垃圾股和题材股疯狂扫射。

“2·27”之后，上证指数从3000点直奔4000点而去，让机构们眼看指数高了

1000 点，而自己的市值还在原地踏步。

与民争利“5·30”

赚了指数不赚钱的机构恼羞成怒，崇尚“价值投资”的管理层也不乐意了，机构和管理层大吹“泡沫论”，希望指数回到 3000 点，重新来过。散户们却大吹泡泡，希望自己“可上九天揽月”。上证指数突破 4000 点后，管理层再也看不下去了。鸡犬岂可同时升天？把“泡沫论”当耳旁风，不叫这些新股民“笑吟吟来，哭啼啼归”，就不知道风险。

2007 年 5 月 30 日凌晨，或者说 5 月 29 日子夜，财政部对外发布了一项新政：将证券（股票）交易印花税税率由 1‰上调至 3‰。这一消息犹如晴天霹雳，一觉醒来，发现已经地震，自己的股票被埋在废墟里。上午一开盘，立即暴跌，上证指数跌 281 点，跌幅高达 6.5%。两市跌停股票无数，交易量为 4 153 亿，流通市值一天蒸发 4 253 亿元。随后的几天里，股市余震不断，股指连续下跌，最终上证指数从 4335 点暴跌到 3404 点，短短几天，高低算起来有近千点的跌幅。6 月 5 日下午，上证指数从 3404 点开始反弹，报收在 3767 点，“5·30”地震才算告一段落。在这次反弹中，机构赶紧拉升手里的大盘蓝筹股，以改变市场的涨跌格局。散户们通过“5·30”教训，才真正意识到“幸福泡泡”最终是要破裂的。

2007 年 5 月 31 日的《华商报》头版报道——《股市暴跌　印花税拦住疯牛》。

然而破裂的震动如此剧烈，是管理层没有意料到的。据说在 6 月 5 日下午 1 点 45 分，银监会召开新闻发布会，介绍查处商业银行资金违规入市的情况，当时银监会工作人员已将有关银行资金违规入市情况的新闻稿发给媒体记者，可马上接到紧急通知，迅速将新闻稿收回，不准发，因为这一信息可能会给市场造成进一步重创。正因为封杀这一消息，使得股市在那天下午得以反弹。

“5·30”暴跌给散户们当头一棒，A股日均新开户数由5月份的31.11万户骤降至18.84万户。ST类股票平均跌幅达到20%以上。一些被腰斩的低价股和题材股再也没有回到以前的高位，高位套牢的新股民们站在了“永久性的岗位”上。

“5·30”事件并非没有预警，对于印花税调整的传闻在市场里已弥漫数日。针对传闻，5月23日的《上海证券报》报道，记者为此电话采访了财政部新闻办的负责人，对方说没听说过上调印花税的事儿。其实就在那天，财政部部务会议通过了上调印花税的建议并上报国务院，两天后获得国务院的批准。面对媒体，公然撒谎，政府还要不要公信力？北京大学的一位法学教授愤怒地说，要是这些属实的话，财政部就存在发布虚假信息的嫌疑。有关官员对媒体发布信息误导股民，其行为违反了《证券法》。要是因为工作流程，那位官员真的不知道此事，财政部也有站出来以正视听的责任。教授的话一出，立即引起被套严重的股民们的热烈反响，市场纷纷热议此事。

中国政法大学教授何兵认为，财政部提高印花税的做法在法律程序上无可非议。而一位名为“思宁”的网友在其新浪博客上发文章说，这个法律就是全国人大授权国务院制定关于印花税的行政法规（国务院1988年制定《中华人民共和国印花税暂行条例》），国务院把印花税的决定权下放给了财政部。不过根据《立法法》第11条的规定，授权立法事项，经过实践检验，制定法律的条件成熟时，由全国人民代表大会及其常务委员会及时制定法律。但《印花税暂行条例》经过了18年的实践检验，居然还不成熟，还不能形成法律，这个“暂行”到底要“暂”到几时？20年还是30年？

教授的看法都有道理，可不免有些理想化。我们看到的是，政策出台时间是深更半夜，有些悄悄进村偷袭的味道。管理层把法家的“术”玩到了如此精致的地步，真是令人叹服。“执政为民”用得着半夜工作吗？表面上看，此次调整印花税表明政府对上证指数4335点高位的担忧，对2007年前五个月指数上涨过快的担忧，实际上不免有与民争利之嫌。打压股市有各种手法，偏偏用从股市里抽血的手法。当时有各种各样的算法，如果我们按每天3 000亿成交量计算（当时成交量一天达4 000

多亿），双边征收，一天就是 18 亿，一年将是 4 500 亿，再加上 1 500 亿～2 000 亿元的券商佣金，投资者的年交易成本已超过 2006 年全部 A 股上市公司 3 892.49 亿元的利润总额。后来的实际情况是，2007 年收取印花税税额，比 2007 年全部上市公司的利润高出 1 000 多个亿。中国经济的高速增长带来的利润，在“5·30”夜袭之下，不仅荡然无存，投资者还得付出 1 000 多亿的“赌场”管理费。中国的投资市场一夜之间重新回到了“赌博”市场。

调控措施很多，偏偏要到市场里抢钱。现在股票都是无纸化交易，不需要印股票，有些国家干脆取消了印花税，如美国、英国、新加坡；没有取消的，也只是单边征收，即对卖出者征收，以鼓励长期持有，而且收得很低，比如中国香港是单边征收 0.5‰。我国原本双边征收 1‰，实际为 2‰，已高得离谱，现在提高到双边征收 3‰，那就是 6‰。这样的重税，当然难逃“抢钱”之嫌。

《福布斯》曾发布过一个关于“2005 年税务负担指数”，排在第一位的是法国，中国排名第二位。除了税收之外，据有关统计，我国各行政部门的各种收费是税收的两倍。有一种人类文明叫“良心”，著名作家杨绛 2004 年 12 月在发表的文章中写道：“利息为什么要征税呢？老百姓存钱很不容易的，为什么要与民争利呢？唉，现在的事情呀，我自己倒是不在乎的，反正我穿得很随便，吃得也很随便，花不了几个钱，稿费还没有发就捐掉了。但老百姓太苦了。”

最苦的老百姓还是那些血汗钱套在高位的散户，他们叫苦不迭也无人听取。这就是市场。

权证市场的“暴力犯罪”

2007 年“5·30”印花税的上调，引爆了权证市场的第二波疯狂炒作，因为权证交易不交印花税。

5 月 30 日当天，沪深两市的认沽权证集体暴涨，特别是离最后交易日（6 月 22 日）不远的钾肥认沽权证。“5·30”那天，其最高涨幅超过 300%，一度被交易所临时停牌，复牌后虽有所回落，可全天的涨幅还是超过了 190%。随后到 6 月 11 日的 9 个交易日里，钾肥认沽权证最高涨幅达到 854%。几天之内，如此巨幅的暴涨，不要说参与者，就是旁观者都“忽魂悸以魄动，怳惊起而长嗟”。

在最后交易日6月22日，已深度价外，毫无价值可言的钾肥认沽权证，居然盘中仍然大涨90%，达到0.107元，演出最后的“末日轮”疯狂之后，最终以0.001元谢幕。

另一只认沽权证，即招行认沽，其正股近30元，行权价格为5.45元，要招行股价跌到5.45元以下显然不可能，所以也早已深度价外。在“5·30”之后的6月8日到12日的3个交易日里，暴涨375%。8月21日，也上演了“末日轮”的疯狂，暴涨80%。这哪里是最后的挣扎，完全是“抟扶摇而上者九万里”，“羽化而登仙”了。

从2006年权证的疯狂炒作来看，这个市场已完全沦为“赌场”，尤其是毫无价值可言的认沽权证的狂炒，成为赌徒们表演的舞台。

那么到底是些什么人在此狂赌呢？据上海证券交易所信息网络有限公司发布的数据显示，到2006年6月，上海市场只有185万个账户进行过权证交易，而有资格进行权证交易的账户接近3 700万户，也就是说，只有5%的股民真正参与了权证交易。数据显示，有47%的权证交易者进行了T+0交易。从2006年6月份的数据来看，大户是权证市场中的绝对主力。如果把拥有50万元以上称为大户，有8 177户大户参与了权证交易，占到权证交易账户总数的2%左右。这些大户每周交易权证的金额达到786万，也即平均每天交易金额达到157户，这一数字不仅是中户（10万～50万资金）的10倍，而且是散户（10万元以下）的1 000倍。数据显示，95%的大户一周要进行5次以上的权证交易，其中80%的大户一周交易次数在10次以上。也就是说，大户是权证交易的主力军。

我们从深交所的统计来看，截至2006年10月中旬，深市权证投资者最大赢利账户赢利为5 694万元，而最大亏损账户亏损达6 652万元，收益率最高的账户收益达549%，而亏损账户的最大亏损率为96.2%。总体来看，八成账户是亏损的，统计一下所有参与权证交易的账户，平均收益率为−3.76%。也就是说，权证交易者绝大多数都是亏损的。

2007年“5·30”之后，权证市场的第二波狂潮到来。上交所的统计显示，2007年6月新开254.83万个权证账户。当月的交易中，近70%的账户进行了“T+0”交易，平均交易次数达到23次，说明一些非常反感印花税提高的股民转战到不交印花税的权证市场。大量资金的涌入和“T+0”交易使权证的日均换手率，从“5·30”前的39%陡增至355%。即使到2007年8月初，大盘把“5·30”跌势全部补去，上证指数重点站上4300点时，权证的换手率仍然高达112%。大量换手之下，权证价格如过山车似的忽上忽下。

一些根本不了解权证为何物的股民，一听权证不收印花税，盲目杀入，结果逃出虎口，又进狼窝，最终血本无归。有位杨先生用76 904元买入177 200份认沽权证，结果到期未抛，这种深度价外的认沽证自然不可能行权。杨先生知道自己的权证成了废纸，找到上市公司想拿回他的血汗钱。钱当然不可能拿回，还被人耻笑了一通无知。还有一位投资者用50万元一次性购买了第二天就要停止交易的权证，以为买到了什么便宜货。营业部发现后想马上与他联系，可发现他留下的电话号码与家庭住址都是假的，结果50万元第二天就打了水漂。股票代表的是资产，而权证代表的是“权利”，当权证处于价外时，你拥有的只是给人家钱的权利。你会去行使这种权利吗？只有在慈善捐款的时候会。

虽然权证市场沦为了赌场，可不公平的赌博规则仍然遭受来自各方面的非议。最大的非议就是一些认沽权证的创设规则，就是《权证管理暂行办法》里规定的：券商只要在登记结算公司存放足额的履约担保金，就可以实施认沽权证的创设。2005年11月25日，10家创新类券商对武钢认沽权证进行创设，拉开了券商无风险创设的序幕。

管理层或许希望券商及时创设，使权证不会陷于价外。一方面随着大牛市的到来，股价走高，认沽权证被迫陷入深度价外；另一方面，券商可不想“及时”，只等着深度价外的到来，甚至根本不想等，而是把权证疯狂炒高，这样创设可以获利更多。两方面一合，券商毫无风险地在权证创设上大肆捞钱。

2006年3月，招行认沽权证上市，券商即可实施创设，实际上那时招行认沽已在价外，但券商就是不积极创设。要是券商真有什么“道德”，他们会马上增加流通量，使其迅速向价值（零价值）靠拢，这样招行认沽权证很快就会成为“仙轮”。可从招行认沽权证上市到“5·30”之前，这只权证只创设了3.6亿份。2007年5月30日之后，等权证市场价格一路狂飙，国泰君安与长江证券等券商才大规模创设，一个月之内创设了38亿份。中信证券在半个月里创设了5.12亿份招行认沽权证，无风险获利7.65亿元。人们有理由认为“5·30”之后权证的狂飙，是大券商为套利而进行的炒作。

《证券公司风险控制指标管理办法》中规定：持有一种非债券类证券的成本不得超过净资本的30%。这意味着规模越大的券商，捞钱的份额也就越大。在招行认沽权证创设到达30%的“天花板”之后，许多券商就转向南航认沽权证，当6月25日南航认沽权证连续三个涨停板之后，有12家券商扑向南航认沽，一下子创设了13.72亿份。南航认沽的这三个涨停，与这12家券商没有关系吗？

“上交所鼓励券商创设，从普通投资者手上套利，这到底是一种什么逻辑？”一位金融衍生品研究员义愤填膺地质问。“权证数量少了价格上涨需要抑制，权证数量多了价格下跌，投资者血本无归，管理层却默然，仅仅只是因为这些认沽权证的内在价值为零，就应该打击一直持有的投资者吗？”一名在招行认沽权证上一天损失40%的投资者踏地唤天地叫冤。

一群赌场的旁观者，赌徒输钱时他不管，如果赢钱就必须分一半给他们，这个赌场规则就是：谁叫你来赌，活该！权证创设使上涨降温，那么权证下跌就应该买入对冲掉创设的部分，以阻止其下跌，这是最起码的公平原则。我们的市场居然创设可以不用对冲，直接拿了钱走人，理由是：跌是应该的，因为没有价值。那股民要质疑：就算券商把价格打到零，还是没价值，那为什么不摘牌，而任凭券商无风险捞钱？这是抑制投机，让价值回归吗？让他们白捞钱，就因为这些券商看上去像理性投资的“好人”吗？就因为管理层信任他们吗？

权证爆炒展现的是这轮大牛市中最疯狂的一面，而权证创设展现的是中国股市最畸形的一面。无须对冲的权证创设，可以说是在交易规则保护下的“暴力犯罪”，暴露出中国证券市场最黑暗的一面。

（选自中信出版社《喧哗与骚动：新中国股市二十年》，
2008年10月出版，作者：阿奎）

2007，见证中国养老工程

2007年注定是要写入中国养老工程历史的年。这一年里全社会对中国老人群体的关注度大大提高。在养老形式的探索上，北京海淀西三旗建材西里的“钟点托老”、北京市什刹海街道“没有围墙的养老院”、北京市丰台镇街道“互助养老夕阳携手”、北京市广外街道的“养老超市”、广内街道的“免费管家”、北京团结湖街道的“聊天吧”……；在医疗上北京的“双向转诊”、“一老一小”工程、在浙江省玉环县的“零起点救助，看病无忧”……，表现了中国老人的“老有所养、老有所医、老有所乐”的时代进程。

养老篇：

“钟点托老”的幸福生活

如今，老年人越来越多，老人们希望有一个能让他们可以在一起打打麻将、看看电视、有说有笑的，比他们独自在家里过得开心的地方。60岁以上的老人，绝大部分都有多个子女，因此，子女们分摊交付的费用如果不多，大家都可以承受。据估算，一个行动不便的老人，在家请一个保姆照顾所需费用与入住“钟点托老”养老院相差不多。

于是，“钟点托老”机构便应运而生。

在“钟点托老”敬老院，一般都有很多老人相伴，再加上细心专业的护理员的照顾，可以说，比在家中要好得多。

春节后，坐地铁换城铁前往建材西里社区采访，经过保安指路，几经周折，终于找到这个坐落在居民区的“钟点托老”养老院。

里面的爷爷、奶奶、大爷、大妈正聊天，被我的门铃声打断。走进这个可以和宾馆媲美的“钟点托老”敬老院，老年人们正在愉快地聊天。

服务员大姐正在厨房给老年人做馅饼，说：“今天中午，大家吃馅饼，还有手擀面……”

居委会主任赵玉茹介绍：“建材西里社区位于西三旗的东北部，北与昌平相接，辖区内有居民 2 500 户，5 904 人，其中 60 岁以上老年人 936 人，占社区总人口的 15.9%。空巢家庭老人 177 户，286 人，80 岁以上高龄老人 104 人，孤老 1 人。”

大部分空巢老人、孤寡老人不愿住进敬老院，愿意到敬老院的只有 12.7%。而目前敬老院的付费方式几乎全是年交款或月交款，一旦交了钱，老人们就得天天住在敬老院。

鉴于老人大部分不愿在敬老院住宿，建材西里社区敬老院只设了 14 张床位，另外开设了茶室、游艺棋牌室、运动器械室、电视歌唱室，敬老院服务员都是经过培训的志愿者。

居委会主任赵玉茹引路，向我介绍“钟点托老”：金窝银窝不如自己的狗窝，传统的居家养老观念，使得养老机构不为人们普遍认同。据有关部门调查，许多老人难以忍受天天独守空房的寂寞，愿意到“托老”机构安度晚年，但现实情况却是各级“托老”机构自费“托老”的人少得可怜，主要就是人们的观念没有改变过来。有这么个家庭，由于子女们工作都十分繁忙，从乡下进城的老父亲无人照顾，腿脚不便又少下楼，整天在家守着窗户待着。寂寞的老父亲几次央求子女送他去养老院，可子女因怕别人指责他们不孝，没有满足老人的意愿。

在社区的老年人中，大多都不愿去敬老院养老，原因是：首先，工资较低，大多月工资在千元左右，有的还要接济下岗的子女，经济条件不允许。

其次，传统观念的束缚，认为去了敬老院，就等人生的最后一条路了。再次，故土难离，舍不得生活了一辈子的家园。

据调查，90% 的老人仍表示希望在家养老，正像有的老人说的那样：“因为传统养老机构没有家的感觉。”调查发现，老人们更希望在自己居住的社区安度晚年。针对老年人不愿意离开社区，不愿意离开邻里，不愿意远离儿女的生活特性，建材西里社区居委会将社区养老作为重点，大力开展居家养老服务，为推进社区养老服务社会化奠定了基础。

社区“钟点托老”养老院，于2006年5月18日挂牌成立。建材西里一区和二区合并后空出来的办公用房，经过改造与装修，建成了北京市第一家“钟点托老”养老院。来“钟点托老”的老人，不仅“足不出户”就解决了吃饭问题，还可以进行看电视、唱歌、下棋、健身等娱乐活动。

几位老人在工作人员的带领下一起朗诵诗歌，愉悦心情。
（刘大伟/摄，图片来源：新华社）

老人如果打算这个月入住敬老院，就交50元的管理费，在这一个月内，老人吃一顿饭只要交三元钱。敬老院还和社区医院合作，医院夜夜有人值班，敬老院一个电话，社区全科医生三分钟就能赶到。

社区新型“钟点托老”敬老院解决了空巢老人吃饭、照料、精神赡养的难题，大受老人们的欢迎。78岁的空巢老人尹大妈说：“我懒得做饭或在家待烦了，就交几块钱到敬老院吃喝住玩。”

居委会主任赵玉茹介绍：服务员不仅对他们的日常生活进行照顾，还进行精神关爱。发现哪位老人脸色不好，不爱说话，就主动与老人聊天，询问原因，为他们解开心里的疙瘩。每周五还专门组织社区里的老人一起聊天。每天有固定的活动时间、花样翻新的饭菜，设施可以和宾馆媲美……

“钟点托老”白天将家中老人送往托老所从事各种活动，接受照顾，傍晚下班再将老人接回家里享受家庭生活。

独居老人肖长尔自从来到“钟点托老”，每天的生活饮食有了着落，精神面貌有了明显的变化，脸上经常洋溢着幸福的笑容，人也开朗了许多，逢人就说：“托老所好啊！”

对于走出来到“钟点托老”享受服务的老人，托老所的工作人员进行了周到的服务。居委会主任赵玉茹介绍：尽管养亲向来被视为家庭的责任，“养儿防老”的观念也一直根植在中国人的心中，然而，因为出现越来越多的双薪家庭，子女因工作无法照顾老人在家安养。正是应这种需要，开始推行兼顾老人与下一代需要、两全其美的办法——“钟点托老”。

陈小姐将父亲送到“钟点托老”将近一年。她表示，一年来父亲变得开朗多了。陈老先生自从中风后行动不太方便，女儿虽然每天为他准备好盒饭，但让老爸爸一个人留在家里还是很不放心。如今可以说是爸爸开心，女儿放心！

与“被迫”经年累月长住养老机构的老人相比，“钟点托老”的老人算得上是“幸福的老人”。陈老先生说：“在家里就是看电视，到这里来可以打打球、唱唱歌、聊聊天，还会组织去旅游，日子过得比较快乐。”

“钟点托老”养老院，逢重大节日、遇到哪位老人的生日……都会为老人举行聚会，老人们在糕点、水果和蜡烛前畅所欲言，心情舒畅，有的老人直接就说：“到这里后，生病都少了！”

居委会主任赵玉茹介绍：“其他社区的老人，有许多打来电话咨询。比如有一位家住劲松的老人，多次打电话想加入这里的‘钟点养老’，因为我们这个服务只对本社区的居民，所以只能够对他们说抱歉。”

记者看到，有几位老先生、老太太在义工的带动下，三三两两地打着扑克。一边忙着出牌，一边天南地北地闲聊。笑声中，两三位老先生安静地坐在角落里，有的喝茶看报，有的点头打瞌睡，倒真是“幸福生活”。

下午茶的时间到了。义工说这是老人们最期待的时间，因为一来有好吃的点心，二来吃完点心就快“放学”回家了。

白天老人集中在一起，做点力所能及的工作和娱乐，晚上则各自回家休息。北京大学教授夏学銮认为，托老社区化是日间托老的理想状态，也是未来要积极发展的方向。

台湾的“日间托老”与我们这种形式很接近。因老龄社会的到来，台湾前些年开始尝试老人问题的新解决之道——日间托老。虽然老人反映良好，但目前日间托老在台湾还不够普及。在台北市，目前有七家老人服务机构开展日间托老，全市只有150名老人能够享受“日托”。台湾的媒体说：“日间托老的观念仍需推广，而且托老的设点应更多。”

养老方式从在家赡养到社会“钟点托老”，应是经济发展和社会进步的一个标志。

“没有围墙的养老院”

“做梦也想不到会这么好啊，现在街道每天给我送饭来，瞧，还热乎呢，一荤一素一汤，又是米饭又是花卷儿，除了饭菜还有一个水果，每天都不一样，搭配得可好了。”上午11点一刻，像往常一样，住在什刹海附近的92岁独居低保老人张淑英按时吃上了免费送上门的热饭菜。张淑英老人满怀感激地对记者说：“我觉得自己是世界上最幸福的人了！”

“以前可不行，我岁数大了，又无儿无女的，自己买不了菜，都是弟弟帮着买，也是凑合吃，哪比得上现在啊，年三十还吃上了一荤一素两种馅儿的饺子，真是享福了。”

工作人员把热菜、热饭从餐盒中取出来，盛到老人准备好的碗中，看着老人吃上热腾腾的饭菜，工作人员才离开。她说：“这些送餐的小伙子可好了，每天都在中午12点以前赶到我家。而且每天的菜都不一样，还搭配了苹果、香蕉等水果。”

接着，记者来到四环社区84岁的老人张明惠家，正好赶上街道居家养老配餐服务中心的工作人员把热腾腾的饭菜和紫菜蛋花汤送到家里。老人边吃边对记者说：“我右眼失明，一个人住在这里靠低保金生活，眼睛不好，儿女又不在身边，以前中午那顿我经常省了，现在有了免费送餐上门，我每天都能吃上热饭热菜。”

“吃得真好，真舒服。”张大妈告诉记者，她因为眼睛不好，儿女又不在身边，“中午那顿”经常就省了，“几个礼拜前，什刹海街道的工作人员提出给我送午饭，把我乐坏了，而且还是免费的，我现在只有‘感谢’二字可说。”

老人张明惠右眼失明，独自靠低保金生活，往日里吃饭总是凑合。自街道为老年人设置了配餐中心后，他每天坐在家中便能免费吃到准时送上门的热乎饭菜。现在，什刹海地区共有75名老人享受着这样的福利。

在什刹海街道居家养老配餐服务中心松树街社区配餐点你可以看到，一间40多平方米的平房被玻璃门窗分成了里外间。外间摆着两张方桌和几把椅子，供社区内行动方便又有经济能力的老人过来就餐，可以现点，有4元、6元、10元三种标准。里间是干净的厨房，三四位身穿白色制服、头戴厨师帽的配餐员正在把一份份装好的饭盒往保温箱里放。街道内共有四个这样的配餐点及一个规模较大的配餐中心，五个点由街道投入200余万元配置了送餐硬件，组建了厨师和送餐服务队，并规定了无菌操作、加工、配餐的“三无标准”。

街道副主任曹庆莉说，这些送餐的人员不但有统一的服装，还配备了电动自行车和保温箱。

记者在位于大半截胡同的配餐中心看到，在占地300余平方米的四合院内整齐地码放着送餐电动自行车和保温箱，这里还设有操作间、配餐间和老年人饭桌。操作间里装备了消毒柜、冷藏柜、不锈钢灶具等设施，配餐室内悬挂着卫生制度、送餐服务规范等工作标准，整个配餐服务中心从制作到加工再到配餐全部实现无菌化操作。

“今天吃蚝油牛柳、海米冬瓜、紫菜蛋汤、米饭、花卷儿和一根香蕉。一共34份，10份不要葱姜蒜的，两份只要面食的，一份全素的。”正忙活着的配餐员曹俊涛心里特有数，“我们有个反馈本儿，老人有什么特殊要求只要提出来都会尽量满足，比如谁有糖尿病不吃淀粉、不能放糖，谁的胃不好不能沾辣椒等等，都在本子上记着呢，每天要给他们单做。”不一会儿，饭都装好了，四位配餐员骑上电动车出发了，每天上午11点半左右，他们管的这34位老人就都吃上热饭了。

“别看我们才开始三个多月，老人都对我们可信赖了，让送餐员帮着给搬搬挪挪的那是常事儿。”在什刹海街道社区服务中心配餐点，记者看到厨房边是一个小饭厅，名叫“乐龄餐室”，附近的老人愿意出门吃饭的，就可以来这里。

什刹海街道社区服务中心主任梁华告诉记者，送餐员简直成了观察员，他们每天去老人家里，能发现很多问题，谁家水管坏了，电灯亮不亮都门儿清，“反馈回来的问题我们就尽量帮助解决。”

有一天，一名送餐员给张玉林老人送饭，发现大门紧锁，怎么也敲不开，小伙子觉得不对劲，就返回去找居委会，打开门后才发现老人生了病，居委会马上拨打了120。

每位老人都有固定的送餐员，他们每天按点上门送饭。更重要的是，他们每个人都是“观察员”，每次入户都带一个小本子，记录老人当天的身体情况等，每天的观察情况都反馈到居委会记录备案。

什刹海街道是特殊的“老龄化街道”，据调查，目前什刹海地区有60岁以上老年人两万余名，占地区总人口将近20%，其中空巢老人就达2 128人，加之什刹海地区平房多，老年人生火做饭都有一定安全隐患，而与儿女分居的老人和空巢老人做饭的不便和难处就更多了。

去年，什刹海街道在辖区29个社区居委会开展了对老人基本情况和服务需求的调查，结果显示辖区内老龄化比例高、空巢老人多，特别需要生活服务，老人们最发愁的就是吃饭问题。同时，老年人习惯于既定的生活方式和熟悉的社区环境，一般不愿去养老院居住，更愿在家中接受养老服务。

摸清了老人的实际想法，去年11月21日，什刹海街道组建了北京市第一家居家养老配餐服务中心，首先解决多数老人最急需、最直接的困难，通过营养搭配、价格低廉的送餐服务，使辖区内的老人住在家里就能享受到养老院式的服务。

什刹海街道投入200万元支持地区餐饮企业成立起以社区公益性服务为主的“居家养老配餐服务中心”。

目前，什刹海街道的四类居民可以享受配餐中心的免费送餐服务，包括60岁以上，享受低保的空巢、孤寡（无子女）并享受政府补贴服务的老人；生活不能自理和半自理、享受低保和政府补贴服务的老人；老人抚养重残子女的家庭；重残的残疾人。其他享受低保特困的老人可以享受低偿送餐，即半价饭菜。

什刹海街道办事处副主任曹庆莉说，今年，为老人送餐的费用将作为街道办事处的专门立项予以投入，配餐中心的服务将从一餐发展到送两三餐。除了送餐外，老人们最关注的医疗需求，街道也已经开始调研，争取将服务面扩大。

曹庆莉副主任说，据统计，从提供送餐服务至今，配餐中心承担了35户40人的免费送餐、5户8人的低偿送餐和20户22人的有偿送餐服务任务。待“一个服务中心五个配餐点”全部投入运营，服务面将覆盖全地区所有老人。“我们正在寻找更加稳定、经济的进货渠道，预计到年底，将有200位本地区的老年人能够享受到我们提供的送餐服务。”

“我们还打算逐步扩展服务内容，由送一餐到送两三餐，由单纯地为老人服务到面向社会的全方位服务，适时推进市场化运作，以对外服务的盈利来补贴对辖区老人的免费服务，最好能用三年时间达到收支平衡的良性运转。”梁华说。

“居住在什刹海的老人太幸福了！”这是记者采访时听到最多的一句话。据介绍，一位在什刹海工作的张先生看媒体报道了什刹海居家养老配餐服务，特意从这边租房，为的就是让父母吃上一顿可口的午饭。

互助养老夕阳携手前景美好

俗话说：远亲不如近邻。老人们之间选择邻里结对子，就是小事找邻居帮忙，如果邻居解决不了，可以找社区居委会，"让这条路通畅起来"。

"夕阳携手关系"为同一社区的几位老人通过一定的法律手续登记确立的一种关系。登记后，几位老人互相帮助。除了相互照顾的义务外，他们之间没有其他义务和责任，更不涉及子女和财产问题。老人可以是两位也可以是多位，可以是同性也可以是异性。关系一旦确定，老人们就有了相互间的监护权。

有关专家认为，几位老人一起互助养老，可以减轻他们的孤独感，提高生活的愉悦指数，也可以减轻政府和社会各界的负担。而当他们觉得不合适时，可以单方面提出解除关系。

北京市丰台镇街道负责老年工作的于宝生先生对此评价："互助养老模式前景很好，原因是投资小，见效快，依托社区为支点，人性化服务。"

已经在北京市丰台街道阳光养老院住了四年的83岁李淑英老人迎来了一个新室友——77岁的苏琴老人。

在此后的日子里，她们会互相签订协议，承诺彼此照顾对方。此外，北京市丰台街道社区也将原先属于居委会活动中心的阳光养老院扩大，成立了正式的助老服务中心。

据了解，北京市丰台街道社区有5 000多名老人，原先的养老院根本就满足不了老人们的需要。此次成立的助老服务中心将原先的18个床位扩大到50个床位，就是为了满足老人们的需要。

此外，为了更好地为老人服务，服务中心还跟社区的老人们签订了一项协议，协议的内容包括陪聊、采买、家政服务等内容。对于那些特困人员、空巢老人以及70岁以上的孤寡老人，社区还提倡他们组成互助组，结对互助。

苏琴老人告诉记者，自己原先在家里请的是家政服务，但是服务人员的态度不太好，这次自己是慕名前来，"我的眼睛患有白内障，腿也不好使，今后我们姐妹俩一定会好好互相照顾。”服务中心的工作人员告诉记者，新成立的服务中心将采用自收自支的方式，“另外，社区很多居民都报了名，今后会无偿地给这些老人提供服务。”

张大妈、孙大妈和李大妈三位都是社区居民，三个老人都丧偶独居，平时就是好姐妹。一年前，她们自发组成了互助小组，还签订了一个养老协议。三个老人平时一起住在张老太太家，吃饭实行 AA 制，没事时拉拉家常、玩玩牌。

杜大爷和张大妈结成了爱心对子。张大妈很舒心，因为她和杜大爷不是陌生人，而是相识二十几年的老邻居。张大妈住五楼，一个人住，年纪大了，腿脚不方便，再加上楼层高，平时难得下趟楼。杜大爷住一楼。

“住得这么近，反正就是搭把手的事儿！”杜大爷腼腆地说。说起来轻松做起来难，张大妈在楼上喊一声，杜大爷就赶紧过来帮忙。帮着买菜、买馒头、搬东西，有时怕张大妈不好意思开口，杜大爷还主动上五楼，看看老人有啥要帮忙的。“住得这么近，就跟亲人一样！”张大妈说，自己生病了，杜大爷会把她送到社区医院去。这样的例子还有很多……

“我们就是希望这种邻里亲情能以制度的形式延续下来，影响更多的人，在社区里形成更好的风气。”北京市丰台镇街道负责老年工作的于宝生先生告诉记者，他们曾作过摸底调查：丰台街道辖区总面积 9.18 平方公里，22 个社区，常住人口 12 万，辖区中独居的老人有 741 人，71 人特困，需要社会救助……这些老人大都丧偶，子女不在身边或无了女，很需要帮助。

“把邻里和亲情结合起来，操作起来也比较容易。”于宝生先生说，这只是第一步，今后他们还将扩大范围，多途径地做好助老工作。

目前，这种互助养老的居家养老方式，已经引起社会的广泛关注。

“聊天吧”，老人的精神乐园

老有所养，标志看民生的幸福指向，老有“好”养，则更能提升民生的幸福指数。养老不仅仅是让老人有吃有穿那么简单，还应该考虑老人的精神需要与心理诉求。

社会上各种各样的“吧”很多，而对老年人来说，却缺少可以“泡”的“吧”。

前不久，在北京、天津、杭州、锦州等城市的“老年聊天吧”开张了。社区内的老人都可以来聊天吧，所聊之事小到婆媳关系，大到国家政策，还有每个人的喜怒哀乐，十分广泛。

据老人反映，聊完天后心里顺畅，精神爽。

今年2月在漳州市政协十届六次会议上，政协委员欧阳小萍一人一口气提交了三份关于民生的提案，格外引人注目。《设立“老人聊天吧”》提案建议组织一些高素质退休人员，在适当地点，如大型社区和交通方便地方，适时推出“老人聊天吧”，以此为老年朋友提供一个互相沟通、互相交流的平台。

为了让老人将寂寞、烦恼都倾诉出来，北京市团结湖中路南社区成立了老年人温馨聊天室，社区请来律师、居委会工作人员等专听老人唠嗑。

“到这儿来，最大的好处就是能找到人聊天，家里就不一样，孩子们都有自己的事。”居民赵大爷说，“在家太闷了。”

中路南社区尚主任说，社区老年人口占社区总人数的23%，部分老人因独居或儿女不在身边时常感到寂寞，最大的愿望就是有人能陪着聊天，社区成立聊天室专听老人唠嗑。

为了能让老人们有一个互相倾诉、互相交流的场所，团结湖街道中路南社区成立了老年人温馨聊天室。活动室每月开放一次，老人们可以在这里敞开心扉，相互交流生活窍门、探讨养生之道。

每次活动社区都会就一个老年人最关心的话题进行讨论。有天老人们讨论的是关于遗产继承方面的问题，社区特别请来了北京金栋律师事务所的胡立奇律师给大家进行咨询解答。

“请问，如果我和老伴把自己的积蓄都给了儿子买房结婚用了，可后来他们决定离婚，这笔钱是否还属于我们呢？”一位老大爷首先提出了自己的问题。“如果在买房时房主写的是您儿子的名字，而您又没有相关的书面文字，那么这笔钱将算作是赠与，将不再属于您二老了。”

听过胡律师的解释后，老人们都就这个问题议论纷纷，“下次等我们要买房时先去公证处公证，这样才能放心。”“可不，一辈子的钱都买房了可真是要慎重啊！”

在议论后，老人们还就遗产继承、老伴去世再婚后的财产分配等进行了讨论。

“郭大爷聊天吧”迎来了它的10岁生日，满怀喜悦的郭志文与长期参加聊天活动的十多位老年人欢聚在一起，道出了他创办老年“聊天吧”的四句“真经”：“畅所欲言，实话实说，解开心结，享受快乐。”

居住在天津市河西区下瓦房街海华里社区的郭志文大爷今年已80多岁，原是市电话局干部，由于为人忠厚热情，退休后被聘到原单位从事退管工作，为单位退休老同志服务，并与他们建立了深厚的情感。十多年前，郭大爷正式从单位退下来后，搬到现在的海华里居住。

赋闲在家的郭大爷精神上倍感寂寞，于是便经常邀请居住在附近的几位老同事到自己家里叙旧聊天。郭大爷发现，大家一起聊天，不仅自己生活得到了充实，而且几位老人也从中收获了快乐，他便萌生了在家创办“聊天吧”的想法。

“郭大爷聊天吧”每周二上午都是固定的聊天时间，十多位六七十岁的老人都会准时来到郭大爷家聊天，十年来不曾间断。因为有共同语言，老人们相聚在一起，谈笑风生，畅所欲言。大到当前国际国内时事、天津发展变化，小到营养保健、生活琐事、趣闻笑话等等，大家越聊越高兴，越聊越痛快。

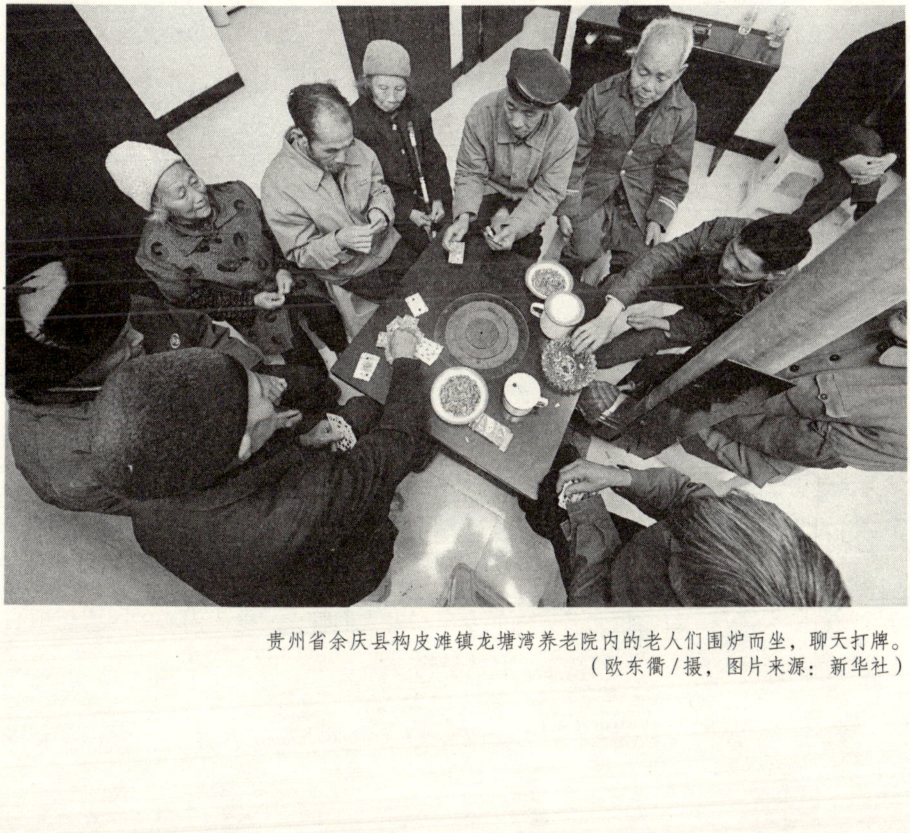

贵州省余庆县构皮滩镇龙塘湾养老院内的老人们围炉而坐，聊天打牌。
（欧东衢/摄，图片来源：新华社）

许多老年人有不开心的事，通过聊天和大家的劝导，忧愁得到了化解，消除了不良情绪。78岁的刘大爷因老伴突发心脏病去世，心情非常悲痛，每天愁容不展，情绪低落。

郭大爷得知后，主动把老人邀请到聊天吧来，与大家一起劝慰他。渐渐地，刘大爷从失去亲人的悲痛中走了出来，脸上也开始有了笑容。

如今，到郭大爷家聊天已经成为这十多位老人的生活习惯。不管是住在南开区，还是住在和平区，老人们都会骑车或坐公交车准时到郭大爷家报到。就算生病不能前来，老人们也都习惯性地打个电话来向郭大爷“请假”。

77岁的刘大爷因为年迈行动不便，可每次活动老人都会让儿子开车将他送过来。

“我现在就看不惯儿子花钱大手大脚，大白天也开着灯，音响也放得老大。可是每次说他都没用。”早上，聊天室的第一位客人柳大妈刚一坐定，就对着谈心员闻生金“倒”出了一肚子的委屈。

清源西里居委会的张主任介绍说，社区聊天室是去年5月成立的，每周一、三、五的上午开放，目前负责接待街坊聊天的共有12人，这些谈心员都是来自住户中的“居民领袖人物”。“聊天室就是一个能发泄放松的地方，大家平时如果有话闷在心里，就喜欢上这儿来说个痛快。”

据了解，“五一”以后，聊天室还将扩大规模，周一到周五都将对居民开放。

前几天，钱女士与儿媳妇红过脸，心中有些烦闷，当她说出来后，一些老年聊友发挥了作用，你一句我一句地劝导她、安慰她。听了一番劝解，钱女士感觉心里一下子舒坦多了。

一位社区干部童女士介绍，“聊天吧”能丰富老年人的生活，还能增进邻里友谊，社区会用心经营，让“聊天吧”红火起来，比如请能言善聊的居民志愿者担任常驻“聊天大使”等。

街道办工作人员王祁岳说，老人聊的事情虽小，但社区工作人员都要陪他们聊上一阵，直到老人开心为止。

北京市海淀区建材西里居委会主任赵玉茹介绍，他们每个星期五都会给社区的老人举行聊天聚会，经常请来各方面的专家和老人们聊天。老人内心的困惑与烦恼都能够得到疏导与解决，畅所欲言，心情舒畅。

医疗篇：

异地就医何时能够享受医保？

在2007年的全国“两会”上，一位全国政协委员提出质疑：不少老人本来享受医疗保险，一旦退休，去外地投奔子女，看病吃药就都不能报销了……

从4月1日起，北京居民在社区卫生服务站看病，不仅能享受到双向转诊，还不再受医保定点限制了。目前，北京市卫生局已经与市劳动和社会保障局达成共识，放宽医保患者的定点医院报销范围。这自然是一件大快人心之事。但是，目前很大一部分百姓，眼巴巴期待着“异地转诊”也能够享受医保。

近些年，城市人口的流动越来越频繁，退休后的老人跟着子女养老的逐渐多起来，他们的医疗如何保障？

现有的医保规定限制了老人在异地就医，人为地造成许多不便。

一个老年人去住在另一个城市的孩子家安度晚年，却怎么也“安”不起来，为何？他去医院看病时被告知，医保卡只能回原发卡地才能使用，在这里是无效的。老人心里纳闷儿：这又不是到了外国，为什么在异地不能使用？为什么不能像银行卡那样在全国通存通兑？

“医保不互通给老人带来了不少麻烦。”在北京与女儿一起生活的黑龙江退休职工王女士说出了自己的苦恼。王女士反映，“我女儿在北京结婚了，是独生女，现在我们老两口也退休了，而当时的医疗保险是在哈尔滨上的，现在却不能在北京享受医疗保险。”

喻先生一提起异地医疗，也无奈地说：“我们是衢州市的退休职工，已经退休多年。由于年老体弱，为了解决退休后的养老及照顾问题，我们已于三年前投靠子女，迁移至北京市通州区定居。根据《衢州市城镇职工基本医疗保险暂行规定》，我们已经将医保定点医院迁移至北京的两所医院。然而，正与大多数老百姓一样，看病难、看病贵的问题依然存在。我们的门诊医药费都不能报销，随着年龄的增长，看病问题变成了我们最重要的负担。而我们身居外地，人地生疏，看病就更显得不便了。”

南京市民陈女士也遇到类似的难题，她的哥哥在合肥一家单位退休，不幸中风偏瘫，而哥哥的独生儿子又在北京工作，陈女士便把哥哥接到南京来，以便治疗和照顾，但因医保无法转到南京来，只能自费治疗，这笔费用越来越大，真让两家人吃不消……

一位刘师傅询问：“我退休了，要到苏州养老，养老金能不能异地支取，医疗保险在苏州能不能享受？”

王女士在北京生活已有四年，由于黑龙江省牡丹江农垦某农场的医保卡在北京无法使用，遇到生病就得自己掏钱看，若是在黑龙江医保办办理异地就诊手续，那么回黑龙江居住时又无法看病，况且生病是不会选择时间和居住地的。王女士说，退休工资打到银行卡，在哪里都可以取，为什么医保不能联网“互通”呢？而她委托那边的朋友给她报销，那边一会儿要委托书，一会儿要医院病历……每次报销医药费不是拖上一年，就是找一大堆需要开各种证明的理由……让她几乎失去应有的耐心。

还有一些市民，在别的城市或者外省买了房，户口却未随之迁走，看病报销成了一大难题。

“画地为牢”有种种客观原因

现在医保卡的使用限制条件很多，想要到非指定医院看病，须要本人申请、单位盖章、主治医师签字、本地医疗保险管理处批准……手续之繁琐令人头痛。

一位知道内情的医生私下说：“因为医疗资源的不平衡，名医院、大医院的医疗设施、医生水平远非中小医院能比，现在人们得病，不管大小，总是先想到专家教授，想到CT、X刀等先进仪器设备，要是不划定医疗范围，大医院得撑死，小医院就得饿死，这怎么行？何况蛋糕就这么大，都让大医院吃了，难道要让我们的中小医院关门不成？于是动用行政手段，人为地画地为牢，再加上设定的那些繁琐的手续，让你乖乖地在指定医院看病。”

他说的也不无道理。小医院既然存在，那就有生存的理由。在当今的医疗环境下它是弱者，保护一下别让它消亡也是应该的。再说了，有些小病根本不需要去大医院，在中小医院和社区医院完全可以治得了，避免了资源浪费。

有人大代表告诉记者："你在老家交钱参保，却要异地拿钱报销，这边政府当然不愿意。"

但这样的规定有没有征得大家的同意？这是不是侵害了病人的医疗权和选择权？应该说绝大多数的病人是理性的，他们不会为了一点头疼脑热的小毛病兴师动众地去大医院找专家教授，何况每年的医疗费用就那么点，谁不知道省着点，细水长流，把好钢用在刀刃上？

再说，在市场经济条件下适者生存，中小医院不办出自己的特色，不用优质的服务去招徕、留住病人，单靠行政手段来保障是不可能长远的。

据主管医保的某省社保局副局长介绍：由于我国现行医保待遇各省市不一样，且结算关系也是由当地各自完成，造成了现行医保卡不能在全国范围内通用。但从长远发展看，医保卡会同银行卡一样，实现全国"一卡通"。

北京市劳动和社会保障局工作人员解释，外省市退休人员医疗保险要按照当地政策执行，医疗费用也要回原籍报销。外地退休人员办异地医疗保险需要相关手续时，北京各部门会积极配合。

江苏省劳动保障厅工作人员在面对这种现象时说：现在养老金可以在外地通过银行转账、汇款等方式领取，但医疗保险是在南京缴纳的，原则上只可在本地享受，所以到外地就不能用了。

哈尔滨市医保中心负责人介绍，在异地临时居住或出差居民，可凭异地暂住证到哈市医保中心办理异地看病手续，由个人在异地先期垫付的现金，可回原地依据药品、诊疗、服务三个项目内容进行报销。

国家劳动和社会保障部工作人员解释，目前尚无全国统筹医疗保险政策，只可以办理跨省市医疗保险报销，并需要办理相关异地医疗保险手续。如果市民想提出建立全国统筹医疗保险政策，可以给国家劳动和社会保障部写信反映情况。

曾有专家向有关部门建议，应尽快以方便老百姓就医为目的，进行这方面的专题调研，利用互联网平台实现资源共享互用。只要是已经参加了城镇职工基本医疗保险的人员，无论何时何地因病就医，只要通过互联网络系统查询确认身份，都可以按照规定的手续办理医疗费用报销补偿。海南省人大常委会民族宗教工委主任陈高卫认为，如果能建立一个省际的城镇医疗报销网络，那就方便了这些来来往往的

“候鸟老人”。

全国政协委员何志尧已连续三次呼吁，社会保险金应全部归国库专管，尽快建立全国社会养老保险一卡通制度，由国家投资建立各市、县统一的信息管理系统、收缴和支付平台，一旦缴纳就随人流动、终身拥有、全国通用。

对于市民们遇到的这一烦恼，全国人大代表、新疆建材设计院高级工程师顾明建议，国家社会保障部门和管理部门应尽快制定统一、科学、规范的政策措施，开发出具有类似现行银联卡多种功能的网络服务体系，使参加社会保险的人员可以凭借这种“社保卡”，在全国各地（至少是县以上）城市中定点刷卡支取和结算。

从技术上讲，医保卡在全国通用是一点问题也没有的，只需要医保部门联网即可，那样的话本地投保异地看病将变得非常容易。全国政协委员解生瑞指出，现在计算机网络技术十分发达，社会正进入“E时代”，做到医保卡全国通用，在技术操作上并不难，关键是政府职能部门如何解决其中的利益冲突问题。

其实卫生部只需将国家拨款挪出小小一部分，让专业人员开发一个周密的软件，国家再出台相关政策，便可让无数家庭幸福团聚，享受天伦。

随着医保制度的不断完善，各地医保的“互通”也会逐步得到解决，但这需要一定的时间。对此，社会保险机构的工作人员说，现在人才交流加快，今年在这个城市，明年可能就去了那个城市，在社会保障关系的更大范围内统筹、畅通接转，将有利于老百姓的流动和社会稳定。

“双向转诊”能否扭转“看病难”和“看病贵”的医患矛盾?

什么是双向转诊？即参保人在社区卫生服务机构首诊后不能治疗的，社区卫生服务机构应及时向参保人提出转诊建议，办理转诊。转诊时，应征得病人及其家属同意，帮助选择适宜的转诊医院，向病人解释转诊原因，介绍转诊医院和接诊医生的情况，取得病人的合作。当病人病情稳定进入康复期，住院医疗机构应将符合条件的病人及时转入社区卫生服务机构继续治疗，按规定办理门诊大病家庭病床或老年医疗护理，并享受社区医疗保险的相关优惠政策。

80岁的李大爷在北京市陶然亭社区卫生服务中心医生陪同下来到友谊医院看高

血压。他拿着转诊单，先在客户服务部办好手续，然后到挂号台双向转诊专台挂号，再来到“双向转诊专区”见到了预约好的专家，全程不过10分钟。院方表示，为了引导患者尝试这种新的就医模式，医院特别给予社区患者就诊、住院优先权。

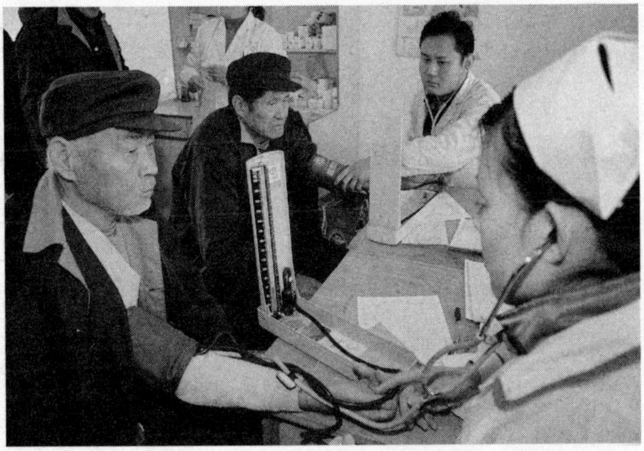

医务人员在为老人测量血压。（范长国／摄，图片来源：新华社）

据了解，在双向转诊专区看病的患者，需要事先通过社区医生预约。“这种挂号不收三元预约费。”院方表示。

北京市天坛医院书记高晓兰表示，将选派各科室最有经验的医师到社区出诊，帮助提高社区医护人员的医疗技术水平。同时，医院还将留出一定床位，给在社区开具转诊单的患者开放绿色通道，提高就诊及住院的方便。

从4月1日起，全国全面推行大医院和社区医疗机构之间的双向转诊制度。“双向转诊”的医疗惠民新规出台多年，具体实施和进展情况如何？四川省泸州市卫生局医政科科长尹显清坦言：“到目前为止，卫生主管部门尚未对实施后的相关情况进行汇总，也没有一家医疗机构向卫生主管部门上报情况。”

72岁的于大娘是其中的一位，记者在某社区卫生服务中心看到了于大娘此次转诊的整个过程。医生介绍，于大娘患有糖尿病、冠心病，是这家社区卫生服务中心的定点门诊大病病人。于大娘因眼睛不适到社区来就诊。接诊医生考虑到于大娘有可能是糖尿病引发的眼病，而社区里没有眼科专用的检查设备，因此，为于大娘开具了转诊单，建议她到市立医院眼科诊治。于大娘持转诊单来到某市立医院，负责接待转诊病人的导医台工作人员立即为她联系了眼科医生。经详细检查，医生认为于大娘的眼睛只是患了结膜炎，并无大碍，用一点眼药水就可以了。在于大娘带去的转诊单下方，眼科医生写下了诊断及治疗意见。

谈起这段看病经历，于大娘感慨地说："以前去大医院看病要花一上午的时间，现在一个小时就解决了，真是太方便了。感谢政府为群众办了一件好事。"

近年来，"看病难、看病贵"已经成为老百姓就医反映最为强烈的问题，也是我国医疗卫生改革亟须解决的问题。双向转诊在一定程度上缓解了老百姓"看病难、看病贵"的问题，因此，做好双向转诊工作，医院和社区居民就能够"双赢"。

家住北京市宣武区姚家井社区的李老先生"搭乘"社区的双向转诊直通车来到友谊医院的"双向转诊专区"。李先生今年80岁，一直在姚家井社区卫生服务站看病，因为最近总感到头晕、心律不齐，但由于害怕大医院的专家号难挂，老人家就一直在家休养。

在社区双向转诊正式实行的第一天，老人家一早就来到了姚家井社区卫生服务站，熟悉他的王大夫就赶快给老人开了到友谊医院的转诊单。转诊单上除了老人的身份信息外，还有社区医生对老人病情的简要概述以及初步诊断结果。

在姚家井社区卫生服务站王大夫的陪同下，李老先生来到友谊医院一层的客户服务部双向转诊接待区登记，挂了社区转诊号，随后在八层的双向转诊专区顺利看上了事先预约好的专家。从挂号到就诊，前后只花了十多分钟。

友谊医院副院长韩小茜介绍，友谊医院特意在门诊楼八层开辟了"双向转诊专区"。这里不但设有独立诊室，还可以进行大部分的化验、检查以及收费。病人一旦来到专区，就不必再跑上跑下了。为缩短社区病人的就诊时间，医院将尽量安排转诊病人第二天即可就诊，住院病人在五天内能住进大医院。

最近进入老百姓视野的"双向转诊"医疗措施，得到了社会的积极响应和热烈评价。何谓"双向转诊"？就是大型医院与社区卫生服务站点携手结对，对辖区患者提供优势互补无缝连接的"双向转诊"医疗服务方式。

"双向转诊"的具体流程是：辖区居民到社区卫生服务中心就诊，分诊到全科诊室或住院部。达到转诊要求的，如发现大病症状等，由医务科审核同意后进行转诊。其中门诊病人凭社区开具的转诊单转至上级医院急诊、门诊或辅检科检查，医院的检查结果返回社区；住院病人凭社区开具的转诊单和入院单转至上级医院，进行住院治疗。

治愈的病人直接出院，由社区卫生服务中心进行管理；有康复需要的病人则凭上级医院的转回单转回社区，进行康复治疗。

某卫生局医政科科长尹先生解读道："双向转诊"，就是社区医疗服务机构，因设备、医疗技术有限无力医治的病人，及时转入县、区一级或市一级医院，为上转诊；上转病人术后病情稳定后，上级医院及时将病人转回基层医院进行康复治疗，为下转诊。上级医院转来的患者，可在接诊医院享受免收挂号费、诊查费，减免住院床位费15%、化验检查费10%、治疗费5%，优先就诊等"两免四减一优先"待遇。同时，接收下转病人的各接诊医疗机构，不允许作不必要的重复检查。各医疗机构建立的双向转诊绿色通道，设立专线电话，24小时服务。

今年4月，北京市西城区与包括人民医院、北大医院、协和医院在内的15家二、三级医院建立了协作机制。按照该机制，从4月1日起，这15家大医院的专家将定期到西城区48个社区卫生站坐诊，每人每年不少于15天。同时打通双向转诊绿色通道，大医院对社区医院转上来的高血压、糖尿病、脑卒中、冠心病四种常见慢性病住院病人免收挂号费，患者还可以持社区专用的检验申请单到大医院直接进行检查和化验。

社区医院：路上的距离很近，心理的距离很远

孙阿姨最近挺烦心，因为头疼发热她星期天一大早就来到了市立医院，虽然才上午9点，但是大厅里已经挤满了挂号的人。由于人太多，孙阿姨还没排到医生就到了午休的时间。为了不耽误看病，她在医院买了点吃的挨到下午。在排队看病的人当中，有许多都是像她一样因为感冒这样的小病来到大医院挤占资源与空间，既浪费了时间，也花费了相对于社区医院要高很多的费用。"社区医院我也想去，有那么多的优惠项目，但是那里的医疗水平能行吗？医生素质怎么样？生命可开不起玩笑啊！"孙阿姨道出了自己宁可多花钱、多费时间也要去大医院的原因。

"虽然我们大楼旁边有社区卫生中心，可有什么病我还是宁愿坐车到大医院看。"家住广州市荔湾区的周阿婆对记者说。很多人与周阿婆一样对社区医疗"没信心"。"社区医院虽然路上的距离很近，但心理上的距离还很远。"

记者亲眼目击，同样是社区医院，在北京天桥医院，一个普通的检查，就有几十个检查与护理，而一次普通的看病就收3 000多元。而当事人质问的时候，医生才说我开单据的时候，你也没有异议啊？说这些检查你都是自愿……正遇一个病人对医生进行投诉，这个病人的母亲也是医生，对许多不必要的检查立刻提出没有必要的时候，这个医生才说，这些检查也是为病人好……这样的社区医院，又怎么让消费者放心？医德的缺失，你又怎么能够要求它能够“悬壶济世”和“救死扶伤”？

在采访中发现，不少市民认为社区医疗的就诊环境不理想：硬件匮乏、设备陈旧，尤其是在一些偏离中心城区的卫生中心，心电图、B超等基本医疗设备都比较落后。

对于市民的这一忧虑，广州龙凤街社区卫生服务中心的“双向转诊”模式也许可以给出答案。“从技术上来说，实行社区首诊不是一个难题。”中心主任何耀基说，在该中心，什么情况下病人应该转诊，目前已经制定了诊疗指南，该转不转的，医院和医生都会受到严厉惩处。“老百姓害怕出意外，其实医生比他们更怕。”

去年，卫生局促成了市内8家大医院与18家社区卫生中心结成“对子”，进行“对口帮扶”，大医院不仅定期派出专家到社区卫生中心坐诊、指导、带教，而且还为社区医护人员提供到大医院进修、学习的机会。这18家社区卫生中心解决不了的问题，病人可以由社区卫生中心介绍到对口的大医院治疗，有些大医院还专门为这类病人开辟了“绿色通道”。而对于从大医院转回社区进行康复治疗的病人，大医院还有专家定期查房，跟进病人的病情。一年下来，其中一些结对单位已经实现了“双向转诊”的模式。为此，卫生局今年计划推广这种合作办法，争取每个社区卫生中心都能与一家大医院结成对口帮扶的对子。

不仅如此，让很多上班一族感到不便的是社区医疗机构的开诊时间。“他们的开诊时间是上午8:00～12:00，下午2:30～5:30，有时我们下班想看个感冒，或者晚上腹泻想拿点药都会吃‘闭门羹’。”在CBD上班的白领张玮莉小姐说。

“现在不是提倡小病到社区医院看吗？可我晚上去的时候却是大门紧闭，没办法只能再跑大医院。”近日，市民反映，晚上到社区门诊就医频吃闭门羹。社区医院晚上不接诊吗？大多数到了晚上7点以后都是铁将军把门，只有一家可以24小时接诊。

“到社区门诊看病图的就是方便，没想到晚上都关着门，害得我们白跑一趟，浪费时间。”张大爷告诉记者，自己今年68岁了，患心脏病已有20多年。这几天天气格外闷热，老人有点吃不消，尤其是7月26日晚上7时许，张大爷饭后出去走了半个多小时，突然觉得头晕目眩，家人担心是老病犯了，赶紧采取措施找医院为老人瞧病。

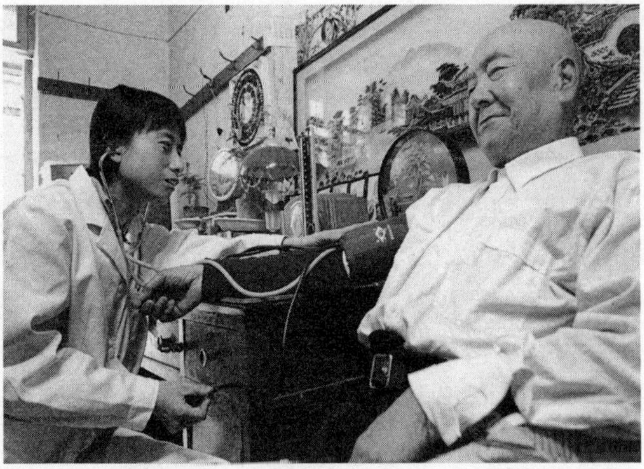

天津市第一家居家养老服务中心怡康苑的社区医生林田（左）上门为80岁的张永立大爷检查身体。（王晔彪/摄，图片来源：新华社）

张大爷坦诚地告诉记者，以前一直是在大医院挂号看病，虽然离家不远就有一家社区门诊，可很少想到去那儿。最近看到不少关于小病去社区看的报道，再加上也就想量个血压、开点药，张大爷就直接来到社区门诊就医。没想到，不到晚上8点，该门诊已是大门紧闭，敲了半天也没有动静。没办法，张大爷只能再返回家中找出病历，打车去了大医院。

不光是张大爷，近日有不少市民纷纷打来电话反映，晚上到社区看病遭遇铁将军把门。家住小水清沟的宋先生就是其中一位，他告诉记者："这几天这么热，晚上喝扎啤凉着了，直拉肚子。你说夏天晚上9点不算晚吧，很多商店都在营业，这种小病我就想直接到社区门诊去看看，可一问，人家不到晚上7点就下班了。"

难道社区医院晚上不能看病？"差不多下午5点以后我们这儿就要下班了。"下午5点50分，在某社区卫生服务站看到，天还没黑，工作人员已经开始关门了。晚上7点45分左右，来到了另外一家卫生服务中心看到，工作人员也正在关门。晚上8点15分，记者又来到一家街道社区卫生服务中心，看到这里也已是门上加锁。"社区门诊的工作人员下班都挺早的，晚上看病不能到这里。"路边纳凉的一位大娘提醒。

"我们这里晚上6点就下班了。"一家社区卫生服务中心的工作人员告诉记者。工作人员明确表示晚上7点下班，而且已经算是比较晚的了。

"我们这里的大夫晚上9点下班，没有值班的大夫，所以晚上没法诊治病人。"一家社区卫生服务站的大夫建议记者有病赶紧到大医院去看看。"24小时有人值班？不可能！"这家社区卫生服务站的工作人员说他们这里没有设过24小时值班。

连连碰壁后，当晚10时许，记者在一家社区卫生服务中心终于看到了希望。"你哪里不舒服，我们这儿全天都有医生诊断。”一见记者前来看病，护士细心地问道。

“社区门诊不就是为了方便市民看病吗？如果晚上关门的话，那还有什么意义呢！”记者在采访中，不少市民纷纷表示，社区门诊最好也能够实施24小时就诊，这样才能真正让市民接受。

“目前，卫生部门没有对社区卫生服务机构的接诊时间作出硬性规定。”对于这个问题，青岛市卫生局相关负责人告诉记者，目前卫生局只对开设急诊的医院有24小时必须有值班人员的硬性规定，但鉴于社区卫生服务机构基础、规模各不一样，因此对于是否24小时应诊，并没有统一的规定。

“夏季晚上常见病病号增多，对于社区卫生服务机构而言，也是一个发展的机会。”该负责人表示，为了方便市民看病，鼓励社区门诊进行24小时应诊，或者延长就医时间，既可方便市民，又能增加市民对社区门诊的信心，是一个双赢的过程。记者还获悉，本市正在研究社区首诊制，让24小时门诊遍地开花。

零起点救助，看病无忧

在浙江省玉环县第二人民医院装着空调的病房里，78岁的陈青连老人正在打点滴，由于家境贫困，患糖尿病16年的她第一次住院接受治疗。这次住院的费用只要在3 500元以内将会全部减免，这是目前玉环县针对困难群众实行的“零起点”医疗救助。

这也是浙江省实施的零门槛救助的一个缩影。日前，浙江省民政厅发出通知，要求今年要全面推行对低保对象等特殊困难群众的零起点医疗救助或发放相当于起补线金额的助医卡，为全省城乡60多万低保人群撑起一道看病解忧的保护伞。

家住玉环县干江镇白马岙村敬老院的五保户杨老汉患支气管炎20多年，但由于经济困难一直没有住院治疗。最近，他从县民政局领到一张绿色通道医疗救助卡，凭着这张卡住进了玉环县第二人民医院免费接受治疗。

据玉环县民政局低保中心统计，全县已有50多名身患重病的困难群众像五保户杨老汉一样住进医院享受免费治疗。

困难群众只要凭绿色通道医疗救助卡和本人身份证到指定的医院，不用花一分钱就可以住院治疗。玉环县第二人民医院院长黄森潮说：“医药费3 500元以内的病人在我们医院住院，享受全额免费，还加赠住院期间每天10元标准的伙食。”

为解决困难群众无钱看病的问题，玉环县曾实行“先个人垫付、后政府报销”的医后救助办法，但一些困难群众因筹不到钱或怕就医后药费报不了，拖延甚至放弃了就医。针对这一情况，玉环县出台新政策，规定凡农村五保户，建国前老党员、老交通员、老游击队员、老优抚人员、烈士遗属、老复员军人以及城乡低保户等，每人每年都可以享受一次“医前救助”政策，医疗费3 500元以内的全部由政府“埋单”。玉环县民政局低保中心主任林松祥说：“今年地方财政拨出320万元专款，加上其他筹款，总额达400万元，用于解决困难群众就医难。对超出3 500元以外的费用，还可以另行向民政部门提出救助申请，一年最高可补助5万元。”

“所谓零起点救助，说白了就是取消对低保困难家庭医疗救助的门槛，让他们不再因为一定的起付标准而被挡在享受救助的大门之外。”谈及今年全省要全面推行的零起点救助，浙江省民政厅最低生活保障处处长蔡国华首先谈了自己对零起点的看法，“譬如，以前有的地方规定住院费要自付一部分之后才能列入医疗救助范围，这自付的部分不论多少，对于有的困难家庭来讲就是一个门槛，或许因为这个门槛的存在，他们就有可能生了小病不去看医生，宁愿在家扛着。”因为工作的原因，蔡国华经常到全省各地的低保困难家庭实地走访，倾听他们的心声。

“其实，有很多地区很早就实行了类似零起点救助的政策，只是没提出这个概念而已。杭州在2003年就实行了城镇困难家庭医疗救助，有很多做法都是目前所说的零起点救助。去年全省也已经有近一半的地区调整了相应政策，虽然各地做法有些不同，但目的都是相同的，那就是降低或取消困难家庭享受医疗救助的门槛，真正做到为民解困。”

浙江省玉环县沙门镇瑶坑村的村民陈子林上个月生了一场病，虽然生病总是痛苦的，陈子林却逢人就高兴地说，他这场病生的时间“不早不晚，恰恰好”。

61岁的陈子林是残疾人，1981年他在湖北打工时不幸遭遇了工地塌方，失去了右腿，现在已经没有劳动能力的陈子林靠低保为生。说起上个月生的这场病，陈子林从屋里拿出了一张卡片和自己的病历本，他告诉记者，他是玉环刚刚实行的医前救助第一个享受减免医药费的病人，“住了七天院自己却一分钱没花。”

今年6月12号，陈子林由于胸闷、咳痰和发高烧被送到了玉环县第二人民医院。在出发之前，村里的民政员问道：“前两天村里发给你们的那张医疗救助卡呢？”陈子林的家人问道："那个卡有什么用？难道还能当钱用？""能当钱用的，快找出来带上。"陈子林一家半信半疑。

经过医院的检查，陈子林得的是肺部感染和甲亢，需要住院治疗。一听说要住院，陈子林的家人说没有那么多钱，住不起。"不是给你们发过一张救助卡吗？你把卡和身份证给我，3 500元以内的免费治疗，并且还能免费吃10天的饭。"医院工作人员的话让陈子林一家喜出望外。

一个星期后，陈子林的病情有了好转，核算下来他的住院费用和治疗费用差几块才到3 500元，因而他成为今年5月11日玉环对低保户等困难群众实施新救助政策第一个享受到优惠的病人。"真的是零门槛，没想到这次一分钱不花就能看好病。"陈子林告诉记者。

清港镇扫帚山村低保户黄加夫老人是第一个受益人。玉环县第二医院院长黄森潮和县民政局工作人员今天专程将惠民医疗救助卡送到黄加夫手中。失去基本说话能力的黄加夫示意妻子倪妹香道谢，倪妹香感激得不停地说着"感谢政府"。她说，有了医院这样的政策，以后即使遇到有小病小灾，他们也不用担心了。

"老头子，我们今天看病又省了140多块，本来应该付248块的，多亏了政府发给我们的低保救助证。对了，赶紧把医院发票给我，我要收收好，过几天还能到社区小丁那里报销50%呢，那样我们就只需花五十几块了。"7月6日下午5点多，家住流水西苑的张月兰刚陪丈夫楼梅生从市三医院看病回来，快人快语的她一到家就先忙着整理发票，一张张摊开来用夹子夹好挂在墙上。"发票弄丢了，就没法报销了。"

张月兰所说的"报销"实际上是指杭州低保困难家庭享受的医疗救助。从2003年开始，杭州市对困难家庭实行医疗救助，凡持有效期内"杭州市困难家庭救助证"的低保家庭、困难家庭均可享受相应的医疗救助待遇，诸如在定点医院就诊享受减免优惠，重大病症享受"零起点、不封顶"救助，等等。

张月兰今年61岁，丈夫大她12岁，所以她一直称呼为老头子。2005年，小区里不能再摆修车摊，他们一下子断了经济来源，在社区的帮助下，他们申请了低保困难家庭。去年，楼梅生查出肺癌，不舍得化疗的他们想靠药物维持，所以去医院买药成为夫妻俩每星期必做的事。

"以前，我有个头疼发热什么的小毛病，是不敢去医院看的，一块钱的挂号费都不舍得花，都是在家硬扛着，最多去药店买点药吃吃。现在我们有了救助证，在市三医院看病可方便了，别说是挂号，就是很多检查项目都是免费的。我们年纪大了，更应该注意自己的身体，不给儿女添麻烦。”张月兰说得很实在。

“我们社区帮扶中心的小丁前几天告诉我，以后如果我们住院交不起首付款，社区会先帮我们垫付。现在政府的心实在是太细了，什么都替我们想到了。”说到动情处，张月兰眼角有点湿润。

流水西苑社区帮扶中心的工作人员丁紫才告诉记者，“能为困难家庭尽一份力是我开心的事情。今年杭州又出台了新规定，对于未参加杭州市城镇基本医疗保险的低保家庭成员，患大病重症时，经指定医院诊断，确须住院而又无钱支付住院首付款时，可由街道慈善组织的帮扶资金先予垫付，垫付资金以后从其医疗救助款中扣，这可为很多困难家庭解燃眉之急。”

黄振铭的双手天生有残疾，他在当地的一家福利工厂上班，聊以糊口。黄振铭的老婆在一家鞋厂打工，靠着夫妻俩微薄的收入以及每个月200多元的低保救助金，一家人的日子过得很清贫。然而屋漏偏逢连阴雨，从2001年起黄振铭总是感觉到髋关节疼痛不适，活动以后感觉更加明显。

医院的诊断结果很快出来了，黄振铭得的是双股骨坏死症，医生建议越早到大医院做手术越好，然而近8万元的手术费却让黄振铭心疼不已。“做手术要那么多钱，我们两口子一年收入也才2 000元，就算砸锅卖铁也凑不够手术费。”

家里的贫困让黄振铭选择了忍和拖：“能忍到什么时候算什么时候，当时真的是寻短见的心都有了。”就在一家人眼看着陷入困顿的时候，有一天黄振铭的二哥兴冲冲地拿着几张花花绿绿的纸头来到黄振铭的病床前：“小弟，你有救了！”

原来自2004年12月1日起，玉环县民政局就针对包括低保户在内的城乡贫困居民实行了医疗救助，只要是低收入人群，就可以享受上限3万元的医疗救助，去年这一上限提高为4万元，今年达到了5万元，这也使玉环成为全省针对困难群众实施“零起点”救助政策力度较大的地区。

知道了这个消息的黄振铭非常高兴，在详细了解相关政策以后，他很放心地于2004年年底和2005年1月份来到杭州的117医院分两次做了髋关节置换手术。

现在，黄振铭一家人从半山腰的老房子里搬到了二哥家，虽然干不了重活，但是他还是对未来生活充满了希望：“如果政府没有救助我，我真的就变成废人了，现在心情好多了，争取能找点活干干，给家里分担点。”

“绿色通道”的绿色“医疗救助卡”几个字非常醒目，“这其实也是我们玉环县民政局落实省民政厅在全省推行的‘零起点’救助的一种具体做法。”玉环县民政局局长陈毅法告诉记者，“救助额度在3 500元以内的我们免费救助，就算总费用超过3 500元，困难群众还可以通过我们2004年就推行的医疗救助享受最高5万元的救助。”

通过与玉环县第二人民医院的协商，医院同意在每年业务收入中抽取1%专门作为对低保人员的减免，“这也是我们玉环的零门槛救助体系的一部分，我们医院还额外向低保人员提供一次性补助500元，如果住院费用超万元，一次性补助1 000元以及免费提供10元/日伙食等。”玉环县第二人民医院院长黄森潮介绍。

“目前已经发放绿色通道医疗救助卡5 335张。”陈毅法说，“从2004年开始的医疗救助到现在实施的‘零门槛’医前救助，我们所做的出发点只有一个，就是真正地帮助那些困难群众，解决他们的困难。为什么要从医疗救助着手，因为我们分析过，困难群众遇到的主要难题就是看病贵的问题，所以我们才出台了这些政策。”

时尚篇：

73岁老人报名《超级男声》

肖发今年73岁了，留着一把长长的白胡子的他穿着自己精心搭配的白色西装和老伴一起来到报名现场。由于报名队伍实在太长，天娱的工作人员立马给肖爷爷打开绿色通道，于是老爷爷只用了不到三分钟的时间就完成了报名程序。

肖爷爷告诉记者，“2004年，我就和我的老伴一起参加了湖南卫视举办的‘超级系列’活动，我参加的是《超级男声》，老伴参加的是《超级女声》。”

看到这个报道，我首先想到的是在实现梦想的过程中，除非你自己，否则没有人能真正为难你。拥有梦想的人会比没有梦想的人更加坚强、更加勇敢，也更有力量。什么惊天动地的困难，其实那都只是存在于自己内心种种自我的否定罢了。

比如有一次听见一位老年大学的朋友说：“我真想再花四年的时间回到大学去完成学业，可是六年之后我就60岁了。”仔细想想，如果他不去念这个学位，四年之后，他还是会60岁。

如果，我们不编织梦想、不设定目标、不订立计划，五年后、十年后，我们又会变成什么模样？其实，成功与挫折都是人生的元素。

如果一开始就抱着“我年龄太大了，不可能吧”、“我哪有那么好的运气”、“我恐怕是痴心妄想吧”这些负面的想法，等于还没正式踏上梦想之路，就将自己赶出局了。

美国总统威尔逊曾经说：“人类因梦想而伟大。”梦想，可以说是人生最大的财富。敢于做梦的人，就是在自己的生命银行里，预先开了许多幸福的账户。唯有努力把梦想实现的人，才能把这些账户存满心灵的基金。

一心想要实现梦想的人，任谁也挡不住他，除非是他自己先放弃。一碰到阻碍梦想的石头就投降的人，永远无法实现梦想。

当我们的年纪越来越大，梦想的格局与空间慢慢地被压缩了，我们的志气，不断被环境中的负面想法所打击。父母、师长，甚至同学们时常的好言相劝，说我们不可能、不应该，也不需要成为这一行或那一行的专家、领袖或工作者。

于是，自己发展的可能性更受限，慢慢地，我们逐渐相信别人泄气的建议。然后，我们心灵的视野日渐缩小，相对地，我们的成就空间也日益收窄。

有一则关于筑梦的小故事：一个钓鱼者舍三尺长的大鱼而宁可取不到一尺的小鱼，这是令人难以理解的取舍标准，而垂钓者的唯一理由竟是因为家中的盘子太小，盛不下大鱼。

我们编织梦想时，是否也会像垂钓者一样，因为自己平凡的背景而不敢去梦想非凡的成就；因为自己学习经历的不足而不敢立下宏伟的志向？

小的时候，我们常常梦想着长大后要做什么，像科学家、宇航员、医生、电影明星、老师、大老板，甚至总统等。各式各样的美梦都曾在我们的作文或童年游戏中出现过。

我们若能像孩童般看待生命的态度，不要对自己的生命设限，那么梦想，绝不会仅止于梦想而已。

拿出笔记本，记下自己的梦想清单，把所想到的人生梦想统统记录下来。试穿梦想的衣服，想象一下梦想成真的时刻。

谁说你的梦想不可能实现？

梦想，是一个人的光环，让人见到他用心实现梦想的努力时，不得不以尊敬的态度和他共同期许，祝福他美梦成真。

都市人流行去乡下租地种菜

在北京、上海、南京等地，到乡下租地种菜成了一些家庭的休闲活动内容。一些老年人向乡下农民支付数百元的租金，可以租种一小块菜地，全部由自己经管、栽种，不方便的时候委托农民代管，收获全部归已。

一些生态农业园区已经将租地作为一项经营业务来开展，给孩子一个农耕体验的学习机会，给老人一个回归田园的温馨回忆，给自己一个休闲娱乐的场所，给全家一年的绿色健康蔬菜的供给……自家菜园，自己做主种什么菜，自己说了算。

西瓜、草莓、黄瓜、西红柿等等好看又能现场解馋，菠菜、油菜、辣椒、茄子等带回家做饭，萝卜、白菜各有所爱。草莓、苦瓜、豇豆、西葫芦、冬瓜、芹菜……还能够带回家。

自从上个世纪七八十年代以来，生活节奏越来越快，过去那种田园牧歌式的生活就成了美好的回忆。但随着时间的推移，许多人，尤其是老年人，怀旧心理渐滋暗长，徘徊彷徨于过去和现代之间。一些老人利用种菜疏朗身心，愉悦心灵，充实生活，缓解压力，充分感受自在闲适的田园乐趣。

今年春天以来，北京市回龙观社区网“集采地带”里有一个集采项目一直居高不下。集采的对象不是瓷砖或婴儿纸尿裤，而是位于乡下、大约100平方米的一块菜地，以999元的价格得到这块菜地一年的使用权后，就可以自己种菜，自己摘，自己吃。记者随后调查发现，现在住在新型小区里的居民流行起了去郊区种菜，把翻地、撒种当成新的健身放松方式，尤其是有老人、孩子的家庭，老人热衷于重拾农耕梦，孩子则被家长带去亲近土地。

现在，已经有100多个家庭在位于北京市昌平区白浮村的那片菜地里建起了自己家的菜园子，这些家庭不仅来自回龙观，还有学院路、燕北园的……有些住在西城、丰台的人也想拥有一块自己的菜地。

林学会负责这项业务的张强告诉记者，租菜地的人大都是受过高等教育的城里人，“几乎所有家庭都是带着老人和孩子来的，但不少人连韭菜和蒜苗都分不清。”

工作人员介绍：“很多人把‘菜园子’当作给老人和孩子的礼物，有老年人来休闲的，有专门带小孩来种的，有当知青的来找当年那种感觉的，各种层次需求的都有。”

前几天，回龙观居民孙兴带着妻子、女儿和岳父母一起开车来到自家菜地——位于昌平区白浮村北京林学会苗圃内的一块两分大小的菜地，为全家人两周前种下去的菠菜、西瓜和草莓浇水施肥。孙兴是和邻居们一起在社区网上“集采”到这块地的。

今年春天，北京林学会将闲置的100多亩实验田划分成600多个100平方米见方的耕地，开始分块出租，并为租地的家庭提供工具和有机肥以及黄瓜、西红柿、草莓、菠菜等种子，另外还有三名农学博士提供农业技术指导，没想到一下子就租出去100多块。

学院路的马先生说：“本想孝敬老人，把老人从劳苦的乡下解放出来，住进城里的高楼大厦里，谁料到享清福却变成了坐监狱。是孩子不孝顺，还是自己贱骨头，都不是，从一个极端奔向另一个极端肯定不适应。怎么办？”

他接着说：“在近郊区开辟一个自家的菜园子，每周末带着老人到菜园子活动活动筋骨溜溜腿，挖地撒种掐尖打杈子，好一个快活，这才是老人想要的生活，哪怕只是一周一次。在近郊区开辟一个自家的菜园子，自己想吃啥就种啥，不施化肥不打农药，绿色健康蔬菜，起码半年甚至一年有的吃，味道好了，无污染了，吃得放心了，生活质量提升了，延年益寿变为现实了，美啊……”

孙兴的女儿刚五岁，自从两周前跟姥爷一起亲手把青豆的种子撒进土里，这块菜地就成了她的牵挂，一到周末就催父母快去。“我们在菜地里忙活时，她就在一边和泥、抓蚯蚓，玩得可高兴了。”

孙兴告诉记者，岳父母年轻时在农村劳动过，退休后闲得慌，一听女婿说可以在乡下租菜地就马上报了名。两位老人每周末搭女婿的车去菜地，平时女儿女婿上班了，就自已坐公交车去，是全家在菜地里最卖力气的。

患有慢性病的中老年人，他们由于久疾不愈，想换个生活环境改善身体状况。退休教师刘大伯说：“我原来患有高血压、冠心病等多种疾病，后来又患了尿毒症，在城里自手术后就一直没离开过氧气瓶。自从住进了南岙村以来，吸纳山村的新鲜空气，身体逐渐恢复了，现在面色红润，氧气瓶子早已不用了。”

离退休老人，在城市居民“下乡”大军中占据多数，他们向往环境清静，空气质量高，水质洁净，交通方便的生活环境。许多老年人原本就是从农村里出来的，“回归乡里”，找回往日的生活情趣，是这些老人的最大愿望。

家住鼓楼的江大爷一家有一块让人羡慕的菜地：韭菜、莴笋、白菜、茄子、四季豆、丝瓜、萝卜，一年四季蔬菜不断，琳琅满目。这块菜地不仅供应了两位老人爱吃的蔬菜，还是老人生活乐趣的源泉。

当初买房子的时候，老人就考虑想要一块菜地，顶楼能建菜地，可是对老人而言又太难爬楼梯了，选来选去，他选择了到乡下种菜。

老人来到这里的时候，当时那块地长满了杂草。已经年过六旬的老人没有用除草剂，而是用锄头铲除了杂草，平整土地，松了土，做起田垄，用小石头、小砖块把地圈了起来，这块荒地就成了他最心爱的菜园。

生活因为有了菜园充实而惬意。播种、捏营养坨、栽菜秧、培土、松土、拔掉杂草、浇水、施肥、捉虫子，剔除荒败的残叶，江大爷像呵护婴儿那样呵护着这些菜地。菜地也像一个既孝顺又有出息的孩子那样回报着他：长长的豇豆、嫩嫩的豌豆尖、红红的番茄、碧绿的丝瓜、鲜嫩的芹菜和莴笋，吃着自己亲手种的蔬菜，老人的胃口也特别好。

“其实种菜对老年人特别好。”江大爷总结种菜的好处：一、经常在菜地里转悠，能呼吸到新鲜空气；二、有劳动，但劳动强度不大，锻炼的效果特别好；三、收获蔬菜多，减少家庭开支；四、能吃到绝对放心的绿色蔬菜；五、有成就感，心情愉快。他建议有条件种菜的城市老年人不妨都来学学种菜。橘树葱绿，老两口长期在闹市区住腻了，山清水秀的“菜园子”让他们感觉很舒坦。

家住西直门的李大妈，虽然以前出身农家，可到了这里她依然拿出相机拍个不停，说要把照片洗给小孙子看，让他知道不同水果、蔬菜的“妈妈”长的啥模样。“这两天我给‘自留地’除草、松土，小白菜依然长得嫩绿嫩绿的，长势喜人。其实我只有三块‘自留地’，每块都是两平方米左右，小小的、窄窄的，打理它们不累人。现在可以在地上撒些白菜籽、菠菜籽、香菜籽……还可以在地边种上一圈葱蒜，这样可以吃到一些绝对的‘无公害绿色食品’。其实这还不是种菜最大的乐趣，最大的乐趣在于看着菜一天比一天好的成长过程，在自己撒下菜籽后，就期待着菜籽发芽，然后再给它们浇水、施肥、除草，看着它们一天天长大……打理菜地时，可以忘了工作，忘了烦恼，人也就没了什么杂念。呵呵，这样耕植于山脚地间。”

由于担心有些家庭不能坚持，北京林学会还提供“活期委托”照料菜地的收费服务，但张强告诉记者，目前还没人申请这项服务，而且菜地里的第一批菠菜已经快要收获了。

一个老大爷问：“我为什么需要菜园子？”林学会负责这项业务的张强说：“一般来讲，我们的蔬菜基本上都是从菜市场购买的，既方便又便宜。这是专业化分工的结果。但是，随着我们生活水平的提升，蔬菜的品质已越来越重要了，绿色蔬菜成为人们的向往，并且亲手种植，体验农耕乐趣已渐成时尚。”

亲近土地、亲近自然或许是每个人都有的一种情结。住天通苑的张大妈谈到自己的体会时说：“赤足踩在土地上，任水气和地气浸入肌肤，那种踏实、宁静和舒适的感觉足以让陶渊明放弃官位回乡务农。‘夜雨剪春韭，新炊间黄粱’是杜甫的享受。苏东坡说种菜‘春食苗，夏食叶，秋食花实而冬食根，庶几西河南阳之寿。’种菜的整个过程，随时都有乐趣。”

现代都市人对田园的热爱更多的是隐藏在心里的，现在出现的“都市菜园”和“种菜族”就是城市发展过程中一个特定时期的产物，说明了一种真实的心理需求。

对许多老年人来说，在自家院子里做点轻便劳动，既是一种积极的休息，也是对童年生活充满温情的回忆。刚好借退休之际隐居乡野，去尽情地享受和温习过去那种田园牧歌式的宁静生活。

老有所养，标志着民生的幸福指向；老有“好”养，则更能提升民生的幸福指数。我们相信，随着中国社会物质文明和精神文明水平的不断提升，中国老人的晚年生活必将会渐入佳境。

（选自 2007 年第 4 期《报告文学》，有删节，作者：祁建）

“嫦娥一号”飞天的幕后故事

“嫦娥奔月”的故事将在2007年成为现实。

1986年3月3日，著名科学家王大珩、王淦昌、杨家墀、陈芳允陈书邓小平：尽快发展我国高科技。仅仅三天邓小平就作出批示：此事宜速决断，不可拖延。

1986年4月，全国200多名各学科科学家会聚北京，讨论制定出生物技术、航天技术、信息技术、激光技术、自动化技术、能源技术、材料技术共七个领域的《国家高技术研究发展计划纲要》。这个高技术发展计划，在8月和10月分别被国务院通过和中共中央政治局批准，后被简称“863计划”。

1992年，欧阳自远向“863计划”专家组提出建议，我国应该开展月球探测工程。

2003年底，一份“嫦娥一号”正式报告送进了中南海。

2004年1月24日，温家宝总理在一份报告上签上了自己的名字，代表国家批准了“嫦娥一号”工程的实施，并提出了“高标准、高质量、高效率地完成绕月探测工程”的要求。中国月球探测一期绕月探测正式启动……这里向读者讲述了以欧阳自远为代表的一大批探月科学家生活和工作的故事……

“总有一天”日愈临近

1988年，欧阳自远被任命为中国科学院地球化学研究所所长，该所除了设在贵阳的本部外，还有一个设在广州的分部——中国科学院广州地质新技术研究所。

1990年，欧阳自远又被任命为中科院资源环境科学局局长。资源环境局主管地学、空间、大气、环境等领域，属下有40多个研究所。此外，他还兼着地化所所长

2007 年 10 月 24 日 18 时 05 分，搭载着我国首颗探月卫星“嫦娥一号”的长征三号甲运载火箭在西昌卫星发射中心三号塔架点火发射。（李刚 / 摄，图片来源：新华社）

和广州地质新技术所所长两职。

1991 年，欧阳自远当选为中国科学院院士。这一年他 56 岁，在当时的院士中算是非常年轻的了。

担子越挑越重，暗自的兴奋肯定也一波一波袭来。他的兴奋却不在这所长、局长、院士能够给自己带来多少光环和实惠，而在于中国的国情下，这所长、局长、院士所能拥有的一级比一级更有分量的话语权。

他想说些什么呢？

一句话在心中憋了许多年、许多年了，那就是——

总有一天，中国不再袖手旁观，要启动自己的探月、登月工程！

从1992年起，他觉得这“总有一天”日益临近了。

这一年，“神州号”载人航天工程获得国家立项，中国将用十年左右的时间把人送上太空。这意味着国家终于走出了“文革”结束后经济上百废待兴、捉襟见肘的局面，有能力可以办一些大的事情，还标志着中国的火箭、卫星、测控、回收等方面的装备与技术水平都大大地提高了。倘若再加一把力，进入深太空，下一个目标一定就是月球了！

在举国不绝于耳的盛世喧哗与遍地冒着欲望之焰的都市时尚中，他坚守住自己那一张远在贵阳的日趋显得落伍的书桌。为了将这书桌搬到北京来，时任全国人大副委员长兼中科院院长的周光召，两次要他将户口动一动，他说北京的工作可以去做，可贵阳的户口不要动，那里还有地球化学所几十年的同事们。

他在这书桌上分析、梳理人类社会进程中的又一个转捩点，如何孕育、如何诞生、如何演进，为国家提供一幅迫在眉睫、虽不见炮火硝烟却满布虎视眈眈的阵前“天图”。

在欧阳自远看来，世界各国第二次月球探测的高潮，呈现出一条非常清晰的轨迹——

以月球资源探测为主要任务，即由“阿波罗”时代的“政治与科学兼具之旅”上升到“太空应用之旅”，开发与利用月球资源将成为月球探测的主旋律。

其相应的时代背景，则是人类居住的地球正遭受人口膨胀、资源匮乏、环境恶化、生态脆弱、灾害频发等方面的空前“劫难”。在改变人类生活方式以保护地球的同时，向太空开拓生存空间，索取资源与能源，正是人类社会可持续发展不可或缺的远大战略目标。

21世纪在总体上向人类社会呈现的是这样一个转捩点——

太空是一个资源无比丰富的巨大宝库，它已经被先知先觉的“阿里巴巴”们打开。如果说20世纪人类主要向地球——包括陆地、海洋和未开发的南极索取资源的话，那么，21世纪将是人类向太空中的其他星球采掘资源的时代。

处于世纪之交的中国人——我们，你们，他们，看到了山城贵阳的那张书桌上欧阳自远经年累月伏首掏心画出的一幅阵前“天图”吗？

倘若看到了，就会发现这“天图”上还赫然盖着中国人陌生的三个大字——太空权！

春水上那冰层的迸裂声

1992年，欧阳自远向“863计划”专家组提出建议，我国应该开展月球探测工程。

所谓“863计划”，缘起于1986年3月3日王大珩、王淦昌、杨嘉墀、陈芳允四位著名老科学家陈书邓小平，其主题是为了中国人的21世纪，务必尽快发展我国的高科技。

第二天，邓小平作出批示：此事宜速决断，不可拖延。

1986年4月，全国200多名科学家被召集至北京，讨论制定《国家高技术研究发展计划纲要》。《纲要》从世界高技术发展趋势和中国的需要与实际可能出发，坚持“有限目标，突出重点”的方针，共选入了七个领域的15个主题项目。这七个领域是：生物技术、航天技术、信息技术、激光技术、自动化技术、能源技术、材料技术。

1986年8月，国务院常务会议通过了这个《纲要》。10月，中共中央政治局为此召开扩大会议，批准了这个《纲要》，并正式作出决定：从1987年到20世纪末，国家拿出100个亿支持《纲要》的实施。

据有关数据表明，中国整个“863计划”所使用的经费还不如美国一家公司一年的科研经费，不及日本一年高科技研究经费的1/340。（见李鸣生《中国863》）但在新中国的历史上已是最豪气的手笔了，并由此拉开了我国历史上规模最大的发展高科技和高科技产业的序幕！

由于四位老科学家写信和邓小平批示的时间都在1986年3月，这个高技术发展计划日后被称为“863计划”。

航天技术正是《纲要》列为“有限目标”的七个领域之一。而且，“863计划”的四位倡议者中，王淦昌是我国核物理学界的泰斗，为中国的氢弹和原子弹的研究立下了赫赫功劳。杨嘉墀则是国际知名的航天专家，几十年来在卫星的自动控制方面为中国和世界作出了杰出的贡献。如何站在国家战略全局的高度，布局中国空间技术的前景及部署高技术的发展，一直都是两人萦绕于怀的问题。

不久，“863 计划”专家组请欧阳自远递交一份正式报告来。在这份报告里，他得说清楚的第一个问题，就是我们国家有没有必要做这件事情，或者是不是可以推迟到国家富强了再做。因为月球探测这一块牵扯面太多，可能用钱也会很多，中国还是发展中国家，老百姓日子还不富裕。通过这份报告，首先要让各部门认识有这种需要，报告的题目自然是《中国开展月球探测的必要性和可行性研究》。

对于月球的关注和对国际间月球探测的跟踪，欧阳自远带领着地球化学所里前前后后几十号人已经进行十几个年头了，可谓松伞一杆，“咬定青山不放松”。要形成正式文字虽还需查阅、查证大量资料，可有几个月时间足矣。

但欧阳自远琢磨，这份报告一交给“863 计划”，他搁在肚皮里十几年的想法和思路就等于公之于世了。鲁迅先生好像说过，在这块古老的土地上，要不要开一扇窗子，搬动一张桌子，有时都可能争得鱼死网破，鸡飞狗跳。他必须去一些领域调研，和一些部门沟通，起码在中国科学院院士这个群体里，先得到理解和支持。

结果，完成这个报告用了两年。

其必要性，用有限的一段话概括就是：

月球探测是一个国家综合国力的体现，对于提高我国在国际上的威望，增强民族凝聚力很有意义。而且，月球探测是中国实现载人航天和应用卫星之后又一个新的里程碑，也是一个国家高新技术发展的标志。

此外，月球上的矿产资源、能源和特殊环境，是将来人类社会进一步开疆辟土的重要领域。如果中国一直袖手旁观下去，就难以维护我们民族的权益，对于深太空将丧失发言权。

其可能性，报告里介绍道：

自 20 世纪 60 年代中期开始，我国学者对月球的空间环境、地形地貌、矿物与岩石类型、地层划分、火山与岩浆活动、大地构造、撞击坑的分布与年龄、月球与地月系统的起源与演化历史进行了系统的综合分析研究，一直跟踪国际月球探测的研究与进展，并编写了《月质学研究进展》《天体化学》等专著。近十多年来，在有关月球的探测与研究方面做了大量工作，我国已有一支从事月球探测的综合性科学技术队伍。

在月球探测技术方面，我国现有的“长征”系列运载火箭与发射场能适应发射月球探测器的基本要求；月球探测器的各分系统，如结构、热控制、自控、轨控、电源、测控、数据管理等系统大部分可继承已有的研究成果；我国已具有多年研制空间环境探测器和空间遥感器的经验；在空间环境探测器和星载遥感器及其在轨运行管理的经验等方面，已为实施与完成我国月球探测任务提供了必要的基础设施。

“863 计划”专家组予以通过，认为报告以充分的事例与数据说明，月球探测工程不仅不会拖我们国家经济建设和国家发展的后腿，相反，还能起到有力的推动与促进作用。而且，我国已经具备开展这一工程的能力。

随后，中国科学院高度重视起来，开始拨出经费，要欧阳自远的梯队转入中国开展探月的战略与长远规划的研究，再用两年时间去论证一个问题，即中国若要开展月球探测工程，它应该如何布局与实施。

这是欧阳自远的梯队关于探月得到的第一笔经费，也是中国人花在月球上的第一笔钱。此前，他们用的都是地球化学所天体化学室那十分微薄的日常经费。

也许因为“863 计划”和中科院的重视，反对的声音倒渐渐激烈起来，俨然欧阳自远是“乱臣贼子”，有人竟将信寄到了国务院。

日后，欧阳自远经常被邀去社会上作报告，在几所大学的报告中，他都说道：“一个人一生当中遇到各种挫折是难免的，我在科学研究当中遇到最大的困难就是渴望得到理解、支持……有时候很伤心，眼泪往肚子里流，但我从来都没有打过退堂鼓！”

他鼓励师生们：“当你面对困难的时候，就要耐心地面对现实，努力去争取。”

大多数两院院士都支持中国开展月球探测工程，其中不乏德能双馨的巨擘泰斗。

闵桂荣院士是我国航天领域首席科学家，他提出了中国要搞月球卫星的建议。

杨嘉墀、王大珩、陈允芳三位院士以“863 计划”的名义，发表了《我国月球探测技术发展的建议》。

全国政协副主席、中国工程院院长徐匡迪，有一次特地请欧阳自远向中国工程院院士介绍我国月球探测的战略规划与实施方案。当他听说有人认为，最华彩的一幕已在“阿波罗”登月时结束了，中国人再做，也不会有美国人做得高明。既然不可能比别人高明，那何必要去做呢？徐匡迪院士则说这种话不符合中国实际，不符合中国的发展思路。我国是个发展中国家，如果按照此种逻辑，对国外一切先进的东西都不必学习、借鉴、研制了，那我们今天还在坐牛车、住茅草房。而且，如果中国人不做的话，那就只有买了，可月球能买吗？月球资源、月球环境能进口吗？

1996年，中国科学院、国防科工委接受了欧阳自远梯队的第二个报告。

此后，他们提议与设计的《我国探月的战略与长远规划》，不仅仅要在两院院士层面中进行论证，还要经受国防科工委、中科院相关研究所、总装备部、航天集团公司、各相关高校等多方面的答辩。也就是说，这个方案每往前走一步，都得经过"三堂会审"。

欧阳自远像是春秋时代坐在牛车上游走于各国的"名嘴"苏秦、张仪，对待不同的对象，他得有一套不同的说辞。对科技人员，得鞭辟入里，言简意赅；对官员们，得通俗晓畅，不厌其详；对有着利益考量的企业家，需多讲双赢，动之以情。

……

也是在这"过五关斩六将"的层层答辩里，过去因为经历有限，视野也必然有限的欧阳自远，如一只壁虎爬过长满老藤的高墙，他看到了我国科学技术发展的整体水平以及由重大科技项目里所折射出来的国情，这使得他在方案的编制与修正中十分注意与之相匹配——

比较明显的是，方案里强调探月和登月不能混为一谈。根据我国的科学技术水平、综合国力和国家整体发展战略，以及参考世界各国重返月球的战略目标和实施计划，我国的月球探测近期应以不载人为宗旨，是探月，而不是登月。

中国探月得分三步走：为"绕""落""回"。

"绕"就是研制和发射我国第一颗月球探测卫星，对月球进行全球性、整体性与综合性探测，以获取月球的三维立体图像等；"落"就是发射月球软着陆器，试验月球软着陆和月球车巡视勘察，就地对月球进行探测，并开展月基天文观测等；"回"就是不仅向月球发射软着陆器，而且发射小型采样返回舱，采集关键性月球样品返回地球。

整个航天技术分为三大领域：卫星应用、载人航天和深空探测。我国在前两项已经取得了很大成就，但深空探测至今还是一片空白，而开展月球探测，将是中国实现深空探测零的突破的最佳选择。

还有，用于第一颗月球卫星上天的总经费，既要当前国家经济实力能够承受，又要使这笔钱投下去后，通过卫星上天能推动我国的一系列高新技术的发展，培养、训练出一支月球探测队伍，从而在国民经济中起到二次开发、利用的目的。“阿波罗计划”便在美国20世纪六七十年代国家高新技术发展中起到了火车头作用，整个计划前后实现了3 000多种专利，获得了巨大的经济效益。事后，美国人自己统计，这个计划每投入1美元，就有4到5美元的产出。

方案中，欧阳自远预算一期工程的总经费是14亿元人民币。我感觉，这个数字写下去，他不会理直气壮。

倘若他想起美国“阿波罗计划”总共投入255亿美元，放到今天要值2 000多亿美元；或者他想起几年前就有权威媒体公布的，当今全国人民都知晓的一组数字：现今中国的大小官员们每年“公务车”的开销达3 000亿元，其中最多只有1 000亿元用于“公务”；还有公款吃喝、出国“考察”又各花去2 000亿元。此外再有商务部研究院梅新育博士最近透露的，改革开放以来大约有4 000名官员带着500多亿美金逃往国外，相当于有两三个三峡水库的投资给贪官们卷走了，他有什么不能理直气壮，而且气壮如牛、气势如虹呢？

我猜，当要写下这个数字的时候，他会本能地想起贵州。

他当过两届贵州省人大副主任，还兼了五年的省人大财经委主任，贵州的家底像一把无形的算盘挂在他的脑门上：1998年，贵州全省财政收入为65.3亿元，人均178.5元，只有上海人均的6.8%。这就是说，这14亿元，至少能让1/5强的贵州各级政府、学校、医院等事业单位过上一年。即使是到了2003年，全省财政收入达到了124.6亿元，人均322元，也只有上海人均的6.3%。

使他不是心虚却又几近心虚的，我估计还有长达30多年的中国西部生活，使他更容易体察近些年来部分民众心里一股迷惘、沮丧的情绪：国家的GDP高速增长了，遍地的摩登高楼起来了，可改革开放的好处好像也离他们越来越远了。如八大山人笔下那些枝上栖一足悬一足的禽鸟，他们白眼冷眼“锦上添花”；如大旱之望云霓，他们热望渴望“雪中送炭”，哪怕这“炭”带来的只有相声包袱抖响时那片刻的欢愉，可在这欢愉中，心灵多少会有些温暖的慰藉。

虽然欧阳自远十分清楚，月球探测对于我们民族绝不是前者而是后者，但是老百姓个个都清楚吗？

那些没钱看病买药、大病小病来了只有听天由命地死扛着的患者；那些无法面对高额学费只能辍学打工的少年、青年；又因无法面对儿女而离家出走，乃至准备一根绳子上吊的父亲；农村、城市里大量每月仅靠100多元、200多元最低生活保障金生活的社会底层群众，他们能理解我们民族这第一颗飞向月球的卫星，将关系到我们民族未来的命运，其中也包括他们子子孙孙的命运吗？

有些官员在公开场合最常讲的一句话是："我是劳动人民哺养大的"，或是"老百姓是我们的父母"。没有犯事时，以此表示自己"政治血统"纯正光明；一旦犯事，又以"浪子回头"乞求从宽处理。

其实，说得越有诗意，越是不着边际，也越是可以束之高阁。人民的奶水是甜是咸，有谁尬过？这"人民"的形象，对于他们可能还不及某个情人、某个小姐来得模样清晰。可"人民"这两个字，却切切实实让欧阳自远的心里、笔头压上了一股重量……

在各地作报告解释这14亿元总经费时，欧阳自远常选择另一个数字作为参照物：在北京修建1公里地铁得花7亿元人民币，即用在月球探测一期工程的钱，只能在北京铺2公里地铁，一站路都不到。

此外，他没有多说一句，真是一切尽在不言中了。

自1998年起，欧阳自远带领一批科研人员开始对我国月球探测卫星的科学目标与有效载荷配置，以及我国月球探测关键科学技术问题开展研究。

至2000年，欧阳自远梯队的研究成果为中国首次绕月卫星规划了四个目标：获取月球表面的三维影像，划分月球表面的基本构造和地貌单元，进行月球表面撞击坑形态、大小、分布、密度等的研究，为类地行星年龄的划分和早期演化历史研究提供基本数据，并为软着陆区选址和月球基地位置优选提供基础资料等。其中，月球表面的立体图像，美国曾在1994年做过，但未能覆盖全月球，这次我国要做得更精细、全面；分析月球表面有用元素含量和物质类型的分布特点，主要是勘测月球表面有开发利用价值的钛、铁等14种元素的含量和分布，绘制各元素的全月球分布图，月球岩石、矿物和地质学专题图等，发现各元素在月球表面的富集区，评估月球矿产资源的开发利用前景等。在月球表面有开发利用价值的14种元素中，美国已做了5种，其余9种是我国第一次做；探测整个月球表面的土壤层的特征和厚度，这一土壤层里含有大量可控核聚变的原料——氦-3，探测它整个分布的情况，以及各地区资源量的多少，以便今后很可能集中在某一个地区开发，这在国际上目前尚无别国做过；探测距地球4万到40万公里这么一个范围里的空间环境，对于人类来说，是通向月球的一个通道，研究这个通道上的空间环境，对于地球的环境、地球今后的发展、人类社会的发展至关重要。

全国政协委员、国家月球探测工程总指挥栾恩杰。（邢广利/摄，图片来源：新华社）

此外，对月球卫星需配置的探测仪器及各项技术指标都提出了明确要求。

2000年8月，在国防科工委的组织下，由王大珩、杨家墀、王希季、孙鸿烈、涂光炽、刘振兴、王水、朱能鸿、姜景山九位院士和总装备部、航天科技集团、科技部、中科院和高等院校的五位专家组成的评审组，对由欧阳自远梯队编制的中国科学院“月球资源探测卫星的科学目标与有效载荷”进行了论证评审。

专家论证会认为：“我国月球探测计划与科学目标先进、明确，意义重大，合理可行，是对国际上已有的月球探测结果的重要发展；各项技术指标先进合理，均有创新特点，作为目标探测的重要起步，能获得有重大意义的新结果，又符合我国国情，在现有条件下可以实现。”

我请欧阳自远回忆一下，这十年来他共起草了多少个报告。

他想了想，告诉我：“大概有十一二个吧，每个报告总有15万字左右。”

月球探测计划正式进入政府层面。

国防科工委成立了中国月球探测工程领导小组，组长是国防科工委主任张云川，有关部委的副部长是领导小组成员。国防科工委副主任、国家航天局局长栾恩杰为中国月球探测计划“嫦娥一号”工程的总指挥。

栾恩杰1965年毕业于哈尔滨工业大学自动控制专业，1968年清华大学精密仪器专业研究生毕业。参加工作后一直在导弹部队或导弹研制部门，从技术员做起，工程师、室主任、副所长、所长、副院长、高级工程师，稳稳笃笃，一步一个台阶。1988年调航空航天部任总工程师，1993年出任航天总公司副总经理兼国家航天局副局长，1998年起担任国防科工委副主任兼国家航天局局长。

栾恩杰是导弹控制技术专家，又是航天工程管理专家。在我国导弹控制技术、型号研制管理和国防科技工业管理领域作出了重大贡献，先后获国家科技进步一、二等奖，部科技进步一、二等奖。2004年，在中共中央政治局第十五次集体学习会上，栾恩杰作为高级专家，对坚持国防建设与经济建设协调发展的方针，谈了自己的研究体会。

栾恩杰的经历证明，世界上任何重大的工程，管理者都得是既懂技术又懂管理。恰似鳄鱼对于狮子来说，只是一个揭不开盖子的美味罐头，当今科学的高速发展已经使得一个不懂技术只懂管理的人面对一个庞大的系统工程时无从下手。

孙家栋被任命为中国月球探测计划“嫦娥一号”工程的总设计师。

自38岁时担任中国第一颗地球卫星“东方红一号”的总设计师后，他还是“东方红二号”“东方红三号”“东方红四号”等我国自制卫星的总体设计师，并主持和参加主持了“东方红三号”通讯广播卫星、“风云二号”静止气象卫星以及地球资源卫星三大航天工程。

孙家栋还曾充当起“生意人”的角色，与国际航天界商家打交道，为我国火箭承揽发射外国卫星业务，出任中国航天对外发射代表团团长。1990年4月7日，我国用长征3号运载火箭成功地将美国制造的“亚洲1号”通信卫星发射升空，送入预定轨道，这是我国运载火箭首次进入国际商业发射服务市场。

作为有着崇高荣誉、尚健在的“两弹一星”功勋科学家，孙家栋近40年的人生历程几乎就是中国航天事业发展史的一个缩影。他有如雪峰的一头白发下，深藏的情感像潜伏地底的矿脉也像矿脉一样严峻的脸上，也无不打上这一历史过程中几乎所有重大事件的烙印。

这一年，孙家栋已经74岁。无论是年龄，还是他已有的中国科学院院士、中国航天科技集团高级顾问的双重身份，他都有理由从他跑了一辈子的海角天涯、山渺漠远中撤出来。他应该坐在家里抱抱孙子，和老伴多唠唠嗑。

他比许多老人更有理由享受改革开放的物质成果，或者说，比起许多老人，他更会珍惜这夕阳正红的晚景。这几十年里，他和亲人在一起变得不正常，不和他们在一起则是正常的。就是人好容易坐在家里了，也多揪心悬胆，哪一次导弹、卫星发射前他不像枕着颗定时炸弹睡觉？

这几十年里，老伴记得他真有闲工夫陪自己坐下来唯有一次——

1994年11月，老伴患了脑血栓，病情严重，医院立即对她进行了全力以赴的紧张抢救和治疗。消息当天便传到了远在几千里之外的西昌卫星发射中心，几乎人人都知道了这件事，唯独孙家栋不知道，同事们不敢告诉他。此时火箭、卫星均已测试完毕，发射场的各项工作全部就绪，卫星发射已进入倒计时。作为这颗也是我国第一颗大容量通信卫星工程总设计师的孙家栋，他的脑子里装的全是卫星，他要在发射前夕对卫星、火箭可能出现的问题都清除至零，保证做到万无一失。

中国航天科技集团公司高级技术顾问孙家栋。
（邢广利/摄，图片来源：新华社）

一周后，卫星被成功地送入太空。孙家栋又马不停蹄，赶回北京主持与美国航天代表团的谈判。在会谈文件上签完字后，他一下晕倒在地，从会场用担架直接抬进了附近的海军总医院。比说书还巧的是，或许是天可怜见，老伴也住在这家医院里。开始，两个互相牵挂的老人谁也不知道距对方只有一箭之遥。后来，待病情稳定后，院方将老两口安排到了同一间病房，出院后，又同去小汤山职工疗养院住了一阵子……这些日子，成了老伴一生中印象最深刻、也最快乐的时光。

也许孙家栋就没有如许多老人一样莳花弄草、架鸟听曲的命。

他的命得扎根在现场，好似苍鹰再老也得老在巨野豁川之上，危象倒也要倒在莽林阔树之中。

他喜欢现场的看似一片忙乱其实却井然有序的氛围。这氛围里有一股独特的味道，俨然抽惯了某种牌子烟卷的人，一嗅到此种味道，立马就抖起了精神。

他喜欢现场来自祖国各地、有着不同经历和不同专业背景的男男女女、老老少少。如果说在现场外的世界，时下没有钱寸步难行，现场里则是没有操守待不下去，许多人的脸上都有一种处子般纯净的光芒。这光芒在当下的中国已成了稀缺资源，很多时候它只是宣传品上涂上的一层釉彩。

他更喜欢那迸射着中国人智慧火花的一个个零部件、一台台仪器，那无数平凡如风却又心血汗水川流不息的日子，组合成一个惊天动地的时刻，在一片轰然的巨响里，一个造型优美的巨大实体在天空上划过一道同样优美的弧线后，向着深不可测的宇宙渐行渐远。

他至今还记得，当我国第一颗人造地球卫星"东方红一号"发射成功之时，自己却被放逐在几千里之外的天安门广场。因为一生中这唯一的远离现场，想起来，他的心现在还隐隐作痛……

孙家栋当仁不让地站在了中国航天领域里又一回攻坚战的现场。

这大约是他一生里最后一个、也是最富挑战力的现场了。

一到任，他便组织全国各方面的力量，对于月球探测进行了长达一年半的工程立项论证。从卫星、火箭、轨道、仪器等各层面，一项一项地制定并落实技术标准，为月球探测计划实现目标提供切实的工程保障。用他对欧阳自远说的玩笑话就是：我是为你打工的！

欧阳自远被任命为中国月球探测计划"嫦娥一号"工程的首席科学家。

这是我国航天重大工程里首次设置首席科学家一职。这意味着，在以往航天重大工程里具有的指挥系统、设计系统外，现在又设立了科学家系统。

设计我国月球探测的长远规划、发展战略以及首次探月的目标，确定所有的探测技术指标和要求外，科学家系统的职责还有建立好接收和研究系统。当探月卫星成功入轨后，对从月球发回来的数据要接收、还原、编图，进行科学研究。

还在2006年3月间，邹永廖就告诉我，一个重达650吨的数字接受平台在北京的密云已装吊完成，这个庞然大物直径50米、高100多米，是我国最大的天线和射电望远镜，将承担接受月球科学数据的任务。另一架天线直径40米，设置在云南昆明，是我国第二大天线，协助接受月球科学数据。此外，还有两架直径为25米的天线，设置在上海和乌鲁木齐。这四架分别耸立于国土东南西北四个方向的天线，组成了一个有效的监测网，以测定月球卫星的轨道和位置。

作为欧阳自远本人，得操心的事情还更多。

整个“嫦娥一号”工程，共有几万人参与，大多数人不了解月球，需要写一部《月球科学概论》速成。还得要有一本《嫦娥工程手册》，让工程人员了解有关月球已知的大量参数，这对他们的工程设计十分重要。一部专业书，一本工具手册，正常情况下，怎么样也要花上好几年。欧阳自远领着几个助手，没日没夜写了几个月，初稿就完成了。仅《月球科学概论》就有50多万字，他累趴下了……

其实，他也是老人了，不过比孙家栋小6岁。医生要他在医院里住上一个月，恢复透支太多的身体，他只住了一星期就吵着出院了，说是后面还有一大堆活要干。

2003年年底，一份十分厚重但主报告简约明了、附件很多的正式报告送进了中南海。

2004年1月24日，温家宝总理在这份报告上签上了自己的名字，代表国家批准了“嫦娥一号”工程的实施，并提出了“高标准、高质量、高效率地完成绕月探测工程”的要求。

当天下午，欧阳自远就知道了。

随着国家对探月计划的日益重视，这时贵阳地球化学所里一直跟着欧阳自远干的四个年轻人已调来北京。当晚，他从家里拿来一瓶茅台酒，请大家去一家餐馆里小酌，栾恩杰也赶来参加。人人高举酒杯，欧阳自远的喉结一上一下地窜动：“我们所有的努力……都是为了今天，我们很……幸运。”

一片光影闪闪。

也许是灯光在酒杯里摇曳，也许是泪影在灯光里婆娑。

他畅快地笑了，满脸的笑意展开得像弥勒佛：“好，干了，大家好好干吧！”

一阵阵碰杯声，激越而又脆亮，像是静水深流的春水上那冰层的迸裂声……

是的，一个被耽误了太多机会的古老民族，终于向着一个新的巨大机会上路了。

抹不去的第二情结

2006年3月24日，在北京召开绕月探测工程第三次工作会暨决战动员会上，中国绕月探测工程总指挥栾恩杰宣布：2006年是中国绕月探测工程的决战年，年内卫星、运载火箭系统要完成正样飞行产品的生产研制，发射场、测控、地面应用系统完成系统的集成、联试，具备执行任务的能力。

2006年6月18日，出席第四届中国·福建项目成果交易会的中国绕月探测工程副总设计师龙乐豪院士在福州表示，绕月探测工程目前进展顺利，"嫦娥一号"已完成方案与初样设计工作，正样正在按原计划进行研制中。计划于2007年4月底前发射，这是权威人士首次在公开场合透露卫星上天的时间。

2006年7月8日，国防科工委秘书长、新闻发言人黄强宣布，经中共中央、国务院批准，中国月球探测一期工程绕月探测已于2004年1月正式启动。经过几年来的精心研制，中国第一颗绕月探测卫星"嫦娥一号"计划于2007年内发射升空，拉开月球探测工程的大幕。黄强还介绍，"嫦娥一号"月球卫星将在进入绕月轨道后，于距地球38万公里之外的遥远太空，即相当于当年"东方红一号"地球卫星距地面数百倍的距离外，向地球传回一组优秀的中国乐曲。为此，国防科工委月球探测工程中心提出150多首建议歌曲，在全国范围内公开投票并结合专家推荐、评选，最终在10月份选定30首曲目。

值得一说的是，在这150多首建议曲目中，自然有红色经典《国歌》《东方红》《红旗颂》等；引人注目的却是梅兰芳《贵妃醉酒》、黄梅戏《夫妻双双把家还》、昆曲《游园惊梦》等传统戏曲选段，以及富有地域特色的《青藏高原》《康定情歌》《茉莉花》等；出人意料的是，《祝你平安》《同一首歌》《让世界充满爱》……这些呵气如兰、飘荡宁馨、柔婉之音的歌曲也在建议曲目之中。

2006年7月21日，在北京举行的第36届世界空间科学大会上，中国月球探测首席科学家欧阳自远院士作报告称："嫦娥一号"所担负的四大科学任务的卫星有效载荷均已交付。它们共七种，分别是用于月球表面三维影像探测的CCD相机和激光高度计，用于月表化学元素与物质探测的成像光谱仪和伽马/X射线谱仪，用于月壤

2006年7月21日，中国科学院院士、中国月球探测计划首席科学家欧阳自远在第36届世界空间科学大会上作题为《中国探月计划》的科普报告。（陈建力/摄，图片来源：新华社）

特性探测的微波辐射计和用于地月空间环境探测的太阳高能粒子探测器和太阳风粒子探测器。

欧阳院士还特别提到，“嫦娥一号”卫星的发射是一件很不容易的事情：“我们发射的轨道设计是从西昌发射，卫星要有一个非常确切的位置进入月球。一个月推算下来只有一天的时间，而这一天当中只有35分钟是允许发射的，称为发射窗口。也就是说一个月里只有35分钟都对得上，才是最合理的位置。可是，万一这一天刮风、下雨、打雷，发射不了，就得再等一个月，所以这是很艰难的事情。后来搞轨道的同志想办法，提前两天发射，找到一个好的气候，发射上去。不是早两天吗，那就让卫星绕地球转两天，然后再走。这样的话，要达到要求，沿途都要测控，要校正位置……”

有理由说，不管是“2007年内”，还是“2007年4月底”，“嫦娥一号”升空的时刻已经指日可待。

据近日报载，"嫦娥一号"卫星可于2007年2月出厂，此后便处于待命发射状态。

窃以为，这一天更可能是在4月间。印度已经宣布在2007年9月发射第一颗月球探测卫星。作为世界上人口最多、近十几年来又都在经济上迅猛崛起的两个亚洲大国，印度之象总在鱼不惊水不跳地暗暗发力，已有某种焦虑的中国龙，至少在太空领域里决不会甘于落在大象之后。

可以预料，当这一天来临时，"嫦娥奔月"将是国内众多媒体上最豪情、最诗意、最频频叠出的字眼。而且，"探月"与"登月"也似乎只有一步之遥，月球仿佛成了中国人的囊中之物。

"嫦娥一号"的升空，很容易变成飘扬在这个满是欲望和迷茫、喧哗与躁动的时代之上的又一面华美旗幡。

盛世钟声，盛世工程，盛世大典，盛世修史……

大约从20世纪末开始，很有一批文化人、伪文化人热衷于到处标签"盛世"，唯恐国人身处福中不知福，忘了眼下正恭逢一个如文景、贞观、开元、康乾那般的河清海晏、百兽率舞的年代。

而这些年代到底"盛"得如何，他们是不会去较劲追索的。与趁夜色在城市各处张贴被称作"牛皮癣"小广告的人们一样，他们大抵也是受某种利益驱动的。不过与后者必须偷偷摸摸、窃窃私语不同，他们却可以光明正大，调高八度。当"嫦娥一号"顺利上天之后，他们更有理由如趋狂澜，如饮狂药，掀起再一轮"盛世"的大合唱！

在采访邹永廖时，他对我说："你千万不要写在探月工程中我国如何如何'国际先进'一类的话。"

也许是因为当下诚信的缺失，已经到了连"博士""博导""美女""处女"都可以在流水线上大把制造的地步，他的这句话给我留下了十分深刻的印象，我并视之为贯穿本书写作中一个神圣的嘱托。

无疑，在月球探测工程上，我国现有的"长征"系列运载火箭已具备了发射卫星的能力。但是，以运载能力为例，美国、日本、俄罗斯和欧洲航天局运载火箭的运载能力都超过了我国，其中最大的推力达到了26～27吨。而我们的火箭能够送到月球的重量，包括燃料在内，不超过4吨。要想实现载人登月，首先必须保证人能够安全返回，人才是第一位的。为了这一目标，登月时不仅要带上发射时用的东西，还要带返回时用的东西，在当今的技术条件下，这些东西加起来重量起码在30吨以上。

虽然“长征”系列运载火箭的发射成功率超过了90%，但是该系列12种型号的运载火箭只进行了70多次的发射，平均每种运载火箭六次左右，发射次数还太少。而且，目前“长征”系列运载火箭使用的助推剂是四氧化氮和偏二甲肼，这些推进剂有一定的腐蚀性和毒性，不利于环境保护，国外现在都已经开始使用氢氧、煤油等清洁助推剂。因此，运载火箭的运载能力、可靠性和环保指标等问题，都将有可能影响到中国航天事业的国际竞争力。

在研制卫星及卫星轨道的设计上，我国已取得了丰富的技术积累和经验。在此次“嫦娥一号”奔月过程中，必须进行2~3次的轨道修正，以及时观察卫星的轨道运转情况，如有差异就得马上修正。其中最为关键的是，当卫星进入月球引力区时，要对卫星进行适时“刹车”，避免被月球引力捕获。倘若“刹车”晚了就得撞到月球上去，而“刹车”早了则会飘向太空。这是一项非常核心的技术。经过反复的设计与核算，我国科学家突破了这项技术难题。

然而，载人飞船与卫星不可同日而语。前者在功能要求、可靠性、技术等诸多方面，都与后者有着巨大的差别，我国在这方面尚无技术积累，经验亦无从谈起。像一张巨幅白纸一样摆在中国科学家和工程技术人员面前的还有，宇航员出舱技术、宇航员在月球表面暴露活动技术、指令舱与登月舱的交会对接技术，这其中也涉及方方面面的大量难题需要解决。

此外，还有专家认为，与将卫星送上月球比起来，更困难的是精确测控技术和数据通信技术。我国现有的测控网是为地球卫星设计的，测控距离和测控精度离月球探测尤其载人登月还有很大的距离。

飞往月球的卫星要与地面联系，并受地面控制，同时反馈回信息。地球大约24小时自转一圈，同时月亮27天左右绕地球公转一周。而我国的国土所覆盖的时区有限，当我国国土所在的那部分地球表面转到背向月球方向时，将无法观测到卫星。当卫星运行到月球的背面时，地面上也将无法向其发送指令，收不到它发回的信号。还有，地月间38万余公里的距离，即使是无线电波也要走一秒多钟，对卫星的测控必然会出现时间上的延迟。倘若不能保证及时有效的数据上传和下载速率，卫星即使发射成功，也极有可能传不回信息，甚至会失去控制，成为一个飘浮在太空里的废物。

这便是让国际航天界都感到头疼的“遥测瓶颈”。

为了突破这一瓶颈，美国人大动干戈，不计血本，在全球建了三座测控站，除了设在本土加利福尼亚州的一座，还在澳大利亚的堪培拉和西班牙的马德里各建一座，每一座相隔120度，以保证总有一个站能观测到卫星。此外，美国还有数座直径为70米、36米和26米的接收天线，已经具备了探测太阳系的能力。

相比之下，在此次“嫦娥一号”绕月飞行中，我国已在原来用于测控地球卫星和载人航天的USB系统外，再增加了一个名为VLBI的测控系统，该系统主要由新建的上海和乌鲁木齐25米的天线，新建的北京密云50米的天线和云南昆明40米的天线组成。后两个天线是目前我国最大的天线。即使如此，所能观测到的卫星的时间一天里大概只有6～8个小时。为了实现一天24小时观测，还得与国际联合起来，利用别国的天线共同连接以测定其位置。

从1969年7月16日“阿波罗11号”登上月球算起，到绝对体现了中国人迈向深太空领域并决心拥有一席之地的“嫦娥一号”卫星发射，已经过去了38年。

恰如毛泽东1965年重上井冈山时所叹：“三十八年过去，弹指一挥间！”38年前，美国人的脚踩在了月球上。38年后，美国人的心目中，虽然阿姆斯特朗的那一小步是人类历史上最富激情与勇气的一大步，并将成为人类史诗的高亢一节，但是高科技云锦般的光芒，翻开了后冷战时代崭新的一页。“阿波罗计划”中所用过的全部飞船、火箭以及所有的技术，现在几乎都过时了，一切都得重新开始。

美国将下一轮载人登月的时间表定在了2018年。

有国人肯定惊讶：照着“阿波罗”的路子走下去就行了，美国人真是吃饱了撑的。

坐牛车可以到罗马，坐火车可以到罗马，乘飞机可以到罗马。

坐牛车到的，只是一辈子老脸上风光了一回；坐火车到的，开始与这个城市有了皮毛的接触；乘飞机来的，则肯定如榫头一样打了进去，多少还有将罗马当作自家后花园的意思。

当意识形态的高烧谵语渐渐退去，各自的实际利益与客观可能像动脉、静脉一样决定着一个国家的手足行止时，中国人过去所熟悉的“大跃进”式的赶超，便成了一盒潮湿了划不着的火柴，一块落在地上再也拾不起来的豆腐。在中国的探月计划公布于世之后，美国、欧洲、俄罗斯、日本、印度等国，也纷纷抛出了各自的月球计划。从中你会发现，尽管每个国家的工作进程非常相似，追尾颇紧，但在真正登月上，这些国家的时间表都排在了美国之后。

对于国人关注的载人登月问题，欧阳自远在第36届世界空间科学大会上所作的报告中说——

在今后的十年之内，世界上没有任何一个国家有能力载人登月，这就是现实……

我们中国一次也没有上去过，哪能那么快就能载人登月？

遑论登月，就是在探月阶段，从第一期的卫星绕月探测，到第二期的月球车软着陆以精细地探测某一区域，中国已经落后于美国、欧洲、俄罗斯与日本。

最近的一个例子是，2006年9月3日，经过绕月飞行2 000多圈，圆满完成各项探测任务后，欧洲航天局三年前发射的月球探测器"智能1号"，以每秒两公里的速度，及与月球表面几乎平行的1度角，在月球上被称为"完美之湖"的火山岩坑着陆。由于这一撞击过程与石片在水面上打水漂相似，英国《泰晤士报》评论说，这次撞击过程是人类历史上迄今最大的一次"打水漂"游戏。"智能1号"以身"殉职"的这最后一撞，为的是在月球表面"撞"出高达19公里的尘埃，以利天文学家们对月球表面物质作进一步的观测研究。

第三期工程是用小型采样返回舱采回月球样品，美国、俄罗斯在这方面亦取得了相当成果，而中国要进入第三期工程并完成它，怎么样也得花上十几年的工夫。

而且，至今，无人驾驶的探测器已经访遍了太阳系里的八大行星及它们的一些卫星，还有"先锋10号"向着太阳系的边缘一往无前、视死如归地飞去。除了在探月上中国人正在奋起直追外，在其他方面还都是空白。

再有，即使在浅太空的地球轨道上，在已有的800多颗卫星里（其中用于军事、间谍目的的占到了70%以上），美国就拥有400多颗，比其他国家拥有数量的总和还多。俄罗斯有80多颗，中国发射的还不到40颗，几乎与日本相当。

此外，中国还没有航天飞机，没有空间站。可以比较的是，美国将在2014年前首次发射新一代太空飞船。旧有的"奋进号""发现号""亚特兰蒂斯号"三架航天飞机，已决定在2010年前退役。在此之前，它们会总共进行16次发射升空，以全部完成国际空间站的运输、装配任务。该空间站正是为着日后美国再次登月与探索火星服务。

在我最后修订本文的日子里，又闻美国航天局官员透露，美国计划于2020年开始向月球小规模移民。首批移民月球的地球人将以宇航员为主，在靠近月球南极的地区定居，他们将试着基本上做到在那片荒寒之地自立生活，至少要过上几个星期。直到能源和其他供给适合的时候，再向那里派遣可能的永久居民。

国人实在没有将"嫦娥一号"发射成功当成一面华美的旗幡高高摇在头上的道理。

我们的欣慰应该远多于豪情，这份欣慰就是，在人类活动的领域又一次向太空拓展的节骨眼上，中国没有像前两次那样耽误太多的工夫，总算挤进了国际太空俱乐部。

我们内心的清醒与焦灼，更须一扫外在的骄浮之气。

世界著名黑洞研究者、英国科学家斯蒂文·霍金最近指出，地球目前面临着许多意外的危险，如自然灾害、全球变暖、核战争、遗传变异病毒等人类目前还不知道的其他危险，这使得人类的灭亡可能是相当突然的。

英国的另一位著名科学家克里斯宾·基希尔也支持霍金的观点。他认为，仅仅由于全球气候变化，200年后地球上将只剩下23亿人口。

整日坐在轮椅上、全身只有眼皮可以动弹的霍金，脑力却是可以穿透水泥墙和钢板的核弹头。他预测：解决上述问题的主要办法是尽快开发太阳系的其他星球。人类20年后可能会在月球建立永久基地，未来40年内将在火星上建立移民地……

倘若一切真如两位英国科学家所预料的那样，50年后的中国会怎样，200年后的中国又会怎样呢？

现在不好说。好说的只是，在世界民族之林中，历史不可能再让一个无视或延误了向太空拓展的大国有机会站起来。

中国社会的现代化转型和中国的月球探测事业一样，日后还有艰难、曲折的道路要走。在这条道路上所需要的不是气馁者、沮丧者，更不是空谈者、骄奢者，而只能是风集影从却又不嚣行色的实干者。

他们身上能体现理性意识是一个民族最为可贵的品质。在一个民族的发展进程中，多少非理性的泡沫都是昙花一现，终归还是要回到理性的轨道。

同时，他们还表现了自己身上一种最可贵的品质，那就是沉静。尽管这份沉静常常只是像一次次在无名僻壤的道路上举行的漫长、艰难的长跑，而不是在欢呼的人群面前进行的激动人心的冲刺。但这份沉静是有力量的，它就像润物无声的水，滴水穿石的水，造就千姿百态的钟乳石的水，默默地改变着世界。

在中国这列理性和沉静的队列里，毋庸置疑的有栾恩杰、孙家振和本书的主人公欧阳自远及其团队的人们。

在2004年，一位记者采访欧阳自远：“完成绕月计划后，那一年您多大年纪？”

欧阳自远：“我大概72岁。”

记者又问：“第二期如果做出来的话，这个时间会到什么时候？”

欧阳自远：“第二期做出来，我大概77、78岁。”

记者：“我估计做完了第二期，您还会考虑第三期？”

欧阳自远：“是的。第三期，包括以后的载人登月，可能都得在我80岁以前要设计好。这是我的责任，我要把它准备好，尽自己的能力去做好这件事情。除了老天格外施恩，我很难看到中国人登上月球了，但我可以让后人在我的肩膀上走得更顺当、更好……”

此外，中国的火星探测现在正在作规划。欧阳自远估计，在2010年前后，中国可以进行首次火星探测。

1935年农历十月初九。南方的早上已经有些凉意了，可处在罗宵山山脉怀抱里的吉安，秋阳似洒。河水两岸，松树、柏树和香樟依然一派苍翠，满山的油茶树正是花开季节，雪白的茶花开得素净而又含蓄，仿佛藏有一个不小的秘密，尚不想现在就告诉世人。

这一天，县城里一户人家就要添丁了，年轻的母亲难产，已经痛了一天一夜。最后接生的医生动用了产钳，孩子被钳了出来，随着“哇”的一声啼哭，是个胖乎乎的男孩。其时，正在侧房里念书的舅舅正念到《论语》中“有朋自远方来，不亦乐乎”，舅舅当即对家人说，这孩子出生这么艰难，肯定是来自很远的地方，就叫他“自远”吧！

我记得“二战”后担任法国总统的戴高乐先生讲过这么一句话：世界上什么人能够堪称伟大？就是那些能在成年后实现自己童年梦想的人。

（选自2007年第2期《中国作家·纪实》，有删节，作者：胡平）

中国式收藏闹剧

新闻媒体联手上演鉴宝大戏、拍卖公司变身魔幻大师、文物成了送礼就送的“脑白金”，全民藏宝已然成为一场数千万人参与的“愚人节”游戏……这些今古奇观，构成一场“国宝闹剧”的华彩乐章。在这场闹剧中，人被充分物化，神圣的法律精神也无奈地遭受阉割……

鉴宝！鉴宝！！

2005年5月14日，央视《鉴宝》栏目正在播放。

已故中国当代著名书画家吴作人家里，一阵急促的电话铃声惊扰了坐在客厅里闭目养神的老人。

吴老的太太——著名书画家萧淑芳女士接过家人递上的话筒。

“喂，萧老师，央视《鉴宝》栏目正在播吴先生的一幅画，您看看是不是先生的原作？”对方是她的关门弟子、辽宁职业画家曲赫东。

萧老打开电视机，正好赶上那幅画的特写：画名《牧牛图》，署名吴作人。画面拉开，“持宝人”介绍自己花三万块钱买到这幅画的经过、自报价……三位“赏宝人”估价……

“无聊……”老人嘀咕了一句，打着哈欠倒靠在沙发上睡着了，毕竟是90多岁的人了。

电视画面里的情节在继续，到了专家论宝定价的环节。发言者是一位资深书画鉴定家，他点评说：“我认为这件东西是真的。吴作人先生的那种水墨写意的真假呢，就是要看它在这方面的功力怎么样，当然另外再从它的那个款子来看，写的是齐奋进，是篆字，他的篆字写得好，主要是学金文的，从功力上就可以看出真假来。他的几个印章呢，也是常用的，一对就对上了，那么至于价格问题呢……我定的是25万,（问持宝人）不知道你满意不满意？”

电话铃声又响起，再次将萧老从梦中惊醒，老人拿起话筒还没回过神：“作人……你是谁？”刚刚还在一起谈笑风生、挥毫作画的老伴被铃声从梦中赶走了。

“该死的电话！”老人在心里骂了一句。这回打电话来的是她的女婿、吴作人国际美术基金会法人代表商玉生。

“妈，你看过《鉴宝》了吗？”

“看了，那幅画不是真的……”不待女婿回话，萧老就挂断电话回卧室睡觉了，她要继续去寻找离去的丈夫，寻找那忽远忽近的蜜月，重温那些令他们挥洒艺术灵感的蹉跎岁月……什么破画？铜臭……

几天后，网上关于《鉴宝》栏目给署名吴作人的假画《牧牛图》定价25万的报道迅速叠加。《鉴宝》节目组、那位当事鉴定专家，还有已故画家吴作人的家里电话不断。

记者为尽量多听听各方面的说辞，接通了当日在央视《鉴宝》栏目中为王凤云收藏的吴作人《牧牛图》轴作专家鉴定和评述的某专家的电话：

记者：“……有人认为您在央视《鉴宝》节目中认定的《牧牛图》不是吴作人先生原作？”

专家：（情绪有些激动地）“我在节目中都说了，他看了没有？他不同意，你叫他说出道理来，他不同意我的意见，他的理由是什么？”

记者：“他们从特写画面上看，觉得这幅画从风格、笔法、提款等方面，都和吴作人先生其他的作品有明显区别……”

专家：“他知道吴作人是什么风格？”

记者：“他是吴作人先生的夫人萧淑芳女士的关门弟子。”

专家：“萧淑芳的弟子不等于吴作人的弟子，萧淑芳有萧淑芳的画法，吴作人有吴作人的画法……对不起，我还有事，欢迎你当面辩论！”（挂断电话）

几天后，面对此次事件所引起的轩然大波，吴作人的女婿商玉生代表家人接受了媒体采访，公开表达了他们的看法：“吴作人国画风格素有‘大写意’之称，以大的笔法和大的笔触勾勒出豪放的气势，画作讲究笔墨韵味，浓淡相破。而《鉴宝》

各执一“瓷” 图/蒋跃新 新华社发

节目中的《牧牛图》笔法拘谨，用墨草率，韵味不足。除此之外，落款用笔软弱、印章粗糙、画作尺寸过大……”同时，他和曲赫东一致认为：此画是有人将吴作人的两幅画作的内容拼接仿画而成。

最后，商玉生对相关当事人一概表示谅解。他说：“卖画者可能要急于用钱，大大低估了吴作人画作的价格，买画者上当受骗是受害者，专家看画有误也可以理解。《鉴宝》作为一档弘扬国家古典文化的节目，只是提供了一个展示平台，让他们对每一件作品都作出100％正确的鉴定是不可能的……”

吴家的宽容并未能平息网友们的愤怒，《牧牛图》事件后，有关各地电视鉴宝的“丑闻”接二连三地被连带曝光，仅浏览一下这些文章的标题便可以体会到人们对此类节目的情绪：什么《专家鉴宝，老千变大千》（指张大千画作赝品）《谁养肥了徐悲鸿的瘦马》；什么《刚出窑的烫手山芋被认作宋代名瓷》《现仿‘古玉’专家估价百万》……

热热闹闹的口诛笔伐，看起来似乎言之凿凿、大义凛然，可是明眼人只要将这些言论稍事过脑，便不难发现，那些义愤填膺的“正义之师”多半也都是一些利益相关的圈内人。他们有的分属各类门派，专挑对方的漏洞进行攻击；有的虽属散兵游勇，可也是家藏万宝、待价而沽，打击别人，往往有抬高自己的特殊功效。

几千万淘宝人，几万万件“国宝”，这是一个何等巨大的“超级市场”？从受骗到骗人，从“棒槌”到专家，“捡漏儿”“打眼”、发财、破产……在这个“超级市场”里，人们不断地调整着自身角色，目的只有一个：赚钱！要赚钱就有尔虞我诈，要赚钱就有你“死”我“活”。在这种情形下，你电视台搅和进来不是添乱、添堵了吗？你永远都会得罪“大多数”，挨骂也是预料之中的事。

当然，电视台也并不是什么慈善机构，办栏目图的是收视率，有收视率才有广告，有广告才有生存空间。所以，借用前几年一句口头禅：“理解万岁！”

为了将这一场混战理出头绪，记者对观众的意见进行了一番归纳，发现人们对电视鉴宝栏目最大的意见有二：一是专家们对文物真伪之辨有误；二是对文物价格的认定存在“徇私舞弊”现象。对于前一条意见，很难说得清，因为目前我们的文物鉴定还没有比专家的“眼学”更加权威的方法。至于第二条意见，绝非空穴来风，其中被媒体公开曝光的只是少数，更多的是在圈子内传作笑谈。如某金石专家以别人的名义将自藏的田黄冻印石拿到鉴宝节目现场估出高价，某陶瓷专家将朋友家的一件清代仿品当作成化本朝斗彩估出高价……

记者曾打听过中央电视台《鉴宝》栏目的操作方式，从形式上并没有发现什么漏洞，对观众自荐的宝物都需经过专家团集体鉴定再上镜做节目。但是尽管如此，偶尔出现一些差错也在所难免。至于一些地方电视台播出的鉴宝类节目，问题就更多了，记者曾亲自了解了几例：

某电视台有一期《鉴宝》节目，曾推出过一件少数民族的清代刺绣藏品，被现场专家定出十几万元高价，有人在网上提出质疑。碰巧记者的一个朋友是那位专家的学生，知道一点内幕，她笑嘻嘻地告诉记者，那件刺绣正是老师自己的收藏品，委托单位食堂的一位大师傅拿去《鉴宝》现场，然后再由以她自己为主的专家组鉴定，给出公开价格。在此，记者没有能力判断那件藏品近10万元的估价是否合理，也无意非难一档品位不错的电视栏目，只是觉得专家们借助一档大型专业栏目为自己的藏品打广告，似乎多少有些失德之嫌。

又一日，某藏友兴冲冲地告诉我，他那只北宋定窑划花大碗本周将现身某电视台的鉴宝节目。我见过他那只大碗，看起来显旧，摸起来划手，闻起来有较浓的酸味儿，明显是一件中档仿品而已。“不可能吧，你吹牛？要不就是当反面教材，砸掉！”我说。

“我就知道您不信我，等着瞧！我还告诉您，有人许诺，只要电视鉴宝认了，他就买！”朋友十分得意地说。

几天后，朋友那只花200元钱在潘家园地摊上购买的“北宋官字款定窑大碗”，还真的现身荧屏，专家们给出的估价是38万元人民币。跟着，朋友如愿以偿，将这只碗连同有专家评委集体签名的鉴定证书，以10万元人民币的价格卖给了下家。我向朋友了解内幕，他诡异地说：“无可奉告！但是如果您的东西也想上电视，兄弟倒是愿意帮忙，收3 000块钱的辛苦费就成！”

还有一次，记者闲逛北京古玩城，在一家古玩店里发现两三件非常眼熟的宋代耀州窑青釉瓷器，便过去询问价格。一般说来，在潘家园买古玩，还价幅度在50%～70%，在古玩店买古玩的还价幅度最少也有30%左右，可这家店的主人摆出一副皇帝女儿不愁嫁的面孔，对价格不屑为谈。我十分奇怪，便巧言相套，最后得知：店主之所以如此之“牛”，是因为他店里的物件大多都是上过某电视台的“鉴宝”节目，由专家鉴宝定过价的。而且，他还暗示我，这些东西本来就是那几位鉴定专家自己的藏品。哦，难怪我一进门就觉得这些尤物那么眼熟，原来是在电视上看过！

2006年，记者的一位藏友花三万块钱买了一只康熙墨地五彩捧盒，拿到某电视台举办的《寻宝》现场，请一位有副研究员职称的专家帮他鉴定。专家经过一番甄别后得出结论：“你买了一件高仿品！”

一个工薪族，花三万块钱买了件假货，当然令藏友非常沮丧，且不说接连数日茶饭不思，单媳妇儿那没完没了的埋怨就叫他真有挥拳“打眼”之心。

一个礼拜后，事情忽然又有了转机：一位买主找上门来，说是知道他有一件高仿康熙年捧盒，想买去作送礼用。于是经过一番讨价还价，最后以一万五千元成交，朋友虽说一进一出还赔了一万五，可毕竟挽回了一半损失，心情轻松了许多，只是好长时间不敢出门认东西买货。

没想到半年以后，这件高仿品竟然出现在一家拍卖公司的预展厅，估价28万～32万人民币。朋友是个本分人，总觉得赝品上拍与他脱不了干系，便找到这家拍卖公司的管事者，告诉他这件东西经过专家鉴定是仿品，并建议将它撤展，可是管事的却向他出示了一份专家鉴定证书，上面明白无误地写着专家鉴定意见：“胎体厚重、器型周正、黑彩如漆……经鉴定为康熙年珍品。”再一看专家签名，正是那位副研究员。朋友气得浑身哆嗦，打电话过去发誓要跟他法庭上见。

当天晚上，那个出面的买主请那位藏友喝茶，并许诺将拍出的钱跟他平半分……诸如此类，举不胜举。只要你随便用哪家引擎打上“专家鉴宝”几个字，立马就可以搜索到大量这方面的信息。

如果说专家评委的失德行为是导致观众“炮轰”电视鉴宝节目的导火索，那么一些鉴宝节目制作单位为追求“轰动效应”而对节目进行的不当策划和失去理性的“恶搞”，则无可救药地陷自己于不义。有的电视台纯粹把此档节目视作娱乐秀，请一些对文物常识一无所知的各路明星临场指鹿为马、打情骂俏；有的电视台为降低制作成本，索性就让一些普通收藏者拎了自家藏品，顶替专家出场，真假专家与真假文物混为一谈，与其说是“鉴宝”，倒不如说是“耍活宝”、上演猴戏。还有一家号称是收藏专业频道的节目，几乎每天都将一些五花八门的赝品标上卖价，反复播放，与潘家园里那些叫卖假文物的摊贩没什么两样。身为国家新闻单位，本应当抑恶扬善、去伪存真，为了创收竟然堕落到如此地步，实在是辱没斯文，难怪常常被观众骂作“要钱不要脸”。

在采访过程中，记者也听到一些有良知的文物专家对此类电视“鉴宝”活动颇多反感。北京一位著名的文物鉴定专家向记者爆料：“一家著名的电视台请我去他们的收藏节目做嘉宾，但是去之前他们告诉我，有件东西估价的时候必须得说上11万。我看了看他们那件东西，最多也就值三五万，便拒绝了他们。可是他们却说不就是做做节目造造气氛找个乐，何必那么认真呢？我说，玩假的没意思，我不去。之后，他们再也不来找我。我呢，也乐得独善其身，不去参与这档子无聊的游戏！”

还有一位不愿透露姓名的书画鉴定家向记者透露，他在参加南方某地方电视台的一档鉴宝节目时，曾目睹另一位评委委托别人将自己所购买的一幅临摹郑板桥画竹真迹的假画夹带参评，并以专家团的名义给估价500万元。他说，此类现象绝不在少数，所以现在许多心存良知的专家一般都不太愿意出席一些媒体举办的鉴宝活动，免得替人作嫁、代人受过。

上海博物馆副馆长陈克伦在接受记者采访时，气愤地说：“现在某些鉴宝节目在观众中反响热烈，但是在业内却是骂声一片。上博就有铁的纪律，绝对不允许我们的专家参加这样的电视节目！”他还直言不讳地对某档节目进行了批评，“最近某档上星鉴宝节目搞的内蒙古专场，引发了无知观众的挖宝热，这对文物保护来说绝对是一场灾难。我建议这类节目应该全部停播，给那些真正的藏家和观众一个干净的荧屏空间！”

电视台开办鉴宝节目，本来是无可厚非的。就拿央视《鉴宝》和北京电视台的《天下收藏》这两档目前影响最大的电视鉴宝栏目来说吧，它们创办宗旨明确，一个以“巨无霸”的强势规模，大张旗鼓地在全国搜寻“国宝”，推荐精品。一个利用得天独厚的“皇城根儿”地域优势，护宝打假，去伪存真。在专家资源上，两者同样各具优势，一个网罗国内博物馆界的权威专家，一个纠集圈内人所敬仰的文物收藏大家和经纪人。从栏目的整体定位上看，尽管后者带有较强的娱乐色彩，不如前者那么“正统”，而且有些做法也曾受到舆论的激烈批评，但无论从文化含量或悦众性上，它与前者均难分伯仲。尤其是每一期节目结束时，主持人王刚手持“护宝锤”砸烂赝品，锤声刚落，喊声即起：“去伪——存真！”砸得痛快，喊得嚣张，有几分过瘾！

一面是收视率奇高，一面是骂声不绝于耳，又爱看，看了又要骂，有人对电视鉴宝节目这种奇特的收视现象大惑不解。其实道理很简单，在所有的电视鉴宝节目中，最刺激、最让人感兴趣的环节有两部分：一是辨别所呈“宝物”的真伪及文化品位，二是给“宝物”估价。但是，也正是在这两个重要环节上，恰恰容易产生不容忽视的负面效应。这里所说的负面效应主要是指专家对宝物（实际上很多都是文物）的价值判断过分迁就市场，也就是说，一件宝物能卖多少钱决定了它的全部价值。这样做，不但从文化上颠覆了文物自身的价值体系，而且导致了受众在收藏理念上陷入误区。比方说，一件新石器时代的彩陶器与一件清代官窑瓷器相比较，从文化含量上显然是前者占有绝对优势，但从目前的市场价格上讲，前者却是自愧弗如，远在后者之下。换句话讲，市场价值远高于历史文化价值。

我们可以设想一下，倘若专家们不去理会现阶段拍卖公司的价值体系，而是坚持文物的历史价值和文化价值在先的导向，会不会对目前我国文物市场上的庸俗价值观有所拨乱反正呢？况且，如果专家们能够依据文物的历史文化价值估价，即便与当前的市场价格相悖，岂不更显示出专家品位高雅、眼光独到，并非都是“琉璃厂的小伙计”之辈吗？况且，明眼人谁都知道专家的估价是没什么实际意义的一块“画饼”，你又何苦拉市场大旗作文物虎皮，把“CS”（网络反恐游戏）当真正的世界大战来玩呢？

无须讳言，近年来，众多媒体对文物市场的过度炒作，以及重市场、轻文化的庸俗倾向，无疑对我国文物收藏界舍本求末的畸形心态和文物市场非理性的无序发展以及文物赝品泛滥成灾等恶弊，起到了推波助澜的作用。我们时常可以看到：这些拥有巨大受众群的媒体，策动一些国家级有头有脸、有名有实的文物专家公开坐台鉴定，他们大多对收藏文化缄口不提，只对藏品的所谓“市场价值”津津乐道。在他们的金手指点下，一批批动辄几十几百万，甚至上千万的“国宝”频频横空出世，关于藏品的来历，持宝人不是声称朋友捡的“漏儿”就是自个儿淘的宝，让人感觉这古玩市场“满城尽是黄金甲”！看得电视机前千千万万的观众坐立不安，大款儿去拍卖公司买宝，小款儿去潘家园淘宝，有权有势的向求事人索宝，没权没钱的去盗墓挖宝。

从另一个侧面看：2006年，中国官方向世界银行确认，中国人均国民收入达到1 740美元。就算不吃不喝，一万多元人民币又够买几件真正的“古董”？由此可见，从事“艺术品投资”对于一般中国老百姓来讲，还是一种极其奢侈、风险很大的赌注，在这面金色的旗帜下，掖着藏着的是精神和物质两方面的潜在危机。如果央视2007年公布的关于我国现有艺术品收藏者人数7 000万的数据可信，那么，今天的中华人民共和国就有5.4%的公民已成为战斗在淘宝一线的“梦中人”，而且这个兵团的人数仍在剧增，他们都笼罩在一个传说能够让人“一夜暴富”的巨大肥皂泡里，一旦这个肥皂泡被捅破，其后会发生什么？既然如此，我们的新闻媒体除开“鉴宝”之外，还应该做些什么事呢？

拍卖！拍卖！！

一方面是一些文物鉴定专家大跌眼镜、真假难辨，另一方面又有大量的赝品和仿品充斥市场。可让人不解的是：处在文物市场中心的中国拍卖业却似乎总能够独善其身，大发其财。自20世纪90年代初开始，中国的拍卖公司从最初的几家发展到如今的几千家，成交额也是芝麻开花节节高。仅以国内两家最大的拍卖公司嘉德、翰海为例，1993年成立之初，两家拍卖公司一年的总成交额不到一亿人民币。而到了2007年，单中国嘉德一家全年大小拍卖达60余场次，总成交额为17.3亿元人民币。北京翰海全年大小拍卖52场次，总成交额为11.5亿人民币。同年，中国拍卖业共举办包括文物在内的艺术品专场拍卖771场(次)，总成交额超过6 000多亿人民币。

有人将中国的拍卖公司比作一只刚刚开屏的金孔雀，一面是金光灿灿、五彩缤纷、光鲜诱人的羽屏，另一面却藏掖着各类资本市场通见的黑暗与丑陋。我们不妨暂且避开熙熙攘攘的人群，用更加理智与冷静的眼光去审视一番这只金孔雀身后的动静。

史国良：“阿弥陀佛，那不是我的画！”

有一则笑话，说的是亚当出伊甸园之前曾经问过上帝：“主啊，我去人世间最不能做的事是什么？”上帝斩钉截铁地回答他：“你最应该避免的事就是与拍卖公司打官司！”亚当又问：“为什么？”上帝沮丧地回答：“因为连我都战胜不了它！”没人知道后来亚当究竟有没有去拍卖公司拍卖过夏娃的第一条裙子或别的什么东西，也没人知道亚当有没有去拍卖公司竞买过施瓦辛格的健肌膏，但是，几乎所有人都可以肯定的是：亚当绝对没有跟拍卖公司打过官司。

虽然在法院看不到上帝之子与拍卖公司打官司的纪录，但是佛子状告拍卖公司的官司却有案可查。

史国良，法号释慧禅，当代中国画僧的再传人、国家一级美术师、中央美院及首都师大美术系客座教授，1995年在美国西来寺披剃出家，现定居北京。史国良的作品《刻经》曾荣获第23届蒙特可罗国际现代艺术大赛奖、联合国教科文组织大奖，为此又受到中华人民共和国文化部荣誉嘉奖。他的画风以写实手法，反映时代生活为主，功底扎实，笔墨厚重，是中国人物画坛写实画派的重量级画家。

2006年7月27日前后，史国良从一家艺术网上了解到，有三幅署名史国良的作品出现在北京传是拍卖公司举行的预展大厅内。既然自己没有将画委托给那家拍卖公司，那些画究竟是什么来历呢？

史国良随即来到拍卖公司预展厅，对那三幅落款自己名字的画仔细进行辨认，确认其中只有一幅画是自己的真迹，另外两幅分别命名为《搓线图》和《傣家三月》的画则并非出自自己之手，是假画。于是，他致电传是公司，要求撤拍这两幅假画，但遭到拍卖公司的拒绝。

8月20日，这两幅被史国良要求撤下的假画如期登堂拍卖会，并拍卖成功。事后，史国良将传是公司告上法庭，索赔一元，并要求道歉。12月11日，在北京市第二中级人民法院的调解下，史国良与传是拍卖公司达成协议，传是拍卖公司承认自己的拍卖行为给史国良先生造成不良影响，同意登报道歉。事后，为了维护自己的正当权益，史大师只得腾出时间开了个人官方网站，其中设有“中国艺术品认证系统”专栏，对自己流传于外的署名作品进行网上查询与甄别。同年，在雅昌艺术网举办的“2006艺术中国年度影响力”的活动中，史国良开博打假被评为年度艺术事件。

史国良接受记者采访时说：“这样的事情（拍卖假画）绝不止发生一两次，许多时候，有人拿着高价拍来的假画找我鉴定真伪，我看到是假的，说出来真是于心不忍。一个僧人，本应看淡这些，但是对于这些假画，还有这样的拍卖公司，除开自己维权，实在找不到更好的办法。”

搞笑的是：对冒名顶替史国良作画牟利的“李鬼”人们习以为常，表现出高度宽容的态度。对拍卖公司收假拍假，大家也见怪不怪，没人出面声讨、指责。但是，作为受害者的史国良出面打假，却招致一片非难。史国良开办个人官方网站，公开声明打假维权的意向后，马上就有人在网上公开发帖，辱骂史国良是“假和尚”、“披着袈裟的势利画商”，并且劝诫画僧要“慈悲为怀，普度众生”，允许“劳苦大众”利用他的名义“挣钱养家”。更有甚者，还有人干脆公开复制大师的作品在网上叫卖，谎称此举是“经过大师授权”的“慈善活动”。对此，画家十分无奈，虽说是“苦海无边”，可无人上岸。哪怕是“佛法无边”，也难度“钱钱众生”！

杨红太：“它不是我的《打水姑娘》！”

菩萨帮不了佛子，俗人就更得不到神仙的救赎。可是，当代稍有名气的书画家，恐怕很少有人没有受到过魔鬼的垂青与眷顾。

2007年3月初的一个周末，74岁的老画家杨红太接到了朋友从新加坡打来的电话：“杨先生，您是不是又超生了一个《打水姑娘》呵？”

“您，我……这是怎么回事？”杨红太被问得莫名其妙。那位朋友告诉他：“我在北京保利公司2007年迎春拍卖会预展上，又看到了您的另一位《打水姑娘》，而且跟您卖给我的那一位《打水姑娘》长得一模一样，简直是孪生姐妹呀！”

杨红太尴尬、惊愕、愤然。自己的作品《打水姑娘》一共只画了两幅，一幅收藏于中国美术馆，另一幅就是被这位打电话的新加坡藏家买走。既然那两幅画没转卖，那么出现在保利拍卖会上的那一位《打水姑娘》又是谁家的“千金”呢？

老爷子接过电话后，立即让儿子上网查询，果然在拍卖公司的网站上看到了这幅画，标明“图录号lot978”，估价9万～10万元，与杨红太其他作品的价格相似。

在家人的陪同下，杨红太来到北京保利拍卖公司，仔细勘看了那幅画，并当场指出了此画有十多处与真品相左。面对赝品，年过古稀的杨红太怒不可遏，当着众人大声说道：“它不是我的《打水姑娘》！如果这样粗劣的作品卖出去，是对我声誉的损害！”

回家后，杨红太立即写了一份声明，要求保利拍卖公司撤拍这幅伪作，并要求彻查事情真相，是谁复制了他的《打水姑娘》。

保利拍卖公司收到声明后，依据拍卖规则以为委卖者保密为由，拒绝向杨先生提供卖方信息，而且也没有将该画撤展。因为在拍卖公司方面，经历这样的场面太多太多，而且大部分都不了了之。

杨先生被逼无奈，为了保护自身合法权益，他决定就此事向法院提出起诉。

在确认杨先生真的要采取法律行为后，拍卖方才就此事询问了这幅赝品的卖主——日本收藏家富田博。富田博回复说，这幅作品是1989年北京中央美院画廊向他推荐的，他还出示了当时购买的作品照片以及购买画作的原始发票和通过日本第一劝业银行汇款的凭证。

富田博还表示："如果杨先生指认确凿，那么中央美院画廊则存在诈骗行为，我也会采取相应的法律行为！"

同年3月10日，保利方面被迫发表声明，宣布撤拍这幅画，公开原因是"公司不会对一件有争议的作品进行拍卖"。至于《打水姑娘》究竟是真画假画的问题，保利方面仍然态度模糊。

近年来，类似以上案例的"拍卖赝品事件"不断曝光，尤其是在书画界，一些知名画家，像齐白石、张大千、徐悲鸿、吴冠中等等，盗用他们冠名的赝品每年都有上拍。健在的艺术家还好说一点，他们有时候还可以为自己多少讨回一些公道，而那些已经作古的艺术家，就只好躺在九泉之下任人宰割了。就算是他们有后代替父母喊冤，可也是死无对证呵！你说是赝品是吧？那好，谁举报谁举证，你让谁证明？你怎么证明是何人、在何地、又怎样复制了你家先人的作品？几年官司打下来，你不玩傻也得玩疯！

国家鉴定委员会前主任委员、书法大家启功先生的墨宝，生前身后都有大量的仿品。启公在世时，面对这些频繁出现在拍场的仿品，曾感叹云："实在势不可挡，我是无力抵抗呵！"最后，这位性格开朗的老人只好无奈地自我宽慰："由它去吧，其实有些（仿品）字比我自己写得要好，只是苦了那些掏钱的买主呵！"

直至今日，启公虽已作古，但他的字却依然铺天盖地，那些欺世盗名者仍在依仗老人家的声望大赚其钱。

韩美林："上拍我的画 99%是假画！"

被迫充当黑道人物摇钱树的远不止启功先生一人，其中也不乏奋起抗争为自己维权者，但是，不管当事人名气多大、道行多深，这种自我维权之路走得都十分艰难，到最后十之八九都会自动放弃。因为无论从时间、精力上，艺术家们都无法与那些制假者打持久战。

韩美林，中国当代最负盛名的画家之一，他的作品多次获得国内外专业大奖，很多国家首脑都收藏有他的作品。尤其从 2008 年北京奥运会筹备阶段开始，他的名字更是与奥运会吉祥物"福娃"联系在一起，为更多的人所熟知。"徐悲鸿的骏马、韩美林的狐猴"一直是近年来全世界华人的收藏热选。

近年来，这位当红画家真个成为不少人的"福娃"。大大小小的书画拍卖会都少不了他的画，形形色色的画廊、画社、书画店也经常用他的作品标榜门庭。可是，面对此种大家都求之不得的繁荣景象，韩美林自己却是四处喊冤、叫苦不迭。原来，几乎所有外卖的"韩美林"都是作赝品骗钱的"李鬼"，这位真正的韩美林，自然就成为那些"李鬼"们的"福娃"了。

画家韩美林先生与他 2006 年创作的巨幅作品《行云腾祥》。（郜南/摄，图片来源：新华社）

2005 年 1 月 15 日下午，在北京亚洲大酒店举办的"荣宝 2005 年迎春书画拍卖会"上，展出了署名韩美林的一幅《八骏图》，顺序号 270，尺寸为 1.4 米 ×3.5 米，起拍价为 18 万～28 万元。此画一出便引起了轰动："莫不是韩美林要抢徐悲鸿的饭碗了？"当然这只是业内人士的一种揶揄，其中包含了对这幅画的怀疑。此事很快便传入韩美林的耳朵，不待亲身去查看，他便知道又是一张“冒牌货”，道理很简单，因为他从来就没画过什么《八骏图》。

韩美林当即委托自己的律师与荣宝拍卖公司取得联系。陈律师受韩先生委托后，于1月16日向拍卖的主办方——北京荣宝拍卖有限公司发出了律师函。律师函称：“通过贵公司对外公开拍卖的预告，韩美林先生得知，贵公司将于2005年1月16日举行‘荣宝2005年迎春书画拍卖会’，其中拍品编号为270号的《八骏图》，贵公司对外宣传作者为韩美林。而经韩美林先生亲自核对，该幅作品的落款非其本人署名，是一幅假冒韩美林署名的美术作品。因此，我代表韩先生向贵公司提出：请立即撤销对《八骏图》的拍卖，停止与《八骏图》有关的一切活动，并请提供委托人（卖家）的有关信息，以便韩先生进一步主张权利。”陈律师还说：“如果荣宝拍卖公司在明知《八骏图》是假冒美术作品的情况下还投入拍卖，将构成侵犯韩美林先生的著作权。我们将保留通过向版权机关投诉和人民法院起诉的权利。”

据业内人士称，只要稍稍对韩美林的作品有些概念的人，并不难发现这幅《八骏图》是假画，因为韩美林曾画过单马，这幅假画很明显是将那只单马复制七匹加上去组成“八骏”，每一只马从形态到神态几乎没有变化。对于这样一张低劣的赝品，是怎样骗过百年老店“荣宝斋”的专家之“法眼”，实在耐人寻味。

接到律师函以后，荣宝拍卖公司虽然在正式拍卖时撤下了《八骏图》，但并不承认自己是在“卖假画”。荣宝拍卖公司副总经理对此解释说：“拍卖行为已经被提前终止，因而也谈不上拍卖行拍卖假画。”他还拒绝了韩美林要求提供假画卖家具体信息的要求，他说：“《拍卖法》有明确规定，拍卖公司有权为委托人的身份进行保密，因而我们不能超越法律规定，把相关信息提供给他人。”

对于这一假画事件，我采访了好几家拍卖公司的从业人员，他们几乎众口一词地答辩道：“从法律意义上看，拍卖行即便不把有争议的作品撤拍也没有问题。我们之所以会这么做（撤拍），就是从长远考虑，以便维护市场发展，同时也可以更好地树立公司形象！”

事后，韩美林告诉记者：“北京有家拍卖公司卖了800多张‘韩美林’，全都是假画。市场上流通的韩美林的画99%都是假的。卖假画者有冒充我妻子的、朋友的。很多人都知道韩美林不仅是个画家，还是个雕塑家、陶艺家。我们做的大雕塑都要（卖）上千万，所以根本不用卖画。”说到这里，韩美林还给记者讲了一段笑话：有一位老伯伯花费7 000元钱，买了两张假“韩美林”，然后找到他让他给鉴定真伪。“7 000块，就算买一张都买不到啊，结果还是我送了他一张真的。”韩美林笑着说，“我也有责任，因为我不卖画，别人就更难辨别了。”最令韩美林气愤的是：在他本人指证假画后，有些拍卖公司还坚持不愿意将假画撤下。有一次万般无奈，他不得不在预展会上怒不可遏地将冒充他名义的假画当众撕下，以示抗议。

韩美林对记者说，他之所以要认真打假，主要是为了维护喜爱他作品的收藏者的利益，并非像一些拍卖公司所言“作秀”，因为他并不打算卖画，也没必要“作秀”。他还透露：以后他有可能会将自己的作品全部捐献给国家。

在世画家不能定论自己画作的真伪，这话听起来挺荒唐，但却是今天中国书画市场上屡见不鲜的“正常事”。记者曾经就这一现象问询过有关人士，一位拍卖公司的书画部主任在与记者交谈中说：“画家成名都有几个阶段，在非成熟阶段画的画当然会幼稚一些，用成名后的眼光去看，当然会差强人意，甚至是不堪回首。那个阶段有人求画也基本上是有求必应，所以得到画的人自然也不在少数。成名以后，别人把这些画拿出来卖，对画家的名声和利益都会造成损害，所以画家出面否认自己的这些画作也是人之常情……”

如此说法让记者震惊。如果事实果然如此，那些艺术家对所谓“赝品”的声讨不仅是自我作秀，而且还有对别的当事人“诬陷”之嫌。为了进一步了解事情真相，记者亲临书画交易比较集中的北京琉璃厂进行暗访。

假画寻踪

被誉为“九市精华萃一衢”的北京琉璃厂，在古玩界也是声名显赫、无人不知的地方。琉璃厂坐落在北京和平门外南新华街，东西走向，长约一公里，其中商铺星聚、牌号林立。1949年以前，这里曾是清代遗老遗少和外国洋使节们买卖古玩、卖弄见闻的地儿。一直延续到20世纪中期，北京的古玩市场还只是独此一处。自从20世纪晚期以后，北京几处大的文物交易市场逐渐形成规模，像潘家园、报国寺、大钟寺，还有北京古玩城、程田古玩城、天雅古玩城等，都先后横空出世、各领风骚，与琉璃厂几分天下。这样一来，琉璃厂在古玩经营上不可避免地被人分去了几杯羹，但是尽管如此，它在北京乃至全中国、全世界“好这一口”者的眼里，仍不失为寻珍淘宝、赏玩古今中国艺术品的“正统”地带。尤其是在经营古今名家字画方面，琉璃厂至今仍无可替代地牢牢坐在第一把交椅上。

在素有琉璃厂“第一铺”的书画大亨荣宝斋门前，记者被几名衣着“土著”的年轻男女团团围住，被问及：“买不买名人字画？”

记者反问：“你们有哪位名家的什么名画？”

一小伙子抢答：“你想买谁的画我们都有！”

“闪开闪开……”此时，几位荣宝斋工作人员喝道而进，未阻止门前的闹剧。看起来，这种情形他们见得太多，早已见怪不怪了。

“齐白石的虾，你们有吗？”——“有！”

“徐悲鸿的奔马，有吗？”——“有！”

“唐朝古画、清代名人画……”——“有！有！有……”

记者跟定其中的一位，由他领入荣宝斋斜对面的一条小巷，再直着向前走了不到100米，进入右手边一家院子。

熟悉北京的人一眼就能辨认：这是一处拆除未竟的半拉子四合院，主屋没有了，只剩下两间狭小的厢房，看上去住了两三家人，拥挤不堪。不知道究竟有多少人到过这种地方，置身其中，假若你不刻意去记住外面的繁华都市，你或许会以为是到了老舍先生笔下的“龙须沟”——一条随意用青砖铺就的过道，一半浸泡在妇女们随手撒泼的洗衣水里，臭气熏天。有几个乡下女人正在洗衣服，旁边跟着她们的小孩，见我进来，大家都很羡慕地看着领我进门的“字画猎人”。

走进“字画猎人”的房间，记者大开眼界：墙上、桌上、床上，到处都挂着、摆着“名人字画”。细看落款，更让人垂涎三尺：张大千、范曾、吴冠中、韩美林……中国近现代知名画家几乎无一漏网。

记者点名要韩美林、史国良两位画家的画作。不一会儿，小伙子就从抽屉里翻出韩美林的两张马、史国良的《维吾尔姑娘》。

记者询问：“怎么让人相信你这是画家本人的真画呢？”

“那好办！”小伙子从抽屉里取出一个小本子，翻了几页答复我：“这几幅画都可以带画家与受赠者赠画现场的照片！”接着，他从一只档案袋里取出两张照片，一张是韩美林与友人共同举画的场面，另一张是画僧史国良与友人带画作的照片。

“如果您还嫌证据不充分，还可以带鉴定证书！”小伙子见我犹豫，边说边取出一份鉴定证书。鉴定书的落款单位是“国家文物局书画鉴定中心”，盖有钢印，还有鉴定专家的签名与私人印鉴。无论是鉴定单位或鉴定专家，此证书无疑都具备很高的权威性。

接下来开始谈价。我开门见山地说：“我知道，你们卖的都是假画，我也是做书画生意的，这些画开多少价？说实在点！”

小伙子答道：“当然，大家都是同行，一定以最低价卖给你……这样吧，光要韩美林的画这一种500块钱，高仿的要3 000块，要照片外加200元，要证书外加2 000元！史国良的也差不多，都是这个价！”

“你能带我去见见临摹这两幅画的作者吗？”我又问。

小伙子一听连声说：“不成、不成，这样做坏了行内的规矩！他们不会答应跟你见面的！”

“他们都是些什么人？住在哪里？”

“这些事一般人是不会问的，看样子你入行不久，像是个生手。我跟你这么说吧，那些人本身也都是一些画家、高手，有的还是美术学院的研究生、高材生，只是目前还没有打出名头，利用这玩意儿挣钱。他们用功画的东西呀，神仙都分不出真假！加上这些证书、照片，它就是真的！”

“画家本人也分不清真假？”

“也可以这么讲！我听人说，从前仿作的齐白石画，连老爷子自己都说分不出真假！那些老画家一生得画多少画，送给谁、卖给谁了都记得那么一五一十？记不清楚吧？得，这高仿品就画得鼻子眼睛一个样，谁能证明它是假的？不能！别看这些东西搁我这儿卖三个钱不值两个钱，可你要是在拍卖行有熟人，给他10%的好处费，它不也要几万几十万地往上叫唤？”

磨了半天，记者花了300元钱的带路费，终于买通了小伙子，他答应带我去见他的上线，也就是这些假画的批发商。至于能不能见到那些画画儿的人，他说：“那就看别人买不买你的账！”

其实，小伙子的上线就在琉璃厂西街，虽然我们走的是后门，但看得出前面应该是家门面。出来开门的是一位北京当地的中年人，小伙子称他韩哥。那人警惕性很高，小伙子刚说了句“这位先生想买韩美林的画……”他立马封门：“你扯什么蛋哪你？这儿哪有什么韩美林的画？要买上荣宝斋去！”不待我开口，门就“砰”的一声被关上。

小伙子讪讪地对我说："韩哥不相信你，他前面有大店面，我这里卖500元的画，在他前面的店面内最少要卖五万元……我跟你说的都是真话，往后你要买画就找我，一定给你优惠价！"

几天后，记者通过多种渠道，终于在距离通州区宋庄不远的一处农舍里见到了一位专事名画临摹的年轻人。他来自安徽，毕业于一所师范大学美术系，到北京已经有三年了。

"我有好几个同学都在这儿。其实我们原本是慕名宋庄而来北京的，想在这种相对比较自由的环境下搞创作，走出自己的艺术之路。可是，要真正走出自己的路太艰难了，我们还得吃饭过日子不是？总不能让父母养着我们来圆自己的艺术梦吧？我们只好像许多先行者一样，在出名前靠临摹名画挣钱维持生计……其实这种临摹特别简单，绘画基础较好的人都能办得到、画得好。尤其是临摹画家早期的作品更容易，一般都比较稚嫩一些，即便描摹失真，买家往往也会认为是画家早期不成熟的作品，不去求全责备……"

"你一张临摹画卖出去多少钱？"我问年轻人。

"给老客户的价格一般都在200元左右，如果是特别定制的稍稍贵一些。我知道，那些画贩子比我们挣钱多，可是生意还得做啊！我们总不能成天自己四处乱闯去卖画呀！"

因为谈得高兴，年轻人还给我透露了一些"绝密"消息。他说，他也直接给拍卖公司送过假画，给验货人好处，并答应成交后五五分成。

"拍卖公司明知道是假画还敢上拍？"我问他。

"假如拍卖公司都像您想象得那么干净，我就不用临摹赝品，可以创作自己的画了！"年轻人一脸无奈的苦笑。

"你的假画在拍卖公司成交过吗？"

他笑了笑，没说话。

试水拍场，槌下有"阴"

关于拍卖公司的种种传闻，记者早有所闻。为了取得第一手资料，记者决定近距离接触，直接试水拍场。

金秋十月，北京的艺术品拍卖场可谓是槌声阵阵、热闹非凡，大大小小上百家拍卖公司“你方唱罢我登场”，纷纷拉横幔、打广告、印发宣传册，实力强些的公司还会派员工带上高成本制作的精美拍品图录，直接到国内外广泛征召买主，并提前几天将来客接至预订好的大饭店里免费吃住。与此同时，花样百出的拍卖品预展也在京城一些最豪华的场所举行。记者前后多次参观预展，有的拍卖公司还聘请有关专家直接到展厅现场推介重点拍品，有的则事先将专家对拍品的点评制作成光盘，反复在展厅里多点播放。

自我策划一番后，记者拎着自家的两件藏品——北宋磁州窑梅瓶、南宋定窑划花粉盒，走进第一家拍卖公司。

第一家是在京城能坐上头几把交椅的大拍卖公司，接待我的是一位瓷器部主管。他看过记者送拍的两件东西后，摇摇头说：“定窑粉盒还不错，就几万块钱的事，自己玩玩得了。这只磁州窑梅瓶，不好认……”

“我问过几位专家，他们都说东西很开门啊？”我申辩说。

“呵？都是哪些专家呵？”他话音里明显带着嘲讽。我将专家的大名如实报上，其实，其中还有一位专家正是他们公司的瓷杂项顾问。

“是吗？”主管还是摇摇头，“不好认。您知道吗，这只梅瓶要是真品，比马未都博物馆里的那一只还好，得值多少钱？像这样一只梅瓶，在香港拍过2 000多万哪！”

“就因为这个，您不敢认是吗？”我追问。

年轻的主管摇摇头，不再吱声……

过了两天，我通过熟人找到一位古董经纪人，答应成交后给他15%的介绍费。于是，那人给接待过我的那位拍卖公司主管拨通了电话，我听见对方问：“那人干什么的呀？你有底吗？”

这面儿回答：“没底我能给你推荐吗？我亲戚，开古玩店的！我跟他说了，还按咱们老规矩走！”

“那你把东西送来吧，那只梅瓶还真不错，比马未都的画花梅瓶好……”

电话交易结束后，经纪人告诉我，拍卖成交后，要给那位主管20%的好处费。我答应了，由他经手重新将那两件瓷器送去那家拍卖公司。

事后，记者算了一笔账，付完这两位的好处费再加上给拍卖公司10%的代办费，另外还要扣除税费，本人最后所得只剩下拍品成交价的55%。

数月后，记者又参加了另外一场“拍卖游戏”。

那是一家外省在京注册的拍卖公司，国批二级拍卖资质，曾有过多件拍品创下“天价”的纪录。比方说一只宋代钧瓷碗，就曾拍出过2 000多万人民币高价。一只宋代钧瓷洗，拍出过7 000万人民币天价，等等。不知道是我委托的朋友关系硬还是别的什么原因，这家拍卖公司的门槛倒是不高，我们四五个藏友共送了100多件拍品，以记者的眼光看，估摸着一大半是赝品，真品最多不超过10件。有些“汝窑重器”，都是送拍前临时去潘家园地摊上花百十块钱买来的。

奇怪的是，除开少量重复的器型之外，我们送拍的赝品几乎全都顺利通过验收。不过，这家公司除开对每一件送拍物品都要收取800～2 000元人民币不等的图录费之外，还要按自报起拍价收取5%的宣传费。我粗略计算了一下：按照这家公司自己编印的图录统计，光是宣传费和图录费这两项收入，就高达两三千万。抛开其他支出，这一次拍卖的前期纯收入应该在几百万甚至上千万人民币。换句话说，还没开拍，这家拍卖公司就已经挣钱了，无论拍卖结束后的实际成交率几何，对于拍卖公司来说，都是胜券在握，只是挣多挣少的区别。

终于等到开拍的那一天，记者第一次亲临拍卖现场。这家拍卖公司的老总说“因为您是新闻界朋友”，破例给我免费发了一个参拍号和一张拍牌。其实我知道，我的几位藏友也通过别的途径取得了对自己拍品的举牌资格。

可能没进过拍卖场的人不清楚，号牌本是来拍场买货人使用的竞拍工具，须事先缴纳一定的押金才能获取，卖方握牌无疑是违规操作。有了这张牌子，卖家既可以参与自己拍品的竞买，掌握自己拍品的成交价，避免藏品在自己心理价位之下成交，又可以在自己的拍品无人竞拍的情况下，自己人相互竞价，将价格抬高到事先设定的位置给拍回，为下一次交易取得拍卖价格纪录。而取得这种特殊待遇的人，是不需要为假拍付出税收代价的，换句话说，这种虚假的成交纪录，拍卖公司也不会在经济上蒙受任何损失。至于他们内部怎么做的账，记者无从得知。

拍卖会从一开始就高潮迭起：几十万元一件的玉器、几百万元一件的青铜器、上千万元一件的瓷器，在号牌的上下起落之中频频成交。这么多的天价交易，牌子拿在手上就如同去菜市场买白菜萝卜那样轻而易举。有一件标有北宋汝窑字样的花瓶先是经历了开场的沉默，在拍卖师将要宣布流拍之时，忽然鬼使神差、峰回路转，一人举牌报价后，其他两人参与竞拍，价格从此一路扶摇直上，从十几万元一直冲到一个多亿的天价成交。当晚，这场拍卖会的消息在某电视台新闻频道的滚动新闻中播出，包括那只一个多亿的“北宋汝瓷”花瓶在内的几件天价物品，理所当然地亮相荧屏，被全国甚至全世界的观众尽收眼底。据内部人士透露，拍卖结束后，这些高价拍品几乎无一例外地物归原主。

当然，我和朋友们的操作手段也是如法炮制。在拍卖过程中，我有一件拍品由于操作失误，发生了令人啼笑皆非的插曲。那是一只“元青花梅瓶”，起拍价人民币80万元。开拍时无人举牌出价，我和几个朋友按照事先商量好的办法，分别坐在会场多处，轮番举牌将价格缓步提高，造成多人看好竞买的假象。在价格抬高到220万元的时候，我发现有一位港客模样的老者欲举牌报价。按照我们事先设计的方案，只要有人报价，朋友们就收手告停，将主动权交给货主。可就在此时，坐在前排的朋友看不见坐在他身后的港客有动静，惯性地振臂高呼：“加50万！”其他朋友又接着继续将价格几十万几十万地往上抬升。那位港客见状以为买不过别人，便缩回了举起一半的号牌，不再叫价了。

直到哥们儿疯够了、玩累了才偃旗息鼓，记者那只“元青花梅瓶”以988万人民币的成交价最终落槌，场内爆发出热烈的掌声。当然，为了不让朋友们尴尬，由于作弊不熟练丢了200多万的笑话，我只能与家人分享了。

从第二天开始，我那只元代青花梅瓶“高价成交”的报道便在北京的几家报纸上刊出。记者留意到：一周后，同类报道在几家大的互联网搜索引擎上出现几万条。

拍卖会结束后，我和几位藏友汇拢一起交流“战绩”：我的藏品总共落槌3 000多万，其他朋友的藏品有的落槌在5 000多万、有的落槌在7 000多万。总而言之，如果按照拍卖会现场宣布的数字统计，朋友们近百件拍品的成交价总共能达到一两个亿人民币。可是真实的情况却是令人难以置信，这100多件拍品实际上全部流拍，被我们自己悉数举牌拍回。朋友们非但没拿回一分钱，反倒每人赔了几万元钱的“宣传费”和“图录费”，成了地地道道的花钱赚吆喝。

这以后，记者又参加过几次拍卖活动，情况大同小异。有的拍卖公司公开声明拍不了值钱的真东西，只让送“有卖相”的赝品。还有的拍卖公司则打着各种“慈善活动”的旗号，名为募捐，暗地里分钱……

"免责"与"负责"

据可靠数据统计：截至2007年年底，全国范围内经过有关部门批准的有资质的拍卖公司达数千家之多，记者经过反复调查，这些机构多数名不副实，严重存在着滥鉴滥拍的现象。我们以官方调查的数据为例：2006年，上海市文物管理委员会和市商业委员会对艺术品拍卖行的经营资格进行审查，结果因不合格而被叫停的拍卖公司，竟占上海艺术品拍卖行总数的40%。

北京的有些拍卖行违规操作现象更为严重。在整体违规方面，有类似于杂志社卖刊号行为的租牌营业收取管理费、包租专场拍卖按比例提成交易费等。操作违规的手段更是五花八门：假拍、拍假、虚抬成交价、压低起拍价、乱收服务费、开假发票、出假证明、超出本公司资质范围拍卖出土文物等等。

记者还注意到：尽管近两年拍卖市场的实际成交量趋于萎缩，但是一家家新成立的拍卖公司仍然在财神菩萨的护佑下门丁兴旺。许多拍卖公司门槛低、资质低、人员素质低，只要能赚钱，什么手段都敢用。有些干脆就专门干些替人洗黑钱、卖假货的勾当。曾经轰动一时的福建"中国第一大款警察"林福久（已服刑）就曾有过自己的拍卖行，专门用来拍卖受贿的赃物，以达到洗钱的目的。

诸多拍卖公司的这些劣行几乎是人尽皆知，但却很难使用法律进行约束。这里面的原因很多，主要是构成我们国家拍卖法规的前置性技术条件不成熟、不科学，因此造成了律条解释的不确定性。比方说，文物鉴定方面存在着无法逾越的技术漏洞，就使得对于赝品的指证往往缺乏令人信服的科学依据。过分依赖主观成分很大的所谓"眼学"鉴定，以至于产生纵容拍卖黑幕、失公正于买家的"免责条款"，导致许多令人啼笑皆非的案例不时成为社会丑闻。曾发生在浙江杭州的一起拍卖纠纷，最为典型。

20世纪末，在浙江国际商品拍卖中心举办的杭州秋季书画拍卖会上，原浙江中澳纺织有限公司总经理王定林通过竞拍获得10件书画作品，后经专家鉴定，其中6件作品是赝品，由此引发了中国拍卖史上第一起因画作真伪之争而导致买家状告拍卖公司的诉讼。

在王定林购买的书画中，他以105.5万元拍得的第89号拍品《张大千仿石溪山水图》，受到上海国家元老级书画鉴定权威谢稚柳老先生的赏识，谢老还曾于画上留下亲笔题识。王定林买下此画后，送到北京请国家级鉴定权威徐邦达过目，结果却出人意料：徐邦达认为此作品为赝品。于是，王定林在索赔未果的情况下，一纸诉状，将浙江国际商品拍卖中心告上法庭。

鉴于“谁举报，谁取证”的法律原则，原告在一直不能提供有力证据的情况下，一审、二审均被法院判定败诉。直至谢稚柳去世后，案件依照审判监督程序，被最高人民法院提审。包括国家文物鉴定委员会主任委员启功、常务委员刘九庵在内的全国十余位专家，此时才同意出面，一致指认该幅作品为赝品。

至此，这场轰动全国的官司，才被法律承认具备“有力证据”，最终以买方的胜利告终，成为中国恢复文物艺术品拍卖以来，买方同拍卖行的纠纷案中第一起买方胜诉案。尽管如此，这起案例还是给人们留下了隐忧：倘若谢稚柳老先生仍然健在，此案有咸鱼翻身的机会吗？假若有一天，南派书画鉴定家入主国家文物鉴定委员会，此案还会被卖方翻盘而作重新判决吗？

显而易见，王定林的胜诉是非常偶然的。同时，这一个例也许只是有钱人的幸运，对于大部分吃过“黄连”的买家来讲，恐怕只有充当“哑巴”的份儿，顶多再拿着买来的赝品去骗别人。因为在大多数情况下，主要拍品的卖家基本上都是业内人士，他们与专家、拍卖公司的关系盘根错节、非同一般。普通人卖真东西送不进门，买了假东西也不可能搬得动如此之多的国家权威为其出面举证。正因为如此，此类现象根本无法遏制，甚至愈演愈烈。如王定林假画事件后的2006年，北京一知名拍卖公司就曾将一幅仿吴冠中名画《桃花》的赝品，以330万人民币的高价成功拍出。如此种种，举不胜举。

针对拍卖公司“拍假”和“假拍”现象，文化部艺术品评估委员会副主任委员赵榆先生曾义愤填膺地进行过抨击。他在接受一家报纸的记者采访时公开谴责：“‘假货’和‘假拍’是当前艺术品拍卖市场的最大阻碍！”他说：“我在很多场合谈过这个看法，就是近年来有些文物艺术品拍卖公司不走正路，大搞‘假货’、‘假拍’。以我个人而言，我曾在一家媒体上作过检讨，因为我曾经宣传过一件‘假拍’创造的最高成交价纪录，我想起此事就脸红，甚至为此想退出‘江湖’。”

既然上至国家文化主管部门的领导，下至普通老百姓，对目前我国拍卖行业的不规范行为都如此深恶痛绝，为什么那些违法违规者依旧逍遥法外、发达如初呢？

国家既然可以制定为拍卖公司失误“免责”的法律条款，为什么就不能制定一款对掏钱买假文物的受害者“负责”的法律条文呢？

在这方面，国外有许多值得我们借鉴的经验。比方说，设立高门槛、建立严格的文物鉴定专家准入制度和严厉的行规。在欧洲不少国家，一旦有鉴定专家或古董商看走了眼，导致文物收藏者遭受经济损失，他们不但要全额赔偿，而且还会被强行逐出本行业，终生不得重操旧业。因此，国际知名的拍卖行对待自己的拍品也相当谨慎，对所有送拍文物，先采用“双盲法”进行鉴定。所谓“双盲法”就是组织相关领域的多个专家，同时对多个鉴定标本各自进行鉴定。专家们不知道鉴定标本的一切信息，也不知道其他专家作出了什么样的评价，几乎在“真空”状态下，不受任何干扰地独立作业，写出鉴定意见，然后选取得票率100%的真品组织预展，并最终参加拍卖。

其实，类似欧洲国家的这些制度并不难建立，难的倒是与这些制度相匹配的有关约束机制和监督机制的作为。当一种职业道德陷入沦丧时，任何美丽的操守都只能是一张妓女的处女膜。只有当丑恶真正还原成丑恶，正义的太阳才会重新照耀纯净的天空。

离奇的文物贿赂案

一个令人眼花缭乱的泡沫时代，往往容易衍生出许多荒诞不经的故事。前两年，在一个经济欠发达地区，曾发生过一起令人啼笑皆非的文物贿赂案。这一案例没有头、没有尾，更没有情节上的起承转合，只有几个在法律意义上表现得空前绝后的细节与场景。

故事的主人公是南方某市一位掌管政府某方面实权的官员，称呼他是件难事，虽说个人的姓名是公开信息，但直呼其名公开爆料未定性的资料，却似乎有“侵犯个人隐私权”之嫌。若从职务上去称呼他也不行，因为现在什么头衔对他都不合适，自从2005年以来，他一会儿在当地纪委指定的“双规人员”招待所里熬夜，一会儿在监狱里啃咸菜馒头，一会儿无罪释放回单位逛逛……为了叙述方便，我们还是随便给他起个化名叫吴奈吧，他自己很无奈，法律对他也很无奈。

吴奈是2005年10月因涉嫌受贿罪被捕的。次年8月第一次开庭审理此案时，法官当庭宣布判决书的内容大致为：吴奈在任职期间，收受开发商宋某行贿的元代釉里红玉壶春瓶一只，专家保守估价200万人民币。宋代官窑钧瓷洗一只，专家保守估价180万人民币，合并受贿金额达380万人民币。犯罪嫌疑人对自己收受贿赂的所有事实供认不讳……判处有期徒刑11年。

这个案子给当地的法官们招来不少麻烦，单说给那两件文物定性和定价就够头疼的了。先说定性吧，这两件文物是真是假？还有它们是哪个朝代的产品、是什么窑口烧制的、品相达到什么程度？这些都牵涉到它们的经济价值，而经济价值又决定了此案的量刑标准。尽管这两件赃物（实在不忍心将这种污秽的称呼用在尊贵的文物上）送给吴奈时，都带有文物专家签过字的鉴定证书，但为了慎重起见，法院又专门从外地请来两位国家级文物专家，加上本省专家组成五人临时鉴定小组，先是让专家们背靠背分别对物证写出个人鉴定意见，然后再进行集体讨论。结论完全一致：两件物证都是真品，而且都属于国家级文物珍品。文物定性后，接下去专家们又给它们估价，大家统一的意见是按照目前市场拍卖价的1/5定价，于是便有了法庭宣判时的数据结果。

一审判决后，犯罪嫌疑人吴奈没有要求上诉，因为他明白在受贿金额上他占了很大便宜，受贿后他是按照2 000万人民币的进账给行贿人派发工程的。

照理说，案件到这一步也就该了结了，吴奈也作好了服刑的准备。可就在宣判一个星期后，意想不到的事情发生了：最先为这两件文物签发鉴定证书的包姓专家以欺诈罪被人告上了法庭。起诉人既非受贿人吴奈，又非行贿人宋某，而是这两件物证的上一位藏主小丁。为什么？道理很简单，小丁买回那只元代釉里红玉壶春和宋代钧瓷洗后，曾找当地鉴定专家包某作过真伪鉴定，鉴定结果为两件东西都是赝品，而且推荐他将这两件藏品转让给开发商宋某。当地报纸公开披露吴奈受贿案后，小丁从照片上认出赃物正是自己低价卖出去的两件东西，而且出具鉴定证书的专家正是包某。专家让自己当赝品贱卖的竟是两件可以把人送进监狱的国宝，这可就被人涮得不轻。小丁不禁怒火中烧，便去找包专家算账，可是打了几次电话，包专家都以身在外地推脱了。小丁一怒之下，便以欺诈罪将包专家告上法庭：你躲得过我，你还躲得过法院的传票？

这一招果然奏效，包专家哪敢把官司打上法庭？别说是输了官司他会身败名裂，就算是赢了官司，他也威信扫地，很难再在业界混了。于是，他立马找到小丁，提出赔他 2 万块钱私了。殊不知小丁拿住了对方的软肋，绝不会只收他区区 2 万块钱罢手。他说："你想私了是吧？可以，法院不是已经作出了最低估价 380 万嘛，我也不要你全赔，就赔三分之一吧，怎么也得给我 100 万，否则咱们就法庭上见！"

好家伙，一要就是 100 万，简直是狮子大开口！人家签一张鉴定证书能赚多少钱？万般无奈，包专家只好硬起头皮与小丁对簿公堂。我们不知道包专家此前一番折腾究竟得了行贿者宋某多少好处，此后在法庭上，他一口咬定除开签发证书他收受了鉴定公司1 000块钱的劳务费之外，他没有多得一分钱。他为自己辩护的理由是："文物鉴定没有人能保证每一次、每一件东西都不会看走眼，有时候同一件物品今天看是赝品，过十天半月再看它又是真品。这也没什么值得大惊小怪的，心情好、心情坏，细看、粗看，都会有差距，这种情况有的是。如果鉴定专家要为此承担什么法律责任，我相信全世界都不会再有人敢吃这碗饭了！"

言之凿凿，合情合理。包专家说的都是"大实话"！

按照现有的法律条款，无论如何，只要包专家的确不是因为收了好处费而故意开出两张自相矛盾的鉴定书，他就没理由受到法律制裁。换句话说，小丁想讨还损失的任何法律要求等于白提，他输了官司，还赔了律师费。

小丁输了官司，包专家败了名声，这场官司打下来，表面上看没有赢家，可是鹬蚌相争，最后还是有一位"得利"的渔翁——他就是在监狱里将要服刑的吴大贪官。这话怎么讲？乍一听去谁都免不了一头雾水，可是等你把这一层"玄机"弄明白了以后，还会有更大的雾水在前头等着罩你。

还是先拿"玄机"说事儿吧！小丁与包专家这一场沸沸扬扬的官司，少不了传到贪官吴奈的家人耳朵里，他的律师一拍巴掌，兴奋地说："真是天赐转机！"当天，他就代表当事人吴奈对一审判决提出上诉，理由是文物鉴定本来就有两种方法，"眼学"不能代表科学，要求对那两件赃物进行科学测试。假若测试结果是"赝品"，那么吴奈受贿金额就只剩下区区几百元钱，别说判罪，如果宽容一点他还可以官复原职。

在接下来的二审法庭辩论中，公诉人驳斥被告方的"赝品说"，提出让对方出示能证明两件赃物是"赝品"的直接证据。被告律师冷不丁向法庭出示一张新近取证的两件瓷器的"碳 14"测试报告单，上面结论明确："……经综合测试，是当代仿制的赝品……”

这一下法庭炸开了锅，原告方手执专家小组鉴定报告义正词严主张维持一审判决，被告律师拿着仪器检测报告大叫冤枉，说朋友间两三百块钱的礼物不能算行贿受贿，要求还他当事人一个清白。

只有休庭。而且这一“休”就是两年。在这两年中，吴奈被抓了放、放了抓，原因是两件赃物分别送多家机构进行仪器测试，又先后换了两拨鉴定专家，今天被说作“赝品”，就放了他；明天被鉴定是真品，又将他收监……

赝品、真品，真品、赝品……这起官司再打下去，还有完吗？这个案例虽然听起来有些荒诞，却又更像是一个近似于循环“从前有座山”之类的哲理故事。我们不妨暂且收起猎奇心和对案件情节上的逻辑推理与判断——因为这些对我们来说都已经毫无意义，不亚于重复那个“先有蛋，先有鸡”的愚蠢命题——然后再将吴奈文物受贿案束之高阁，并且绕台一周做360度全方位旋转，全息透视和筛选个中的内涵，看看是否还能找到别的思维兴奋点。

首先，从文物到赃物这一精神物化的嬗变过程，我们可以清晰地分辨出文物的原本价值体系已经被彻底颠覆和异化，它的基本属性遭到了阉割与篡改。原本作为人类不可复制、无可取代的精神产品而跨越时空、独立存在的历代文物，被贪婪的人性改造成为可以复制、可以亵渎、可以换取蝇头小利的时尚糖果或能够牟取暴利的金钱替代品……

其次，透过这起案例，我们还无奈地发现：由于文物价值的货币化定位，导致鉴定手段大大滞后于高科技制假，文物流通市场的游戏规则被严重流氓化，各地的一些所谓的“古玩市场”和大部分“艺术品”拍卖场基本沦陷为尔虞我诈的夺金场，金钱至上、骗术为王。更为严重的是，这种游戏规则的流氓化又直接导致了严谨的法律原则被松懈、甚至坍塌，在金钱这面魔鬼的旗帜下，一股疾风骤雨似的黑色冲击波，已经将中国文物业置于万劫难复的境地。

（选自山西人民出版社《谁在收藏中国》，2008年12月出版，作者：吴树）

发现“南海一号”

2007年1月16日，中国考古工作者前往“南海一号”沉船海域开展打捞前最后一次海底勘察，之后进行了持续9个多月的打捞，终于在12月21日将“南海一号”古沉船成功起吊。本文真实记述了“南海一号”的故事。

中英探宝，“南海一号”惊现身影

广东省阳江市东平镇大澳村，是一个小得在地图上都找不到的地方。这里的海湾水域开阔，水深适宜，自古以来就是一处海船停泊的天然港口。多少年来，村里一直流传着一个关于“海底宝藏”的故事，也有人声称的确见过“海底宝藏”。

大澳村的黄海生，是一位有着40多年海上经验的“船老大”，如今虽已年逾古稀，但年轻时的一次经历，让他至今记忆犹新。小时候他常听老人们说，在离他们村不远处的那片大海下面有一处“宝藏”，但那片海诡异无常、经常出事，是不能去的。年轻时的黄海生个性倔强，一天，在强烈好奇心的驱使下，他独自驾驶着渔船驶向了那片神秘的海域。

黄海生来到传说中的海域，并未发现有什么异常，他停船撒网，静静地等了十分钟，便开始收网。“刚一往上拉我就感觉不对，网特别沉，心想是不是捕到了大鱼？”他用力收网，但很快就拉不动了。黄海生想，渔网可能被什么东西绊住了。于是，他一头扎进海里，试图解开渔网，当潜到大约20米深的时候，黄海生看到了让他终生难忘的一幕：竟然是一艘体形庞大的船，船头船尾还有桅杆，都能看清楚，我的渔网就缠在那根桅杆上，上面密密层层不知缠了多少层渔网。巨大的海水压力不容黄海生多停留，他使劲地扯下渔网，迅速向海面浮去。让黄海生意想不到的是，这次冒险经历，竟使他成了这艘古代沉船——“南海一号”的第一个目击者。此后，直到1987年，这艘沉船才以一种偶然的方式再次进入人们的视野。（很多参加过“南海一号”调查的水下考古队员，对大澳村有人见过“南海一号”的事，都众口一词地说：根本不可能！理由是“南海一号”被埋在淤泥之下，他们用现代化的仪器很长时间才找到，更何况这一带海水能见度很低，所谓“看到了大船”纯属是臆想。也许渔民的说法有些夸张，也许黄海生并没有看到整条沉船，但他至少看到了桅杆，因为他的网确实就挂在上面。而且，据后来的调查，“南海一号”船头船尾各有一块巨大的凝结物露出淤泥，因此，黄海生见到这条大船可能性还是很大的。）

在荷兰海洋图书馆里，存放着数不清的航海日志、海事法庭的文书，以及许多有关荷兰海运史的历史文献。1987年，英国一家海洋探测公司，在航海图书馆里，查到了一艘古代商船的原始记录。资料显示，该船名为“YHRHYNSBURG”号，属东印度公司，长42米，载有白银6箱，锡锭385.5吨，于17世纪在中国南海沉没。为了寻找这艘荷兰东印度公司未能归航的货船，英国海洋探测公司提出要和中国合作，共同打捞这艘沉船。

与法国、德国等许多欧洲国家一样，英国允许私人打捞沉船。他们只需要在发现沉船以后，到有关部门办理必要手续，就可以得到政府预支的25万英镑的经费，而沉船打捞之后所获得的利益，他们分得30%作为回报。

英方向我们提出合作的，是一家专业从事商业打捞的海洋探测公司。1987年8月，经研究，中国救捞总公司同意了英方的申请，决定与他们合作，共同打捞这艘“YHR HYNSBURG”号沉船。我方承接这一任务的是广东省救捞局。

在中国水下考古研究室正式成立之前，中国海域的沉船探测工作，意外地被英国人拉开了序幕。而让人们始料未及的是，他们竟然意外地与“南海一号”相遇，并险些让它遭到被毁的厄运。

当时英国人租用了一条新加坡的打捞船。参加打捞的英方工作人员，是完全没有考古专业背景的潜水员。当时，船上除了一台旁侧声纳仪，没带任何与水下考古有关的仪器和工具。在沉船打捞行业内，流传着这样一句话：打捞容易，搜寻难。尽管英方人员根据文献记载画出了沉船的准确位置，探测定位工作进行得依然很不顺利。英国人一面用旁侧声纳仪在海面上循环往复地扫描，一面在荧光屏前仔细地研判着由海底反馈的每一个可疑信号，只要一发现海底有凸起物，他们就把船上的抓斗机放下去乱抓一通。

突！突！突！工作船不停地发出疲惫的声响，探测仪在漫无目的地扫来扫去，坐在荧光屏前的工作人员，不时地闪现出无计可施的眼神。十几天过去了，这条东印度公司的沉船，始终没有出现在人们的视线里。从英国人的脸上可以看出，他们对这次打捞已经不再抱什么希望。

就在他们极度失望的时候，荧光屏上忽然显示出一组可疑的信号，海床上发现了一处异物！为了确定可疑物体究竟是什么，救捞局的一名潜水员，迅速潜到了水下。一根2米多长的桅杆，出现在了他的眼前，桅杆直立在布满淤泥的海床上，桅杆上密密实实地挂着一层又一层的渔网。

英国人听说发现了沉船，顿时兴奋起来，他们开始迫不及待地用抓斗机在海底乱抓，其中一斗竟不偏不倚将桅杆抓断了。

英国人的行为很快被广东省救捞局制止了，因为，按照合同的有关条文，这不是那条荷兰沉船。救捞局以最快的速度将南海发现沉船的事情上报了广东省文化厅，文化厅又上报了国家文物局。中英合作打捞工作就此停止。

后来，《三联生活周刊》记者采访了参与1987年合作打捞的救捞总监黄景。据黄景先生回忆说："当时英国公司为了节省成本，缩短工期，采用了最简单的打捞方法。一条2 000吨的驳船，一架100吨的吊机，发现海底可疑物体，就把1吨多重的抓斗放到海里去抓。东西抓上来之后，除了部分金属器件完整外，几百件瓷器一下子都烂成了碎片。"

英国人意外碰到的这条船，就是黄海生见到的那艘古船。"南海一号"就这样猝不及防地第二次出现在人们的视线里，携带着近千年的美丽记忆。

在这次打捞出水的文物中，有一件长170厘米的银质腰带比较独特，它由无数小的金属环扣连接而成，表面镏金，两头装有钩扣，制作精美，它的形制和工艺特征，都与我国以往出土的腰带明显不同，应不是出自中国的产品。

这次打捞出水的文物，主要有瓷器、铜器、锡器、镀金器和铁器等，一共247件。所有的出水文物都显示出我国宋代器物的典型特征，所有的文物都发出同一个信息：这是一艘宋代的沉船！

由于打捞没有按照考古发掘的程序进行，出水的文物和它们在水下的保存环境、堆积形态完全分离，致使这批珍贵资料的科学性大打折扣，让人们很难在水下考古的命题下评价这次打捞活动的学术价值。国家文物局原副局长黄景略曾对记者说：“出海远航的船是一个单一性的社会，人们会把那个年代最必需的生活用品带上船，这种高度浓缩过的历史标本，将向我们揭示那个时代的海上贸易方式和船员生活方式，提供给我们地面上无从捕捉到的信息，能大量再现真实可信的历史细节。”这或许就是水下考古的本质意义所在。

扬帆试海，出征深海牛刀小试

1987 年，就在英国人提出与我方合作打捞“YHR HYNSBURG”号沉船的时候，中国成立水下考古研究室的计划也正在进行中。

张威，1978 年考入北京大学考古系，经过四年的专业学习后，被分配到中国历史博物馆从事考古工作。就在他工作的第五个年头，发生了一件令他的职业生涯出现重大转折的事情。

这一天，中国历史博物馆馆长俞伟超教授找到张威，与他进行了一次重要的谈话。俞先生问他身体健康情况如何，会不会游泳，又问他英语水平怎么样。之后，俞先生郑重地告诉他，中国历史博物馆要建立国家水下考古研究室，领导经过慎重考虑，希望他能担当起这个重任，为中国考古事业的发展开辟一个全新的领域。这对充满挑战精神的张威来说，无疑是一个令人振奋的好消息。他欣然领命，并从那一天开始，为之不懈奋斗了近 20 年。

广东省救捞局与英国人开始合作打捞沉船的时候，张威和他的同伴杨林，已受国家文物局派遣，正在荷兰参加北海沉船的发掘，接受实战性培训。这次学习历时两个月，共潜水 14 次，经历了水下清理发掘的全过程。中国水下考古的第一对潜伴，铆足了劲，要把先进的水下考古技术带回祖国。

20 世纪八九十年代，出国还被认为是一件幸运的事情，但是张威和杨林知道，他们此行重任在肩。每天都是超过十个小时的工作及训练，他们没有更多的时间去体验异国风情。

到达荷兰后的第一项任务就是学习潜水。张威跟随荷兰莱顿大学考古专业一位三星级潜水员学习。对张威他们来说，每天大运动量的训练带来的体力透支，不是什么困难，饮食上的不习惯也不算太大的问题，最要命的是荷兰人吃饭太秀气，几片面包，几根薯条，一盘汤，几乎只相当于中国人早饭的数量，却是他们每日的正餐。饥肠辘辘成了他们到荷兰以后最初的感受。

潜水训练只进行了一周，他们就初步掌握了轻装潜水最基本的技术。他俩的勤奋，让荷兰的同行们赞叹不已。很快他们便加入了荷兰一艘代号为“Molengat”的沉船发掘工作。发掘期间，他们每人一顶露营帐篷，可以自己做饭吃，生活总算没有了问题。

这一年，荷兰的气候有些异常，总是阴雨绵绵。虽然是夏季，深海处水温依然阴冷难当。他们与荷兰人一起，每天凌晨4点半起床，一切准备停当，已是早晨6点。工作船出发后，大约航行一个多小时到达发掘现场。每天的潜水作业分为两班，第一次下潜到上午9点结束，每人水下工作时间合计一个小时。按照潜水安全规定，两次潜水之间必须保证六个小时的间隔。这样，他们需要在船上休息到下午4点，接着进行第二次水下作业。等到工作结束起锚返航时已接近黄昏，回到港口已经是晚上九十点钟了。算起来每天在船上待至少15个小时。在海上发掘期间，除了坏天气不能出海，他们几乎天天如此。荷兰的学习生活让他们既兴奋又愉快。荷兰专家们科学而严谨的治学精神，给他们留下了深刻的印象。

1989年底，张威、杨林作为中国水下考古第一批队员，学成归国。而此时，国际上的现代水下考古学已历经20多年的发展，步入了它的黄金时代。

19世纪30年代，因为潜水面罩的问世，靠着水面供气，人类向水底世界跨出了重大的一步。但是靠潜水面罩，人们只能潜入10米深的海水中。水深10米以下，压力就超过一个大气压，潜水面罩就解决不了深水供气问题，并且这种原始的潜水装具既复杂又昂贵，潜水员都需要经过严格的专业训练，才能胜任。考古工作者只能借助于潜水员的帮助，进行水下考古。

直到第二次世界大战以后，法国人发明了“水肺”，解决了10米以下的水下呼吸问题，潜水技术才得以简化。考古学者终于摆脱了对职业潜水员的依赖，可以亲自潜入水下，对沉船遗址进行考察、发掘。

1960年，美国考古学家乔治·巴斯应邀对土耳其格里多亚角海域拜占庭时期沉船遗址进行调查和发掘。从此，陆地考古方法被引申到了水下遗址的发掘。这是水下考古学发展史上的一个里程碑。乔治·巴斯也因此被誉为“现代水下考古之父”。

后来，美国人在地中海找到了古罗马的多艘沉船，借此搞清了古罗马的海运航线。与此同时，许多欧洲国家也迅速加入了水下考古的队伍，使这一时期的港口史、航海史、海上贸易史、造船史等领域的学术研究得到了迅速发展。

可以说，中国水下考古事业的发生，是在国际水下考古事业蓬勃发展、全球商业打捞日益火热、我国水下文化遗产保护形势极为严峻的背景下催生出来的。张威等水下考古工作者任重而道远。

1987 年 11 月，中英合作打捞结束三个月后，中国水下考古协调小组召开了第二次会议，会议决定，对中英合作发现的南海沉船进行正式考古学调查。自此，中国水下考古进入计划实施阶段。

1988 年 4 月，广东省潜水学校迎来了一群特殊的学员。他们不是普通的潜水爱好者，而是来自全国各个文博单位的考古工作者。在经过了一个半月的严格训练之后，九名学员全都拿到了两星级业余潜水合格证。这意味着，我国有了第一支水下考古的专业队伍。

两个月后，作为潜水训练的一次实习，张威和六名队员，进行了一场“热身赛”——对广东省吴川县沙角漩一处沉船遗址进行了调查。这次调查可谓是刀枪未备先上阵，所有的潜水设备，除了一套轻潜装具外，其余的气瓶、呼吸器、面罩、脚蹼、压铅等，全是从湛江潜水运动学校租借的。在当地渔民的帮助下，他们完成了中国水下考古的第一次探摸。这是一条长仅 10 多米的小船，残留的木质船板已遭严重蛀蚀，采集到的一段残破的铜质徽记表明，它是一艘外国制造的木船，但沉船的年代无法确定。

2007 年 12 月 22 日 10 点 20 分，在抽水泵的作用下，装载“南海一号”的沉箱徐徐上浮，比前一天又上浮出近 2 米。
（周文杰 / 摄，图片来源：新华社）

中国的水下考古带着热情和梦想，就这样艰难起步了。

中日联手，迎风搏浪再度出击

1987年中国“南海一号”沉船的发现，吸引了众多人的眼球，与我国文物部门商谈过合作的国家和国际商业组织就不下几十个。其中包括一些国际知名水下考古研究机构，如澳大利亚阿德莱德大学、美国得克萨斯大学以及日本水下考古学研究所等。

如果说当时听到南海发现沉船的消息，中国考古工作者还只能当成一个故事，那么现在，潜入海底探摸，已经是我们自己的水下考古队伍能够做到的事了。但是，经费不足又成了最大问题。

搞水下考古所需费用可不是一个小数目。同样的发掘面积，水下发掘比地面考古要高出十倍多。这对经费本来就十分紧张的国家历史博物馆来说，无疑是一个很大的负担。然而，面对“南海一号”，这艘发现于南海主航道——海上丝绸之路上的古代沉船，考古发掘意味着什么，每个人都很清楚。

为了解决发掘经费，俞伟超教授奔走在日本和中国之间，经过一年多的积极努力，促成了中国与日本水下考古研究所的合作。由此大大减轻了中国水下考古研究中心的经费负担。

1989年11月，“中日联合南海沉船水下考古调查队”在广州正式成立，俞伟超教授担任队长，副队长是日方的田边昭三教授。张威、杨林、王军、刘童童、徐海滨、尚杰等六名中国考古工作者参加了调查。日方除了吉崎伸等五名考古队员外，朝日电视台还派出了一个摄制组跟踪报道。调查所用工作船“穗救201”、“穗救205”由广东省救捞局提供。这时，张威和杨林刚刚结束了在美国得克萨斯州大学海洋考古系为期半年的专业培训回国不久。（从荷兰回国后，为了更系统地掌握水下考古学理论和技术，张威和杨林又被送到了美国，师从“考古学之父”乔治·巴斯博士。）

16日下午4点，全体队员登上了“穗救201”海轮，20分钟后，一声长啸，起锚出航，中国水下考古的大幕就此拉开。

大海是美丽的，旭日跃升，斜阳西沉，展千般风情；海天一线，碧蓝如洗，惹万般遐想。但如果你真正有过一次在大海上航行的经历，感受就不仅仅是浪漫了。

201号工作船刚刚驶出港口便迎面遇上了五六级大风。大海是广阔的，宽容的，可一旦发起怒来，却是疯狂的。当五六级大风把推力传递给海浪时，能量骤然上升，其所产生的冲力，可以把万吨巨轮掀翻。即使在海风平静以后，不断推进的涌波也足以把船上的人摇晃得头晕目眩，呕吐不止。而今天的浪足有两米高。不停上下颠簸，左右摇摆的船身，早已超过了人们的平衡能力。船上的人，脚下像是没了根，跌跌撞撞的步态，颠倒乾坤的晕眩，倒海翻江的呕吐，让许多年轻人都心悸不已，而这对年近六旬，身体本来就羸瘦的俞伟超教授来说，无疑是一种超体能的考验。但此刻的俞先生却显得格外沉静，他知道大家都在看着他。

沉船位置的确定是水下考古首先要解决的问题。沉船定位，要做两件事：一是要在完全没有地标地物的茫茫大海上，用声纳仪器，对可疑区域进行地毯式扫描；二是通过GPS全球定位系统，准确标示出沉船所在位置的精确读数。

张威他们乘坐的201号船出发之前，另一艘工作船——205号，已经先期到达了沉船海域。船上的工作人员来自中国地质矿产部第二海洋地质调查大队，他们是来协助联合考古队工作的。船上的扫测设备，全部来自地质调查队。由于海面风浪大，205号的扫测工作进行得十分艰难。张威他们出发时，沉船定位仍毫无消息。当晚，201号只好停泊在附近的沙角港等候。

在科学技术已经高度发达的今天，先进的设备可以帮助人们做很多的事情。目前可以帮助人们在海底进行探测的仪器，主要有两类，一类是声波处理仪，一类是磁波处理仪。这次沉船扫测定位工作，地质调查大队采用了美国20世纪80年代的新产品——SMS-960型海底扫描系统。这是一种旁侧声纳仪器，使用计算机处理海底声学信息，能准确地绘制出海底平面图，扫描概率可达100%。

第二天上午，召开全体潜水人员会议。大家认真讨论着水下探摸的所有细节：每组队员下潜的顺序；担负的任务；每一对潜伴的相互配合，每一个步骤的衔接，潜水作业的时间；返回水面的速度、中途停留的时间等，都作了尽可能详尽的安排。所有这些细节，在每次潜水之前，都必须约定好，每人都必须严格按照事先的约定去做。因为个人的任何擅自行动都有可能带来水下作业秩序的混乱，甚至导致危险的发生。

俞伟超教授知道，与有着多年潜水经验的日方队员相比，中方队员拿到的只是潜水学校一个两星级的业余潜水合格证。他们毕竟是第一次在这样恶劣的海况下潜水，危险系数较大，这位老者不禁有些担心。尽管自己已经是三天三夜水米没沾牙了，他还是找来了每一位中国队员和他们一一谈话。俞教授轻缓的语调让队员们感到了他发自内心的关切，这使在场每个人都十分感动。俞教授一再强调如果他们自己觉得有问题，可以选择不下水。但是，大家既然已经登上了这艘航船，就不可能轻易言退，这一刻，他们别无选择。

地质调查大队经过三天的工作，扫测面积0.35平方公里，17日下午2点40分，终于确定了沉船的位置，抛下了定位浮标。

焦急等候的考古队员们，已经在海上颠簸了三天三夜。“沉船遗址已经定位，201号可以驶往现场！”205号轮上传来的好消息，使队员们一下子兴奋了起来。尤其感到兴奋的是张威他们，因为，这将是历史性的一刻，他和他的队友们将亲手翻开中国水下考古的第一页。他们将与在海底沉睡了800多年的沉船握手。

接到指令后，201号急速向工作现场驶去。此时海上风力至少有六七级，海浪一个接一个迎面扑来，浪峰不时地涌上船来，舔着甲板。他们顶着风浪连夜急驶，第二天早上8点，赶到了205号所在的下川岛，并于当天中午驶往预定海域。

风浪太大了，201号前后花费了三个多小时，两次抛锚定位，直到5点多，才把船位舶好，而这时已经过了平潮的时间，当天的潜水作业只能作罢。

南海沉船遗址的位置，正当珠江入海口的西岸，由于河流沿途被排入了大量的废水，造成了这一带海水的严重污染。涨潮时，外海海水涌向岸边，短时间内，能见度偶尔能达到20～30厘米，退潮时，岸边的浑水涌入海里，海底变得浑黑一片。而潮水涨落时所形成的暗流，更让人们难以想象它的巨大力量。一位有着多年潜水经验的考古队员曾经说，在能见度几乎为零的海底，只要你的手离开海底固定物两秒，就早已不在原地，甚至完全无法知道自己被暗流冲到了什么地方。

设想一下，即使是在陆地，如果身处一个完全陌生的环境里，伸手不见五指，要你完全凭感觉去寻找一件你从未见过的东西，而周围可能危机四伏，其困难程度和面临的心理压力会是怎样的情形？然而，这却是每个考古队员必须度过的心理关口。

19日上午，风力4级，浪高1米，海水表层能见度2.3米，海底能见度0米。水下探摸正式开始。9点15分，广东省救捞局的一名优秀职业潜水员首先入水，他曾参加过两年前那次中英合作打捞。28 分钟后，水下电话里传来了好消息：发现沉船！在能见度为 0 米的海底，所谓发现并不是目击，而只是摸索到了。

第一个摸到了沉船的中国潜水员，为了确保第二个下潜的队员能找到目标，一直等候在原地。当日方队员潜到海底，找到中方队员，摸到沉船遗址的时候，那位潜水员在海底停留的时间已经超过了安全潜水的规定时限，他浮出水面后，立即被同伴送进减压仓进行治疗。这让所有在场的日本人都十分感动。

第二位下潜的是经验丰富的日方队员后藤，潜水时间 15 分钟，他在沉船遗址上设置了一条入水绳，这条相对固定的绳索，作用是十分重要的，它不仅是判断沉船位置的参照物，也是确保潜水队员能回到船上的标志。在几乎是一片漆黑的海底，指南针和潜水表完全失去了作用，潜水队员唯一能判断出来的方向就是上下，因为他们吐出的气泡肯定是向上运动的。之后下潜的是两位日本队员，他们绘制了一幅遗址平面图，水下作业共 15 分钟。

轮到张威潜水了，他走到船边，面向大海，调整了一下自己紧绷的神经，整了整系在腰间的压铅，抻了抻充满空气的潜水背心，然后，用手按住潜水眼镜，向前一个大跨步，腾身跃入水中。海面溅起了一簇雪白的浪花。紧接着，他露出水面，用右手点了点自己的头顶，“一切正常！”这是潜水员入水后的规定动作，随即，他游向入水绳，与日方队员一起，向海底潜去。

水里一片昏黑，越向下光线越暗，接着就什么也看不见了。张威努力保持着镇定的情绪，他不想在日方队员面前示弱，尽管对方比他经验丰富得多。他不停地摆动着双腿，不久，就感到自己脚蹼触到了海底。这里水深大约是 24 米，他明显感觉到了海水的压力，鼻窦和耳膜很不舒服，潜水服就像绳索，紧紧地裹在身上。潜水背心的浮力，让他无法站稳。他按了一下腰间的按钮，排出了一部分空气，让自己处于中浮力状态（即压铅的重量等于自身的浮力），感到行动自如了许多。

海底，昏黑一片，吐出的气泡像是赛跑，一个劲地往上冒。他们呼吸的声音被海水放得很大，凭感觉他知道日方队员就在身边，于是，他开始向前摸索。张威的手始终扶着海底，努力控制着身体的平衡。海底是一层结成硬壳的淤泥，似乎很平坦，没有什么突起物。他找到了水面浮标绳拖坠下来的沉块，这是搜索的定点标志，然后，继续向前搜寻。一圈，两圈，搜索的范围在逐渐扩大。

忽然，他感觉他的手碰到了一个凸起物，摸了摸，表面很粗糙，但不是礁石。

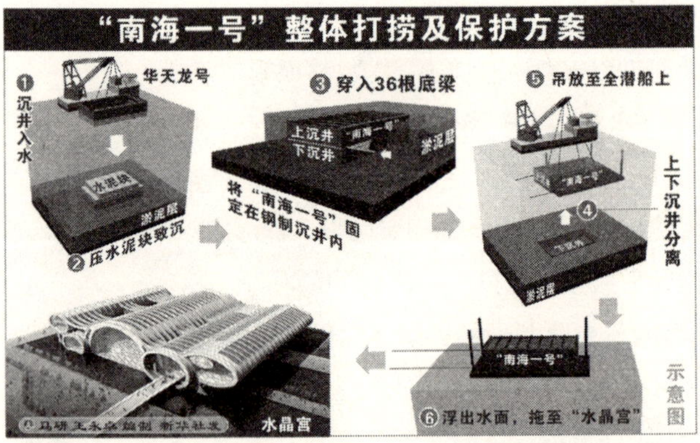

他用自己的手臂量了量，大约高出海床30厘米。接着，他又摸到了一块硬物，像是一小片木板，感觉像是船板，这时他断定那块突起的东西应该就是沉船的凝结物。他不知道已经过了多长时间，抬起左手手腕，凑到脸上，睁大眼睛，想看看潜水表，但是徒劳，表上的指针根本看不清楚。凭感觉，他知道时间已经差不多了。于是，放掉了潜水背心里的全部气体，然后用手势告诉潜伴，该出水了。张威顺着潜水绳浮出了水面，带回了那块船板。张威在水下的这一系列动作十分顺畅，无懈可击。

下一组是杨林、王军结伴下潜。王军是在日本学习的潜水。毕竟这是他们第一次独立水下作业，心里多少都有些紧张，他们拉着手，潜到了海底。依然是伸手不见五指，杨林感到同伴的手一直握得很紧。他们围着沉块作了几个圆周式搜索，没有新的发现。23分钟以后，他们浮出了水面。

之后下潜的队员，还希望能有更大的发现，但是始终没有新的收获。零能见度下拍摄的照片，基本上是模糊一片。最后，日方的后藤收回了入水绳，调查工作就此结束。下午5点30分，201号返航。

这次调查共进行了五天，潜水九人次。由于能见度太低，试图给遗址拍照的计划最终落空，绘制的遗址图，仅有1平方米左右。一位日方队员摸到的一小块刻花瓷片和张威摸到的那片船板，成了此次调查最重要的收获。

就是在这次调查中，这艘沉船被正式命名为"南海一号"。

张威在他的《南海沉船的发现与预备调查》一文中这样写道：

"——获得了'南海一号'沉船的准确位置：这是在中国的水下考古学领域，第一次应用声纳等现代科学技术与潜水探摸相结合的方法，成功地探测确定了古代沉船的准确位置。

"——进一步确定了'南海一号'沉船遗址的性质；初步了解到遗址表面现存状

况为面积约1平方米、高约30厘米的凸起物，推测大部分船体可能已被泥沙掩埋。

“——获得了沉船海域海况、气象等方面的第一手资料；明确了今后工作要解决的首要问题是如何克服海水透明度极差的困难。”

一块瓷片，一片船板，面积约1平方米、高约30厘米的凝结物——这就是第一次调查的最大收获。

与英国人那次打捞相比，张威的运气实在不是太好。他们一直非常希望“南海一号”的调查探摸能继续下去，但最终因经费问题无法解决，而被迫搁浅，此后一搁就是十几年。当他们再次来到南海，与沉船第二次握手时，已经是2001年的事了。

拨开淤泥，八百年后初显真容

20世纪80年代的两次国际合作打捞，都只是触摸到了“南海一号”沉船的冰山一角，人们始终没有见到“南海一号”的庐山真面目。这里的海底一片浑黑，潜入海底探摸的潜水员，几乎是瞎子摸象。许多人无缘看到这艘大船的全貌，也许这是天意，也许冥冥之中，它在等待着什么人。

2000年，由香港政府和迪士尼公司投资兴建的香港迪士尼乐园，经多方论证，正式进入实施阶段。迪士尼乐园的建设中有一个126公顷的填海工程。工程施工之前，按照有关法律规定，考古管理部门需要对海底先进行考古调查和探测。张威一行，应邀参加了迪斯尼乐园的水下考古调查，同行的还有第二批水下考古队员之一张松。

在香港工作期间，张松认识了香港几位爱好潜水的发烧友。这些潜水爱好者对国内的水下考古十分关心。当他们得知“南海一号”的传奇经历后，更是表现出极大的兴趣。后来，张松在其中穿针引线，最终促成了对“南海一号”进行再次调查。调查所需经费150万元，由香港中国水下考古研究探索协会会长陈来发先生筹集。时隔十多年之后，张威和他的队员们再次来到南海，寻找那艘他们曾经触摸过的沉船。

这是张威和他的队员们对“南海一号”的第二次调查了。中国水下考古队自1987年筹建至今，厉兵秣马准备了14年。经过14年的历练，这支队伍已经日臻成熟。而队长张威，这支队伍的灵魂人物，时下已升任中国历史博物馆水下考古研究中心主任。与十几年前相比，水下考古队的阵容也已经壮大了许多。1997年水下考古研究中心依靠自己的力量培训的第二批队员张勇、张松、张万兴、朱滨等人，也加入了“南海一号”水下考古队伍。

2001年4月18日，来自中国历史博物馆、广东省考古研究所、福建省福州市考古队的17名队员，集结到了阳江市东平镇闸坡港。同来的还有曾两次参加过“南海一号”探测的广东省救捞局的潜水员。

当天下午，在香港潜水协会会长陈来发先生的带领下，一艘潜水工作船缓缓驶入阳江市闸坡港，随船一起来的还有五位香港的潜水志愿者。他们将和水下考古队员一起，参加“南海一号”的海底搜寻工作。这艘海轮由渔船改装，长20多米，可乘载40人，船上配备先进的卫星导航定位系统和声纳搜寻系统。它将是这次海底探测的唯一工作船。

然而事情的进展，远没有想象得那么顺利。“南海一号”仍然像一个羞答答的新娘子，迟迟不肯掀起自己的面纱。

调查从一开始就不停地遇到麻烦。先是香港驶来的工作船海关手续一直没有办妥，接着22号又发生了一场地震，震级4.6，震中就在阳江。地震以后，阳江海面刮起了7级大风，浪高2～3米，无法出海。

第五天，海面风浪刚刚有所减弱，已经等待了好几天的考古队员们，早上6点便驾船出航了。然而，出师不利，当船到达预定海域，打开声纳仪时，信号却怎么也调试不出来。他们只好换上了另一台备用的仪器。等所有的连线都接好，准备扫描时，声纳仪的主机又忽然烧坏了。从出海的港口到工作地点，要航行两个多小时，刚刚出来，总不能就这样回去。于是，有人想出了一个办法，让工作船拖着锚钩在海底拖钩，一旦钩到可疑的突起物，就派人潜水探摸。这一天的搜寻最终一无所获。

接着又是连续两个风雨天气。

28日，天公作美，风停雨住，考古队第二次出海，这一天船身行驶出少有的平稳。上午，声纳仪扫描的结果，发现了多个疑点。中午时分，经过商量，打算对其中可能性最大的一个疑点进行潜水探摸。

广东省考古所的崔勇首先在可疑点上投下了五个指示浮标。然后，考古队员十个人分成五组，分头下水探摸。几十分钟后，各组队员相继出水，探摸的结果仍然是一无所获。仪器中显示的凸起物，有的是露出海床的礁石，有的是船上丢下的废弃物。下水的十个队员，有七人被水母蜇伤，这是他们那天探摸的最大“收获”。

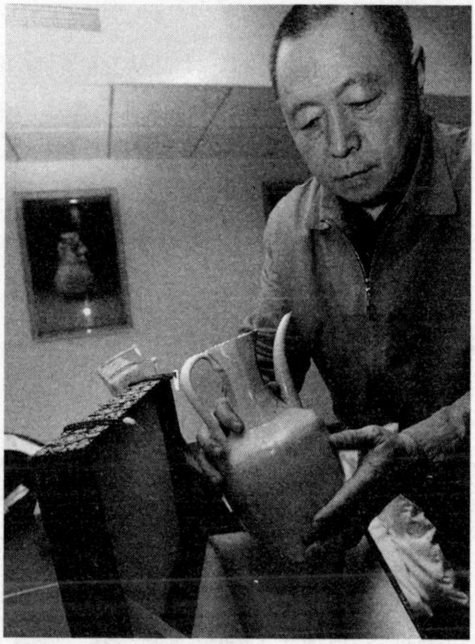

工作人员在展示“南海一号”沉船打捞的南宋景德镇窑“影青执壶”。
（汪永基/摄，图片来源：新华社）

他们已经在海面上反复扫测了十几天了，始终没有找到沉船的任何线索。这一天，声纳仪上，又显示一个极为可疑的地点。这次轮到张松和陈来发，第一班潜入水中去探摸。那天潜水，因为作业船老是不停地变换位置，他们没有设置专门的入水绳，而是用工作船的锚绳代替的。但是就是这一次，因为入水绳的问题，险些酿成事故。

40分钟过去了，第一班水下工作时间已到，轮到崔勇和他的潜伴下水接应了。崔勇顺着锚绳下潜时，并没有感到有什么异样。两三分钟以后，他潜到了海底。

海底，混沌一片，静悄悄的，没有一点声音，“咦！人呢？怎么不见有人啊。”他向前摸索了一段，绕过船头，再听听，还是没有人。能见度很低的时候，他们通常是靠气泡的声音来感觉同伴，判断同伴的位置。

“他们是不是已经回到了船上？”崔勇心里在想。他给同伴做了一个手势，让他原地等待，自己浮出了水面。

“喂，船上有人吗？”

“崔勇，什么事啊？”船上有人探出身来问。

“张松他们回来了吗？”

“没有啊，他们不在水下吗？”听到崔勇的问话，船上的人都探出身来。

“下面没有看到他们俩，”崔勇这时心里开始有些紧张，“我再下去找找。”

崔勇用力地摆动着两腿，再次下潜，就在他接近海底时，忽然发现几十公斤重的大铁锚正拖着锚绳缓缓地移动着，海床上被锚钩犁了一条长长的深沟。

走锚！崔勇马上意识到，不好，张松他们一定因找不到入水绳迷失方向了。于是他迅速在绘图板上写下“救人”两个字，递给了潜伴。然后一个鲤鱼打挺，急速返回了水面。

按照安全潜水的规定，从20多米深的海底浮出水面，中间必须要有几次停留，至少需要10分钟，才能排出体内聚集的氮气，可是情况紧急，崔勇已经顾不得那么多了，他以最快的速度窜到水面，告诉船上赶快找人。

在崔勇上来报信儿之前，船上的人完全没有感觉到船体在移动。船身一直在不停地晃动，缓慢的位移在船上是感觉不到的。他们得知海底不见了张松和陈来发，立即开着快艇，在海面上四处搜索。

再说张松和陈来发，入水以后，先是在海底找到了浮标的沉块。接着围着沉块搜索了几圈。到处是船上丢下的废弃物，破玻璃瓶、碎玻璃、烂塑料桶。忽然，他们发现了一块铁制的东西，游过去一看，一个不知道什么时候废弃的铁锚，已经锈蚀得很严重了。“这可能就是声纳仪上显示的那个可疑地点！”张松心里想。浮标周围的搜寻一无所获，他们又扩大了一下范围，继续探摸。忽然，张松感觉自己的腿被什么缠住了，他伸出手拽了一把，是渔网，一大团，纠缠在一起，又拽了一下，越缠越紧。陈来发听到这边的声音，感觉有点不对劲，游了过来。两个人忙乎了半天，总算把渔网解开了。这时，出水的时间到了。可是，当他们返回到沉块所在地点时，却无论如何找不到锚绳了。

海底水流的速度，是按秒计算的，流向更是错综复杂，相互交错。那天，作业区水深25米多，流速少说也有40厘米/秒。没有了入水绳，他们一旦离开海底究竟会发生什么，张松心里非常清楚，但是，此时，他们没有别的选择。必须尽快浮出水面，否则只能被海水越冲越远，于是他和陈来发手拉着手，离开了海底，奋力向水面游去。

小艇在作业船周围的海面上不停地兜来兜去，一圈，又一圈，但始终没有发现人影。

海面，水天一线，一望无际。极目远眺，所谓的“海平面”好像变成了一条弧线。阳光下，不停涌动着的海水，反射着刺眼的光芒。

不知道用了多长时间，张松和陈来发浮出了水面，他们不知道自己已经被冲到了哪里，也不知道哪里是岸边，哪里是远海。但是，他们知道要想获救，必须尽快找到作业船。他们取下潜水面罩，开始四处搜寻。

汽艇搜索的范围在不断地扩大。“那边好像有个黑影！”有人隐约看到很远的地方有一个黄豆粒大小的影子，小艇以最快的速度将船驶了过去。

其实，是张松他们先发现了小艇，但是他们没有喊，因为太远，船上的人是听不见的。他们背着空气瓶，奋力地向小艇游去。

终于安全上船了。

“你们再不过来，我们俩就累死啦，哈哈。”汽艇上，张松半倚在船舷上，打趣地说。对每一个水下考古队员来说，都需要有面对危险和变故沉着应对的能力，像这样的“小事”已经不算什么了。

“想要对从未潜过水的人描述水下工作的真实情况，几乎是一件不可能的事情。”这是英国一位水下考古工作者基恩·马克尔瑞在他的《海洋考古学》一书中说过的话。

工作船每天牵引着声纳仪的拖鱼在划定的海区内，循环往复不停地扫描，只要荧光屏上一出现可疑物体，他们就抛下浮标，结伴下潜，反复探摸。20多天下来，探摸的可疑地点加起来已经有几十处了，可是，淤泥的海底平坦得几乎可以跑马，没有发现任何与沉船有关的可疑线索。他们百思不得其解，1987年，英国人明明从这艘船上捞上来了200多件文物，甚至还打捞到船上的桅杆，为什么连续搜寻20多天，始终见不到沉船的踪影呢？有的队员开始怀疑，这样的地方难道会有沉船？

大家开始焦虑不安，筹集来的经费已经支持不了几天了。队员们七嘴八舌，分析着可能出现的问题。是英国人提供的数据有问题？还是自己扫测的覆盖率不够，有什么地方漏掉了？抑或这么多年了，船体已经腐烂被海流冲走了？或者中日合作调查找到的那一处露出海床的凝结物只是一块礁石，根本就不是沉船？

这时，广东省救捞局的潜水员徐好武对大家说，当年和英国人一起发现“南海一号”时，也没有人看到沉船，只是看到海床上有一根桅杆，桅杆垂直于海底，高出海底平面两米多，上面挂了一层又一层渔网。这也就是说，直到这时，还没有一个人真正亲眼见到过这艘沉船，几次探摸的结果，都不过是看到了一截挂了很多层渔网的“木头”，摸到了一块不足1平方米的“凸起物”，“南海一号”真的存在吗？

这一个工作季眼看就要结束了，探测定位工作依然毫无结果，每个人都很担心，如果这个工作季他们找不到“南海一号”的沉船地点，不仅今年的工作无功而返，以后，是否还有机会对“南海一号”进行调查，都很难说了。

崔勇，是一个潜水技术十分成熟的老队员，他那不温不火的性格，总让人想起“沉着”两个字。他一直在考虑，是不是英国人记录的数据有问题。1987年中英合作打捞，他是参加那次合作的唯一一位文物部门的代表。他知道按照那次合作的协议，广东省救捞局应该也存有一份关于那次打捞工作的档案，对！应该找来看看。崔勇到广东省救捞局借来了当年的工作档案，仔细翻阅了所有记录。他发现，工作日志上有这样的记载，那次调查在最后起锚返航之前，船的位置曾经挪动过。“怪不得沉船位置的坐标点，救捞局的记录与英国人的记录相差那么大！”崔勇意识到，问题很可能出在这里，应该修正一下扫测范围的坐标。

队长张威也在心里盘算着，下一步到底怎么办。撤回还是继续寻找？这天晚上，他和同伴下象棋，老是心不在焉，几招“臭棋”，搞的同伴没有了情绪。张威心里在想，调查经费已经所剩不多，继续寻找，如果还是找不到怎么办？就此打道回府？那就很有可能从此再也无缘见到这艘沉船了，更何况这也不符合他的性格！想到这里，他忽然将棋子往桌上“啪”地一拍，说了一声：“上浅地层！”

这次“南海一号”调查原计划30天，已经20多天过去了，剩下的几天里，究竟能否有奇迹出现，谁也不敢说有多大的把握。但张威决定作最后一搏。

他请来了广东省海洋研究所的专家助阵，他们带着浅地层探测仪，加入了水下考古队寻找“南海一号”的队伍。

5月13日，除一位留守人员外，所有的队员都出海了。9时许，工作船到达探测海域。为了确保探测定位的准确性，之前，他们设法接收到了用以修正GPS测量误差的差分信号，这样可以把定位误差控制在1米以内。

进入预定的测线后，浅地层仪的记录纸上竟一片漆黑，他们只好将拖鱼吊上船来检查，原来是接线出现短路。修好了拖鱼，继续探测。扫测了一上午，终于又找到了两处可疑地点。

下午2时许，崔勇在其中的一个疑点处投下了浮标，然后，与李滨一起潜入了海底。水下的能见度是这几天最差的，崔勇和李滨谁也看不见谁，凭着对方呼噜噜的气泡声，他们才能感觉到潜伴的位置和举动。崔勇尽量让自己的动作轻缓，呼吸保持平稳，因为这样海底的淤泥也不会泛起，气瓶里的空气也可以用得时间长些。

潜到海底后，崔勇很快找到了浮标拖坠的沉块，循着铅块继续搜索。在离开沉块不到5米的地方，他隐约看到了一块黑糊糊的东西，于是便游了过去，这时，李滨也跟了上去，距离越来越近了，当崔勇用手触摸到那个黑东西的时候，心中不禁一阵兴奋，凝结物，没错，这是只有沉船上才会有的一种凝结物。崔勇用自己的手臂量了量，仅仅高出海底大约30厘米。循着这块凝结物，他们继续搜寻，在相距不到10米的地方，又找到了第二块凝结物，这块稍大一点，高出海床约60～70厘米。找到了！终于找到了！凭着多年潜水探摸的经验，崔勇和李滨十分肯定，这就是他们要找的“南海一号”！

为了更有把握，张威又派孙键、张松、鄂杰、朱滨两组队员下水，对崔勇和李滨的发现作进一步确认。

也难怪考古队20多天的扫测始终没能发现沉船，近几年这一带渔民，采用一种新的拖网方式进行捕鱼，海床被拖网刮来刮去，变成了“一马平川”，“南海一号”已经深陷在1米多厚的海底淤泥之下，只有两块凝结物露出水面，高度才几十厘米，面积不过一两个平方米，在茫茫大海寻找这样的目标，名副其实的大海捞针。他们与“南海一号”差点擦肩而过！但幸运的是，终于在最后一刻再次相遇了！

这次调查，他们对“南海一号”的认识，从一块凝结物，1平方米扩大到两块凝结物，大约几十平方米。而最重要的收获是完成了对“南海一号”的精确定位，获得了一套关于“南海一号”，以及周围海底环境的完整准确的物探资料。

阔别14年，他们终于实现了与它的第二次握手。张松在谈起这次寻找“南海一号”的经历时，不止一次地发出感慨：“运气，那次找到“南海一号”真是靠的运气！”

邓启江，中国水下考古训练班第三期学员，他在自己的培训总结中这样写道：“6月9日的探潜在‘南海一号’沉船遗址，深24米，淤泥底，能见度为零。我与潜伴下到海底后，基本上是漆黑一片，仅潜游了很短一段距离就不得不上水，很难想象我们的老师，在这样一种恶劣的环境下，是如何进行考古发掘的，也不由得敬佩老师们的勇敢和无畏的精神。中国的水下考古有了这样一批老师，还有什么理由创造不出奇迹呢？！”

整体打捞，水晶宫里古船帆影

广东省阳江市海陵岛的大角湾，是一片沙质海岸，阳光下，沙滩闪着点点银光。岸边，鳞次栉比的建筑群中，有一幢普通的小楼，门前一个不大的木船模型，使这座小楼显得多少有些特别，让人隐约感到，这里可能聚集了一群和大海有着密切关系的人。

走进大厅，右侧是一个不足100平方米的陈列室，大大小小的玻璃柜里，收藏着“南海一号”出水的瓷器。这些产品，全部是宋代产自沿海各省不同窑口的瓷器，福建德化的白瓷，江西景德镇青白瓷，还有浙江龙泉窑的青瓷。其中几件龙泉窑的青瓷小盘，色彩青翠如玉，釉面莹润剔透。陈列室墙角几套不同型号的潜水装具，向人们透露出这栋小楼主人的身份。这里就是中国水下考古研究中心的潜水培训基地，楼顶赫然树立着几个红色大字——探海楼。

探海楼，中国水下考古研究中心的南海基地。把基地建在这里，还是俞伟超先生生前多次考察定下来的。因为这里形若牛角的海湾深深地嵌入陆地，水域十分宽阔，适合潜水训练。水下考古队的第二批学员，就是在这里从游泳开始学起，最后潜入大海深处的。

站在探海楼前向南望去，有一处长近10公里的银色海滩，当地渔民叫它“十里银滩”，是这一带最长的沙滩。从这片海面向北，航行四五十海里，便是“南海一号”沉没的地点。

从2001年以后，水下考古队先后对“南海一号”又进行了多次调查和试掘。尽管这里的海底漆黑一片，船身又深陷在淤泥下，几经周折，考古队最终还是揭去了掩盖在沉船上的一层层面纱。

2002年春季，广东南海海面风浪一直很大，浪高经常在2米以上。他们常常是船开出去了，还没到目的地就不得不掉头返航。因而发掘工作总是时断时续。

抽泥机伴着海浪声轰轰作响，海底淤泥不断地被抽走，沉船表层不时有文物被打捞出水，瓷器、钱币、银锭、金银饰品、漆器、动物骨骼……随着抽泥进度不断推进，在两块凝结物之间，形成了一个直径四五米的泥坑。他们已经越来越接近沉船了。

沉船的保存情况，多少让考古队员们没有料想到，每个队员都清楚地摸到了船的两舷和船舱内码放整齐的瓷器，虽经过七八百年的海水浸泡，船体结构仍然坚固，甚至有整体移动的可能。对考古队来说，与船上装载的瓷器相比，船只本身的研究价值显得更为重要，因为，有关早期造船史的资料不仅仅在中国，在世界上也是非常少见的。

沉船所在的海域，水深22～25米，按照安全潜水的规定，每人每天最多只能潜水两次，每次最长只能停留45分钟，两次的间隔时间至少六个小时。

海上天气变化无常，不期而至的大雨狂风，经常使发掘工作中断，而每天的潮涨潮落，又限制考古队员只能在短暂的平潮期工作。所有这些，都制约着“南海一号”水下考古工作的进度。

“能不能整体打捞？”一次，张松在和广东省考古所的李岩、曹劲两人聊天时，提出了这样一个大胆的设想。最近一段时间，大家都在议论着这件事情。张松他们经过一番热烈的讨论，三个人竟真的搞出了一个整体打捞的方案。于是一份全面保护、整体打捞“南海一号”的项目建议书，由曹劲执笔完成后，送到了广东省文化厅领导的办公桌上。

他们的建议受到省文化厅领导的高度重视，2003年下半年，文化厅起草的一份《关于广东海上丝绸之路博物馆立项的申请书》递交到了广东省发改委。很快，发改委给文化厅复函，同意立项。同时省政府拨出1.5个亿的专项经费，用于“南海一号”的发掘和保护。

在征求多方意见之后，一个详尽的整体打捞工程实施方案和海上丝绸之路博物馆建设方案完成了。这时已是2004年3月。

从2005年底开始，十里银滩本来绿树成荫的坡地，忽然变成了一片繁忙的建筑工地。两台金黄色大型吊车矗立在海边，巨大的吊臂不停地转来转去，机器轰鸣中，工人们在紧张地施工。正在建设中的就是广东省重点工程——广东海上丝绸之路博物馆。

博物馆的主体建筑由五个椭圆形“舱体”构成。中部最大的一个“舱体”是专门保存“南海一号”的“水晶宫”。

“水晶宫”好比一个巨型的玻璃缸，水深12米，水质、温度及其环境都与沉船所在的海底位置完全一样。沉睡了800多年的“南海一号”整体打捞出水后，将平移到玻璃缸内进行清理发掘。这就意味着，观众不仅可以近距离看到这艘13世纪的帆船，甚至可以看到考古队员如何通过科学的发掘揭开这艘沉船的一个个谜团。

2006年6月，国家文物局召集的专家论证会上，到会专家对广东省提交的“南海一号”整体打捞方案，进行了热烈的讨论，并最后通过。对于方案专家们给予了这样的评价：“方案指导思想正确，施工工艺先进，资料齐全，数据可靠，结构完整，设计合理。”

经过连续几个工作季的抽泥等水下作业，“南海一号”终于缓缓地撩开了的面纱，带着历史的沉淀，清晰地呈现在大家面前。

“沉船的两端是两块很大的凝结物，凝结物露出海底淤泥。在船体中部，有一个方形的木制底座，应该是桅杆的基座。桅杆已经没有了，两面的船舷虽然已经破损，但木质还算结实，我们探摸到了船舱，沉船满载着瓷器，一摞一摞码放得很整齐。”崔勇这样说，他从中英合作打捞到水下考古队最后一次发掘，见证了“南海一号”发现全过程。

接下来的工作将是把“南海一号”“打捞出水”。按照广东省救捞局制订的方案，一个巨大的铁制沉箱将是吊装这艘沉船的容器。两艘万吨级起重打捞工程船——“华天龙号”和“南天龙号”，是打捞工程的两个“大力士”，一艘平板式全潜舶将把“南海一号”托出水面，并平移到十里银滩的水晶宫内。打捞的全过程需要209个工作日。

沉船打捞的前期准备工作需要60天，这期间包括旧设备的改造，新设备的组装，沉箱及特制工具的制作等。而沉船现场打捞，还需要149个工作日。

沉箱将是钢质的，五面密封，底部敞开。华天龙回转的巨大吊臂，把沉箱罩在沉船上。沉船的周围淤泥，由水下考古队事先做好考古发掘。若干条高压气袋，将用前面牵引，后面推进的方法，从沉箱的底部横穿而过，牢牢固定在沉箱上。然后是给气袋充气，直至气袋之间完全密封。接着，“华天龙”和“南天龙”将一起把它整体吊起，离开海床。一艘全潜舶将沉入海底，把沉船托起，浮出水面，最后全潜舶会被一艘3 200吨的拖轮拖到十里银滩。到那时，广东海上丝绸之路博物馆已经建成，并且已经给“南海一号”预留好了“进口”。一座全钢架椭圆形的水晶宫，将成为“南海一号”未来的新家。

昨日重现，谜团待解再现辉煌

连续几年的试掘，从“南海一号”先后出水了4 500多件瓷器，全部是宋代产品，产地包括江西、福建、浙江和广东。

大约从唐代开始，中国的瓷器，作为最受欢迎的产品，从陆路和海路被源源不断地运往东西方各个国家。在本世纪初发掘的中亚一些国家古代遗址中，就常有中国浙江龙泉窑的青瓷片出土。有位阿拉伯人在他的书里，这样形容中国唐代的瓷器：

“透明如玻璃，里面加了酒，从外面可以看到。”当时的中亚、西亚地区，人们只会烧制外面挂了一层薄釉的陶器，中国瓷器传入，当然会令他们感到十分新奇。

宋元时期，是中国瓷器生产和外销的黄金时代。南北各地，名窑辈出。浙江、福建、江西、广东等沿海地区窑业更是兴旺发达，出现了龙泉窑、景德镇窑、泉州窑、德化窑等一批享誉世界的名窑。他们的产品受到了来华商人的欢迎，每年的出口量难以统计。20世纪70年代，朝鲜新安县发现了一艘南宋时期的沉船，一次出水龙泉窑瓷器15 000多件。而即将出水的“南海一号”，据潜水探摸的队员讲，少说也有8万件。

瓷器的外销不仅给商人也给国库带来丰厚的利润，朝廷因此采取鼓励政策，在沿海各大港口设立了管理进出口事务的市舶司。对能超额完成税金的官员，给予加官晋爵的奖励。

被誉为古代旅行家的元代文人汪大渊，海外旅行归来后曾著有《岛夷志略》一书。据书中记载，在宋代以前，中国瓷器没有输出的时候，居住在东南亚一带的原始居民，吃饭时“蕉叶以为盘”，“葵叶以为碗”，还有的以“竹编”“椰壳”为器。即使在中亚的发达地区，也多是以木器、金属器作为饮食器具。这或许也说明了，为什么“南海一号”沉船出水的绝大多数都是盘子、碗、罐等日常使用的餐具。中国瓷器改变了他们的进餐方式，深刻影响了他们的饮食文化。在一个相当大的范围内，甚至影响了那里人们的社会生活，在一定程度上影响了世界文明的进程。

在所有的出水文物中，除了瓷器，还有一条表面镀金的腰带，引起了人们对船主人的猜想。腰带是银质的，表面的金箔已经失去了光泽，一部分甚至已经斑驳脱落。专家们认为，这条腰带，肯定不是中国的产品，从它的珍贵程度看，很可能是船主人的用品。这也就是说，这艘船的主人很可能是一位外国商人。

这不禁让人浮想联翩，这位佩着银质镀金腰带的船长是何等人物？在800多年前的中国，他看到了什么？在那个可怕的沉船之日，他曾面对怎样的恐怖瞬间？

在公元10世纪到13世纪的400年里，中国商船靠着先进的水罗盘导航，可以横渡印度洋，到达非洲的西海岸，最远可以航行到波斯湾的尽头。

繁荣的海上贸易造就了一批世界级的港口。泉州，就是当时享誉世界的“东方第一大港”。在这座城市里，居住着来自中亚、西亚、东非以及欧洲等地各种肤色的商人。每天都有大批的瓷器、丝绸、茶叶、漆器、铁器等货物通过水路、陆路从全国各地汇集到这里。每年驻泊在这里的大船成百上千艘，小船不计其数。

海面上商船樯桅相连、风帆垂天，气象壮观。岸边，一行行的仓库沿着海边排列着，高大的铁门时而关闭，时而敞开，每天都有大批的货物从这里装船上路。

夏天，赤道的东南季风盛行的时候，一队队商船，从印度洋甚至更远的地方驶来，他们有的是返航的中国商人，有的是来做生意的外国人。船上满载着印度和东南亚的丰厚物产，顺水扬帆穿过马六甲海峡来到泉州。

冬天，当海上送来强劲的西北风时，他们又鼓起风帆，把在世界最畅销的中国商品运往西方。

“南海一号”这艘满载着中国瓷器的商船，主人是一位来自西方的商人。他是800多年前的某个夏天来到泉州的。泉州港的货物吞吐量巨大，往来于“海上丝绸之路”的商人们，无论装载了多少船货，都可以很快在这里找到买主。同时，在这座城市几乎可以采购到他们需要的所有商品。

老船长舶好了船，卸下船上的货物，就近找了家商馆住下了。

泉州城里，到处长满了刺桐树。街道两旁商馆、店铺、酒肆，还有各式宗教建筑高低错落，鳞次栉比。到处可见各色手工作坊，生产金属制品、瓷器、丝绸、纸张等。有些作坊生意兴旺，规模较大，有工匠近千人。

每天，各路商家起得比太阳还早。天还没亮，街上已是车水马龙，人们在街边的熟食摊上，随便吃些东西，就开始忙碌起自己的生意。等到太阳升起的时候，街上已经是人声鼎沸，水泄不通了。成千上万的货车、马车像潮水一般涌向城里。马蹄声、叫卖声和各种敲击的声音，混成一片。

老船长没用多长时间，就把自己带来的象牙、犀角、胡椒、各种香料和各种宝石售卖一空，看看渐渐鼓起来的腰包，他露出了心满意足的笑容。

老船长每日里穿梭在泉州城的大街小巷，选购着各色商品。这些年，中国的瓷器在西方人当中，成了一种非常时尚的日用品，它坚实轻薄的质地，玉石一般的釉色，比他们原来使用的锡釉陶器漂亮得多，也方便得多。还有中国的丝绸，五颜六色，金光闪闪，是老爷太太们的最爱……

采购来的货物，渐渐地堆满了船舱。瓷器，装在船舱的最下面，一摞一摞紧紧地顶着船板，瓷器与瓷器之间，还撒上了很多茶叶。它们就像是压舱石，装在底船可以让船行驶得更稳。丝绸都用防水的布包裹着，装在船舱的最上面。不知不觉，几个月的光景过去了，船已经装得满满的。

冬季来临的时候，老船长乘着北风踏上了回乡的航程。五六百海里的船路，在当时的帆船时代要走八九天。这天他的船已经驶过了广州港，前面就要到七星洋了（今西沙群岛）。这时，海上忽然起风了，一阵紧似一阵，天上阴云翻滚着，像是在追赶着船只，一步步地压过来。船长是位久经风浪的老水手，凭经验他预感到暴风雨就要来临了。看了看船的位置，北面是川山岛，南面是海陵岛，于是他定了定神，紧了紧腰间的银质腰带，调整了一下风帆的方向，朝海陵岛急驶而去。

暴风雨实在来得太快了，他没走多远，海面上便狂风大作，海风卷着暴雨吼叫着，劈头盖脸向他们扑来，小船几次被没顶的大浪吞没，几次又从浪里钻了出来。船长紧紧地把着尾舵，努力控制着船身。忽然，“咔嚓”一声巨响，船上的桅杆被拦腰折断了。没有了桅杆，也就没有风帆的动力，木船再也无法前进了。这艘只有20多米的小船，终究经不起巨浪的反复拍打，开始破裂进水，接着失去平衡，一切努力都已无济于事。接着又一个巨浪打来……

海水吞没了真相，暴风雨终结了一切。老船长和他的船永远留在了南中国海。一躺就是800多年。

他的银质镀金腰带已锈迹斑驳，新的历史时代却更加繁荣、忙碌了。他的船被重新命名为“南海一号”，即将重见天日。

十里银滩上，广东海上丝路博物馆正在紧张的施工中，“南海一号”将被打捞出水，安置在这现代化的建筑里。

“南海一号”整体打捞的项目建议书中这样写道：在解决了文物保护问题的前提下，适时将商业机制引进“南海一号”的后续开发，在大众心中营造出以科研为先导、保护为核心，综合利用为最高目的的持续发展新形象，升华出和平、发展、科学、勇敢的主题思想，将是广东海上丝绸之路博物馆的中心任务。

在那里，水下考古工作者们将亲手揭开关于这艘沉船背后的一个个谜团，遥想当年鲜为人知的商旅故事，重拾那段沉睡海底的昨日辉煌！

让我们期待着！

（选自文物出版社《驶向海洋：中国水下考古纪实》，
2007年3月出版，作者：杜玉冰）

深圳2007房价暴涨背后的秘密

在经过2005、2006连续两年的房地产调控之后，中国大城市高涨的房价不仅没有丝毫回落，反而在近两个月迎来新一轮全面上涨的浪潮，而深圳无疑是其中的“领头羊”：仅在今年上半年，深圳房价即暴涨了50%以上。

从上海、北京到深圳、广州，庞大的资金将一个又一个城市席卷而下。下一个房价暴涨的城市是谁？何时才是尽头？

18个月以来，深圳经历了一次史无前例的房价狂飙：平均房价从2005年的7 000元/平方米上涨到接近16 000元/平方米，仅今年头6个月，房价就上涨了50%。

资本露出饕餮本性，再多、再贵的新房推出，总是一吞而空。房价不断刷新历史纪录，买者依旧如云，人们似乎对数字失去了感觉；“只要楼王，不论价格”的预订已经不让地产商感到惊喜；投资者并不抱怨价格，他们的愤怒在于——并不总能买到新房。

在十多天的采访中，无论是政府、学者、开发商、中介甚至是炒房者，《南方周末》记者遇到的每个人均称：如此上涨其意料之。然而，一切又似乎是如此符合逻辑。

6月初，招商地产的一位高管在一个房地产论坛上说，他们开发的高级住宅兰溪谷，近1 100套房子以当下市值计算，已可买下整个伊利集团。

兰溪谷二期的楼盘正在询价，据悉买家报价已到3.2万元。伊利是中国最有价值的企业之一，一个楼盘的价值显然无法与之相提并论。这位高管感慨，“不是伊利的价值低估了，就是楼盘的价值被高估了。”

6月底，深圳福田区欢乐谷附近一个叫“纯水岸”的楼盘到达了它的巅峰，这里卖出了一套单价7 300多万的别墅，每平方米价格高达14万元。

“那栋别墅光佣金就挣了100万。”中介公司小姐指着“纯水岸”人工湖边掩映在绿树丛中的别墅群说，那片别墅基本上都卖完了。

知名地产商人王石亦感叹：在这样的牛市下，房地产的品牌已经没什么作用了。

“现在楼盘的利润率已经高到让我们不好意思的程度了。”6月29日，一位开发商私下如是对《南方周末》记者坦承。

素来以速度和财富著称的深圳，在它26岁之际，发觉速度与财富的结合令它眩晕：这个城市以前所未有的速度诞生着百万富翁、千万富翁、亿万富翁，同时以前所未有的速度让更多的人远离住房梦想。有两个深圳——渴望房价上涨的深圳，期待房价下跌的深圳——对于其中一个，这是最好的时代，对于另一个，这是最坏的时代。

筛眼中的人生

梅林一村100平方米的福利房、纯水岸临湖的高档住宅、观澜高尔夫的别墅——深圳房地产市场近来成交最旺的楼盘，它们的买家级别分别意味着百万富翁、千万富翁和亿万富翁，如同对应着飞机的普通舱、商务舱和头等舱。

上涨中，深圳楼市就像一个筛子那样筛选出富人，而且筛眼仍在不断扩大，众多怀揣深圳梦的中低收入者也竭尽所能地避免被筛子筛出去，即使这意味着他们被深深“套牢”，透支未来——取消了二线关的深圳，房价无疑是一道更高明的门槛。

去年10月中的一天，来自武汉的傅志刚清楚地看到他人生中的那道筛眼。

那天上午他偶然路过一个叫“碧华庭居”的小区，出于习惯，他把视线投向房产中介的信息栏。令他惊喜的是，一套100平方米的二手房刚刚挂牌转让，他是第一个看到的人。

2005年研究生毕业的傅志刚，在深圳的同学十余人，只有一人尚未买房；他所在的大型国有公司，同时进来的毕业生有一大半买了房，2006年7月毕业的人中也有一半买了房。绝大部分首期来自父母，或是借钱。

之前两个月他无时不处于焦灼和郁闷中，看了无数的房子，可每次他去看房，房子总会在第二天就被人抢走。而且每套都比前一套卖得贵。

愈发焦灼的傅志刚，不知道自己正在经历深圳楼市的再一次报复性增长。当年6月1日，“新房2年内出售须缴纳5%营业税”的规定将售出时限延长到了五年。2005年的那一幕完整再现。同样长达三个月的对峙，同样是买方心理崩溃，营业税的成本一模一样地添加进了房价里，房价一模一样地加速上涨。

“6、7、8三个月，我的收入加起来只有5 000元。”地产中介张先生说，那时谁都不让步，交易少得可怜，以佣金为生的中介日子自然不好过。

短暂的萧条后，张先生们乐于为急不可待的傅志刚们找到合意的房子。

这次，傅志刚成了第一个去看房的人，在屋子中停留的半小时内，他遇到了不同中介带来的十几个看房人，几乎是一个小型现场拍卖会。从看房到决定，只用了两个小时。签完合同后，傅志刚给女友打电话，“我是不是在做梦？像买棵白菜一样花掉了未来三十年？”

“这棵白菜”花去了他所有的积蓄，首期款中有部分是向朋友借的。他的收入稳定，在深圳属于中等偏上，每月6 000元工资，女友的收入还略高一点。每月按揭款用去了他俩总收入的50%，而国际通行的警戒线是家庭总收入的30%。

女友在电话中劝傅志刚冷静一点，傅则回答：如果现在不买房子，那我可能一辈子都不能给你一个家了。

对于傅志刚这一深圳人数最为庞大的白领阶层来说，房子是关乎一生的博弈。博弈论创始人冯·诺伊曼曾准确地描述过这一群体：在手上牌可能最差的时候加大赌注。牌局对他们不利。

身边都是这样的故事。在目前这个高位前已购置房屋的人庆幸自己做了房奴，背上的沉重包袱似乎能保证他们留在筛眼继续扩大的筛子里；另外一些望房兴叹的人则因错过机会欲做房奴而不得暗自生恨。

七个月后，傅志刚的同学在他的10楼买了同一户型，多付了30多万。“真羡慕你早就买了。”而傅也羡慕在他之前买房的同学。

这时的傅志刚正在装修自己的房子，在梅园路的大型建材市场，上千个摊位全都生意火爆，订单均排到一个月后。

据世华地产在今年3月的调查，他们发现，深圳人的购房习惯有了根本变化：

过去，来到深圳3～8年后购房是常态，而目前1～3年也成为常态，而这些人，基本无法依靠自己的收入支付房款，两个家庭、两代人共同承担一套房子的首期甚至是按揭已不鲜见。

转折之年

“房价问题已经是深圳最大的政治问题。”一位深圳市政府部门负责人对《南方周末》记者坦言。

实际上，深圳市在1988年就率先提出：深圳市住宅局代表政府建设微利房，以成本价向居民出售。住宅局可获微利，以弥补建设福利房的亏损。它实际上是一种成本房。

1993年，这个城市曾自豪地宣称，深圳市有户籍人口的住房问题已经基本解决，该市住宅局因此于1992年获得了联合国人居荣誉奖。

当时深圳房地产两轨多价的住房体系已经规划好了蓝图。《居屋发展纲要》还拟订了福利房占30%，微利房占40%，商品房占30%的比例，并注明：此后，建房比例中的两头逐渐减少，微利房逐渐增多。

那个时候，每个深圳市民，都可以排队购买政府开发的微利房。这项政策很好地解决了深圳人的居住问题。即使在深圳发展最热的时候，也没有出现房价飞涨的现象。

然而在10年后的2003年，深圳市住宅局黯然退出历史舞台。此后深圳的福利房和微利房建设陷入停顿，供应量少得可怜，而且多数是为公务员建设，多数居民由此被逼进商品房市场。

上述政府部门的负责人将之定为深圳房价的转折点。“就像米和盐一样，房子是半公共产品。因为房屋承载着人的基本居住权利。而房地产商就是想把政府供应这块挤掉。当时一些开发商攻击住宅局，认为住宅局成为一个政府背景的开发商。”

“与香港覆盖60%人群的公屋制度一样，过去深圳居民三五年或者七八年总是能排上房号。可现在怎么保证？”他说。

然而，房地产市场化是全国一盘棋，深圳对此似乎无能为力。

通往“繁荣”之路

“如果说，2006年深圳楼市是疯狂，那么，今年则是癫狂。”6月22日，世华地产市场研究总监肖小平对《南方周末》记者说。在她的记忆中，疯狂源自2005年下半年。十余天的采访中，这一印象不断被印证。

2005年之前，深圳以房价平稳著称。当杭州、上海、北京等明星城市的房价次第领涨时，深圳更像一个局外人——这里的居民经历过1990年代中后期的楼价下跌（价格从高位时的10 000元/平方米跌落一半），也见证过香港楼市的崩溃、负资产阶层的凄苦，“他们更理性，不轻易投机。”香港学者郎咸平曾这样评价。

房价温和而平静地上涨几年后（每年约5%），深圳人对楼市的审慎态度开始悄然而变。

推力更多地来自深圳之外。2005年前后，“流动性过剩”成为描述中国宏观经济时出现频率最高的词汇之一，它的意思是：钱太多了。这意味着，“留什么在手上都比留人民币好。”一位前地产中介说，从2005年开始，她替自己和几位无暇亲力亲为的朋友投资深圳房产，至今，获利数倍。

经济学家们对此有着清晰的解释：事实上，在货币市场上有超额供给（即流动性过剩或钱太多了）时，人们会通过增加支出来调节，而这种支出通常会是投资而不是消费。

由于前期的平稳，相较于北京、上海，2005年的深圳楼市已有落差，颇让投资者放心，在深圳购置房产显然是一个稳妥的选择。

何况，可供中国普通居民选择的投资品实在不多——比起普洱茶、艺术品，甚至是奢侈品，股票、房产还是更可靠一些。相较阴晴不定的股市，房产又更可靠。何况，房产比股票更“重”：股票只是一张纸，而房价即使下跌，还可通过出租房屋挽回损失。

2005年7月，另一个大事件更将深圳人推向了投资一途——人民币开始汇率改革。QFII（合资格的境外机构投资者）提出了近乎夸张的建议：“持有一切以人民币计价的资产，包括垃圾。”

那时至今，人民币累计升值幅度已超过7%，各方预测，升值仍将持续。这意味着，人民币汇率目前仍被低估。通俗而言，汇率是现金的价格，当把现金的价格往下压的时候，其他资产的价格都要上涨。房产亦如是，直到汇率不再上升。

"人民币一升值，我们就意识到，深圳将接过上海、北京的接力棒，成为房产投资的又一个资金洼地。房价上涨无可避免。"一位房地产策划师回忆道。

汇改前两个月，调控楼市的"国六条"出台，深圳市政府应声宣布，从6月1日开始，"新房两年内出售须缴纳5%营业税"。这为深圳人的理性选择增添了些许戏剧性——押卖方希望以更高价卖，以弥补陡然增出的成本，买方不愿买，等着房价跌。心理对峙持续了三个月，以买方卸甲投降、追涨购买告终。

征税5%，房价涨幅不止5%。肖小平解释，被征税者涨价5%，不需要交税的卖方不会不跟着涨，为了得到与后者相等的收益，交税者还会接着涨价……这样的逐涨游戏，在一直是卖方市场的深圳楼市，成为不断探测买房者心理底线的竞价过程。

一位有威斯康星大学经济学博士背景的地产商将人们投资楼市的冲动称为"理性选择"。当前人民币的存款利息已低于通货膨胀率，即经济学家们所说的"负利率"。将现金留在手里或存银行，其实际购买能力将下降，并不理性；用于购买股票或房产，或许还可以预期未来升值。

事实上，在市场经济发达的国家，房地产隶属于金融业，而不是制造业。房子是金融产品而不是单纯的消费品。很多中国老百姓没有这个常识——房产类似股票，它的价格某种程度上来自"散户们"自己对未来的预期。

于是，看似荒诞却符合逻辑的一幕出现了：政府抑制投资或投机需求的良好意愿，在买卖双方力量不均的竞价中，违背初衷，成为房价上涨的助推剂。

一系列事件之后，深圳楼市踏上了通往"繁荣"之路。

满城尽是炒房客？

看涨！看涨！深圳楼市从2006年的疯狂，演进到了今年上半年的癫狂。楼市飞涨的"深圳速度"似乎是对人类想象力的一种嘲弄。

新楼盘的销售不得不在酒店或是会展中心进行——只有这些地方，才能容纳下等候抽签的购房者。过去常常只在彩票摇奖时出现的公证人员，现在则出没于各个售楼现场——他们的在场，多少能缓解人群对地产商的责难。

2006年年底，观澜高尔夫推出160多套别墅，600多户闻讯抢购，近千万元一套的豪宅每两三分钟成交一套——或许不比卖白菜更慢。眼看可能出局的买家竟然高呼："别抽签了，干脆现场拍卖吧！"

今年4月，深圳市社会科学院公布《深圳蓝皮书：中国深圳发展报告(2007)》称，去年置业者中有超过30%在取得产权证后半年内转手。

"炒家让一切都失去了平衡！看不懂，居然可以炒到这么高！"深圳市规划局的一位官员直言。

"像炒股票一样，他们一波一波地在炒房子。现在的房产证就跟烫手山芋一样，过不了几个月就转一道手。"深圳发展银行高级业务经理高黑告诉《南方周末》记者，他见过一套房子，半年内转了三道手。

而在中介圈内，一则传言广为流传：8 000个炒家控制了深圳将近30%的二手豪宅。

传言无法求证。追溯历史报道，2005年，无论是政府还是市场人士，都认为深圳炒房客大约只为购房者的10%。

至于今年，一位不愿透露姓名的地产高管披露，他们的楼盘约35%~40%是投资性购买，"其他开发商的数据也大致相同。"

深圳市房地产协会秘书长张文华则表示："根据下面调查的结果，有的楼盘显示炒家比例高达惊人的70%。"根据他的经验，全市范围内这一比例约为35%。

这与深圳发展银行高级业务经理高黑的经验大体相符——他的业务中，1/3是初次买房，1/3是投资，1/3是转贷。而转贷，常常是为了装修或买第二套房。

这与世华地产的调查暗合。在回答购房动机时，15%的人选择"自住"，15%的人选择"投资"，余下的70%则选择"投资兼自住"——如果房价继续上涨，他们将可能成为新的投资客。

一位留美博士出身的地产商认为：在成熟市场，成功的投机者应该起到市场稳定器的作用。"价低买进，平稳楼市；价高卖出，平抑房价。"然而，在一个失序市场中，炒家的投资行为无法不以一种唯利是图见利忘义的负面形象示人。

炒家“干炒”早已不是秘密。房价的上涨，已把太多自住需求抛离，目前二手房已经从由投资客转卖给自住者，转变为了投资客转给投资客，投资客之间相互接货，然后一波波抬价，也就是所谓的“干炒”。

斗　　图/冯印澄 新华社发

楼市，已是投资者的盛宴。他们对上涨的预期，甚至强于地产商——只要继续上涨，就意味着获利。这些逐浪者，在追逐中叠加、推高着浪花，一次又一次，试探、突破着人们的心理底线，也挑战着彼此的心理底线。

这座城市从未拥有过这么多的百万富翁、千万富翁和亿万富翁。财富与勤奋、刻苦和知识不再有那么大的关系，而更要归功于冒险，或是与地产商的良好关系。

奇异的合谋

今年1月27日，一个叫“金地名津”的楼盘在深圳会展中心开盘销售。近几年持续投资资产的金融分析师杨锐，一直看好深圳楼市，但对于当天的现场仍没有心理准备。准备购房的他看到等待摇号的4 000人（约2 000户），不由得倒抽一口冷气——这个楼盘只有800多套。

当场摇号抽签，抽中的每一拨10户依次选房。杨锐幸运地排进了第三拨，也是最后一拨。“进去一看，80%的房子都标明已售。”心仪的户型早已被人捷足先登，但看到如此情形，杨锐临时决定多买一套，他在剩下的户型里随便挑了两套。

其他还在等待叫号的约1 970户在一个小时后被告知楼盘已经售罄。现场立即混乱起来，人们激动、愤怒，大厅中的摩擦、争吵此起彼伏。

就像参加了一次“轮盘赌”一样——作为奖赏，中奖者终于有资格掏出至少百万以上的巨款购买均价16 200元每方平米的房屋。可以计算出，中签率是1.5%；购房者中的老股民还记得，1992年百万人排队抢购股票认购证的那次，中签率是10%。

和很多至今在网站讨伐开发商的市民一样，杨锐认定那次在会展中心1.5%的中签率便是其中手法拙劣的一例。

他说：“我回去上网查那天成交的不足50%，也就是说房子根本没有卖完，我担心是完成手续时间不够，连着两三个星期上网查都是同样的结果，春节一过，开发商再出示公告说有一些退订的可以重新选房，这一次房价就是18 000元了。”

“时间就是金钱。”这一在深圳蛇口最先提出的口号深刻影响了中国。对于捂盘惜售追求房价“涨停板”的开发商来说，这个口号的确别有意味。

“开发商捂盘惜售的现象确实存在，但对于正规的大开发商来说，他们更倾向于快速套现，将资金转入下一个项目，而不愿承担市场风险。所以，楼市泡沫并不一定产生于有人恶意囤积，而是整个市场和社会的短视。”肖小平说。

2006年以来，楼市的投资者们和地产商们形成了奇异的合谋关系，“金地名津”的销售策略只是其中手法的一种，一些地产商采用了更为高级而合法的方式，他们在正式开盘前，会进行一段时间的公开询价，将关系户和普通购房者报出的价格累加制定出最终售价，这样的定价往往会提前覆盖未来的上涨空间，成为市场上的价格领导者，而实力较弱的开发商则可根据这样的价格确定已方售价，而投资者们在卖出二手屋时又是盯住新盘价格。

价格继续上涨，地产商将获利，投资者也将获利，本应是价格谈判者的买卖双方，却不约而同地合谋定价，房价在这样的循环中渐次推高。盼望楼市下跌的购房者除了用脚投票，基本失去议价的机会——他们中许多人也已被逐离在房市之外。

面对《南方周末》记者，一位知名房地产公司的开发商回应“深圳开发商联手推高房价”的指责时表示：香港房地产商才有可能形成垄断，整个香港房地产市场控制在几家大地产商手上，可他们也没形成价格联盟，深圳成百上千家开发商，更没有这个可能。

或者说，在空前牛市中，根本不需要什么合谋，开发商跟着水涨船高罢了。这个时候，没有人考虑水能载舟也能覆舟的道理。

2007年6月28日，福田区一块5 000平方米的居住用地拍出1.66亿元，竞价激烈。该楼面地价为1.037 5万元/平方米，创深圳新高。这是特区内今年首次出让居住用地。

而在前不久，关外一块土地的拍卖也创下天价。这表明一个可怕的事实，有房地产商继续看好深圳房价，否则断不会这样出价。

另一方面，政府财政也得以大为充裕，房价大涨，导致深圳房地产税收猛增。据《中华工商时报》报道，深圳地税局负责人透露，1~5月深圳房地产市场由于交易活跃，以及多数交易楼盘为五年期以内楼盘，所以营业税收入较高，房地产总税收合计49.84亿元（未含契税），占全市总税收的19.6%，全年预计会超过100亿元。

有专家表示，开发商在短期内没有任何降价的动力。但可以看出，开发商的这种行为方式仍建立在购买者总体对楼市看涨的前提下，而影响整个购买者群体的预期通常只有地方政府才能做到。

亦有经济学家形容，就像已经一去不复返的金本位时代，某种程度上，中国经济进入了房本位时代。

他预言，“经济发展到现在，各种形式的资产中房产是交易成本最低的，房本位正慢慢变成金融体系的基石。”

谁在裸泳

近日，又有小道消息在深圳地产界传出，7月15日将是深圳楼市的又一个心理节点，从这一天开始，政府将对房屋出让收益征收15%的个人所得税。这一次，如果传言属实，买卖双方谁将赢得对峙？过去两年的情形会不会第三次重现？

无论输赢，目前的深圳楼市，租金已不足以支付利息，推动房价的原动力已主要是投机和转手。这意味着，目前的市场逻辑近乎自我循环：房价的上涨系于对仍将上涨的预期。

“售租比（售价/月租）、房价与家庭年收入比两项指标都已经到达警戒线。总的来说，不乐观，有蛮大风险。”深圳发展银行住房与消费信贷部总经理柳博说。他们已经开始上调风险控制的尺度，“所有的风险防范，都是为了应付将来的那一次不

2007 年 4 月 8 日，市民在哈尔滨第 24 届商品房展销会上了解楼盘信息。
（高增双 / 摄，图片来源：新华社）

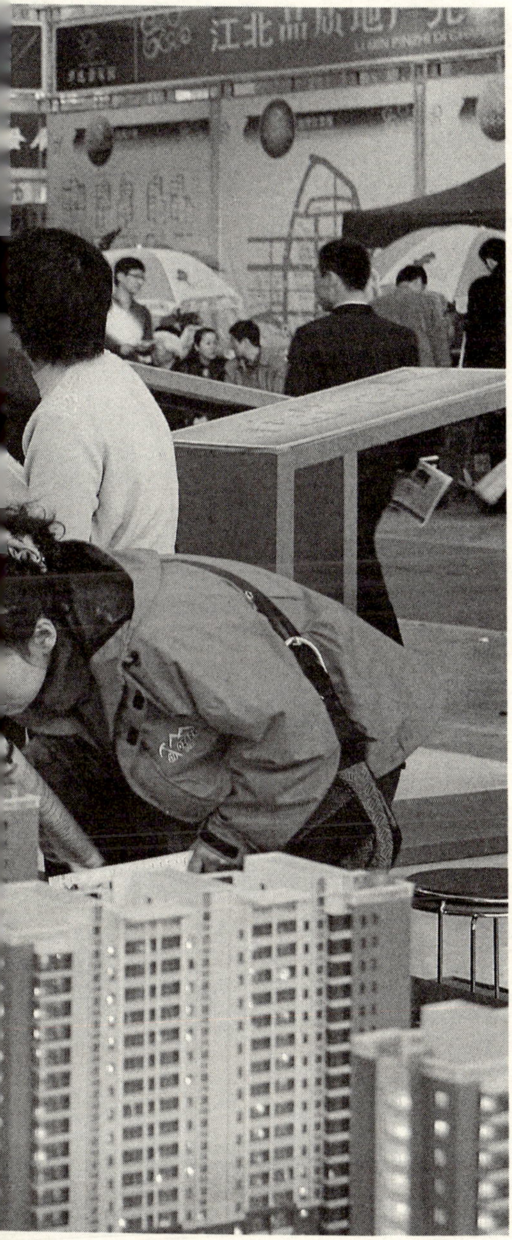

景气。”

在房贷业务突飞猛进的乐观氛围中，柳博总会不合时宜地想起罗伯特·希勒。这位准确预言了纳斯达克崩盘的耶鲁大学教授，研究了美国115年的房价后得出结论，人们对房价的投机心理是导致上涨的主要因素。其他因素，不是早已有之，就是伪命题。但这样的上涨，总会跌落。Anything flying high will fall.（任何高飞之物均会跌落。）

柳博问道：“有谁能保证，房价在未来没有20%的可能下跌三成？”

到那时，房贷就已经不安全了。他借用巴菲特的名句——只有在退潮时才能看得出谁在裸泳，“我希望那时我们都穿着衣服”。

许多人在准备衣服。杨锐已决定不再添置新房，一些炒房客也认为房价太高，已把视线投往下一个可能的资金洼地。数十人甚至上百人的深圳看房团一批一批地涌向惠州、东莞、桂林、长沙、武汉等城市，继续着淘金神话。不久前，在长沙，一个由深圳地产商开发的楼盘，70套联排别墅中有40套为深圳人购得。

地产商们依旧在享受着楼盘的高价和抢购，依旧在以天价竞拍土地。但有的大地产公司已决定，在明年年底前出清存货，不论什么价格。

“下跌是一定的，也许就在明年，也许不那么快。”一位地产商私下坦言，他现在做的所有事情，都是在为将要到来的寒冷期准备。尽管各国的经验表明，房价一般是缓缓下降，更像是一块系在降落伞上的砖块，但是，“如果那个日子来了，很难有人逃得过。”他喃喃自语。

（文中杨锐与傅志刚为化名）

透支未来还是保护未来

面对这多年未有之乱象，深圳市领导班子坐不住了。6 月 20 日，市领导花整整一天的时间，上午主持召开房地产形势座谈会，下午又召集有关部门和各区政府负责人，研究部署有关对策。紧接着，深圳市 13 个政府部门联手治理楼市成了 7 月深圳最为轰动性的新闻。

“房价上涨，是近来我考虑最多、关注最多的问题之一。”市领导说。面对有人提出的“房价上涨是宏观经济环境趋好的必然反映，应由市场‘说了算’”的观点，市领导回应：“房价上涨直接关系到老百姓的切身利益；科学、理性、依法引导房地产市场健康发展，政府负有不可推卸的责任。”

按照国家统计局公布的全国 70 个大中城市商品住房销售价格调查统计，今年 1～5 月，深圳各月房价同比涨幅分别为 10.2%、9.9%、10.7%、11.3%、12.3%，涨幅均居 70 个大中城市前列。在官方统计中，仅次于北海，但谁都把深圳看作中国楼市新一轮涨幅遥遥领先的领跑者。

根据政府公开的数据，全市商品房 5 月成交均价为每平方米 14 223 元，比 4 月份上升 22.86%。对比 2006 年数据全市均价 9 384 元 / 平方米，涨幅达 51.57%。

对于深圳来说，这不一定是好事。

谁来保护金字塔底端的人

现在深圳商品房市场提供 95% 的房源，收入几乎是唯一的标尺。

“为什么政府拿不出地来建微利房而开发商手上却有地？”深圳市政府一位官员说，“单纯讲市场供求紧张是愚弄领导，愚弄老百姓。”

一位地产商也表示，正规的开发商其实欢迎政府为中低收入者提供住房保障，

“经济适用房本就是政府应该做的，就像证监会是保护中小股民利益的一样。”

“政府的政策要保证金字塔底端的人的住房保障，像香港的公屋跟市场根本不搭界，贫困线下的人究竟是多少，剩下的就让市场去办就完了。”他说。

上述官员透露，政府也不想看到现在楼市高企的局面，“市领导也非常认同保证中低收入居民的住房权利，很久以前，就开始谋划了。”

市政府表示，下一步深圳市房地产市场调控工作重点是要盘活土地存量。并明确要求：年度计划出让土地，必须在10月底全部推出；对经济适用房、公共租赁房、廉租屋的建设，“要加快审批速度、开足绿色通道”。

今后加大对低收入家庭的住房保障，将是深圳市住房建设的一项重要任务。为加大住房保障力度，深圳市将在“十一五”期间建设14万套政策性住房。目前，全市已开工和计划开工建设的政策性住房项目共27个，住房套数总计3.3万套，这意味着深圳房地产投资将进一步加大。

为解决这一部分人的住房，市场自发形成了以旧有公房和农民房作为替代物的机制。深圳容纳人数最多的一种居住方式即是租赁农民房。

很多人担心，深圳的城中村改造项目一旦真正落实，农民房这一目前市场中唯一的房价稳定器一旦消失，局面将进一步激化。

被透支的未来

对于深圳而言，房价的支点并不是炒房者对上涨的预期，而在于：这个城市的企业主和劳动者流汗越多、投资越多、赚钱越多，地价就被抬得越高，房地产像一块巨大的海绵一样源源不断地吸吮着这个城市其他行业创造的惊人财富。

只是，房地产的利润已经开始压迫深圳的整个经济机体。

按照目前关内2万元的价格，一个年轻人如买一套100平方米的房子，他需要支付60万元的首付款，每月需向银行支付8 000多元（30年）或10 000多元（20年）的按揭。“很难想象，他们可以像我们当初那样没有后顾之忧地去创业。”投资客杨锐说。

杨女士负责一家对外贸易公司，尽管她在华侨城的高级住宅市值已是原来的三倍，但依然对房价上涨愤怒不已。员工纷纷要求公司加工资，或是帮助贷款买房。“我的房子又不准备卖，房子涨几倍与我何干？工资再加，也赶不上房价涨的速度，再这样下去，公司怎么办？”

2005年以来，深圳微芯生物医药公司总裁鲁先平在各种场合呼吁政府关注房价问题，“每次见到市领导，我都会提这个问题。”

2001年他从美国回来创业，希望能研发出中国自己的基因药物，跑赢美国。他没有想到，首先跑赢美国的竟是深圳的房价。

鲁先平在美国住在普林斯顿，与许多全球500强的CEO为邻，那儿80万~90万美元的房子，包括300~400平方米的别墅、很大的花园绿地、永久的产权。“同样的钱，现在在深圳连300~400平方米、好一些的楼房都买不到了。”

公司成立早，主要的员工都已经在涨价前买了房子，问题并不大。但他已经招不到新的研发人员了，不论在国内，还是海外。“我们的人工成本不可能无限制上升。这样的房价，对于经济转型期必不可少的人才而言，已经是不可承受的压力。”

在他周围，很多高新技术企业都在考虑离开深圳，他也在考虑。

业内人士承认，与其说房地产创造价值，不如说房地产参与了财富分配，10%的利润也许是造房子应得的收益，其他部分都是土地的溢价和人们对未来的预期。如果一个城市的财富转移损害了这个城市创造财富的能力，悲剧就会发生。而这，在深圳或许正在成为可能。

年仅26岁、人口平均年龄也只有26岁的深圳，正面临着一个成年人的选择：保护既有利益，还是保护这个城市的未来？

深圳楼市的香港因素

这两天，深圳市政府有关部门发出通知：港澳居民和华侨在深圳只能购买一套自住房。这一政策，似乎印证了一些人一直以来的一个判断：香港炒家炒高了深圳房价。

在疯狂楼市紧张的供求关系中，最不缺乏的，就是各种各样关于楼市为何必然上涨的解释。

“香港因素”是深圳最常见的一种解释。被鼓吹已久的“深港一体化”绘就了未来深圳城市地位进一步提升的美好图景，似乎深圳房价早晚要追上香港；而另一方面，来自香港的购买力也被指责为与内地人争利、楼市暴涨的主因。

这是深圳市面上流行的一种解释，“流行”必有理由，但并不意味着“正确”。

7月1日，从海上连接香港和深圳的公路桥“西部通道”正式通车。深圳这一侧，邻近的高级住宅区后海片区和红树湾区，新房价格从每平方米2万多元，上涨到3万、4万甚至5万元。

“深圳楼市的天花板就是香港。”深圳市规划局一位官员说。

2007年，香港听到了领跑全国楼市的深圳贴身追赶的脚步声。6月29日，杨锐开车带记者来到蛇口“半岛城邦”小区，他在这里也购置了一套房产。紧邻深圳湾的堤岸也是小区物业的一部分，他喜欢在这里凭海临风，眺望海湾那边的香港元朗山脉，丝毫不觉得对面海岸边的垃圾填埋场煞风景。

他更在意的是，身后的楼盘“涨势”喜人。

2006年11月，杨锐买下这座高档楼盘的一套住宅，当时每平方米是18 000元，现在这个数字已经超过了30 000元，而对面元朗的楼价不过是20 000元，即便翻过一座山，到达屯门，也不过是30 000多元。

在另一处同样毗邻深圳湾的高档小区“红树西岸”，新开盘的二期的停车场停满了来看房的私家车，一拨又一拨的购房者被售楼小姐引入贾樟柯布置的样板房，寻找他们向往的电影中的高尚生活。半大的时间，废弃的一次性拖鞋已经堆满了门外的一个大桶。

为了给他们服务，南洋商业银行、渣打银行等外资银行也觊觎着深圳这块房贷蛋糕，适时地在某些楼盘推出了美元和港币的房贷业务。

去年11月才入住的一期均价是32 000元，而正在销售的二期均价已经达到45 000元。销售价格已经超过对面香港新界的房屋整整一倍，并且已经接近了香港楼市的平均价格。

“香港因素”也是深圳楼市猛涨的动因之一。到“红树西岸”看房的人群中，香港人和内地人各半。这里距离往来香港的西部通道只要25秒钟车程，这成了这家楼盘的卖点。

深圳南山区与香港元朗隔海对望的蛇口、深圳福田区的皇岗口岸、深圳罗湖区的罗湖口岸，房价均超过了最靠近这些口岸的香港新界楼盘。

这些地方，当深圳还是宝安县下辖的一个小镇的时候，是历次“大逃港”事件中横亘两个世界决定人生成败的“世界之窗”，现在则反过来无一不成了香港人置业的“欢乐谷”。

买了半岛城邦的房子后，杨锐建议他的好友、一位香港上市公司的中层也在这里买房，朋友向身边的同事询问了一遍，不无震惊地发现这个公司大部分同事都已在深圳购房，对于深圳的各个楼盘，他们全部了如指掌如数家珍。

“深圳市场上10%的房产交易来自香港的买家，每年一万套左右。”深圳房产协会秘书长、房产经纪人张文华透露。

在上述边界地区，港人买家的比例则更高。“大约40%的买家是香港人。”在罗湖口岸附近的一家地产中介的章中华说，而且今年的比例要超过以往。

来自中介机构的数字同样如此。但是这10%主要集中在新的楼盘，二手房市场港人则很少涉及。

对比香港人为深圳楼市上涨所作的有限的贡献，他们存在的主要作用更多体现在作为一种论调的证明：深圳楼市将越来越接近香港天花板。你看香港人都来了，还不赶紧买！

（选自2007年7月12日《南方周末》，作者：张悦、余力）

后记

上世纪末，文汇出版社曾出版了18卷本的《20世纪中国纪实文学文库》，在读者中产生了广泛而深远的影响。现在推出的《21世纪中国纪实文学大系》正是上世纪“文库”的延续，是对21世纪中国客观、真实的记录。由于某些原因，我们在这套丛书的编辑思路及框架设计上作了如下调整：

一、为了使记录更加及时、更为精准，决定以“一年一部”的节奏，每年出版一部记录上一年重要事件及相关人物的“年编”，力求内容齐全，文字准确真实。

二、考虑到《20世纪中国纪实文学文库》收尾在1999年，本套丛书特将2000年一并收入，以弥补上世纪“文库”之不足，体现内容的完整性。

三、为了凸显文学价值，每一部年编都对当年中国纪实文学的新特征作了梳理和评析，并力图作出前瞻性的研究。这样，每一部年编在“一书一述”的基础上，又增加了“一书一评”的内容，其兼具“史料”和“文学”双重价值便成为可能。

在本套丛书的选编过程中，著名文学理论家钱谷融教授不顾九十多岁的高龄，欣然应允担当本丛书的顾问；著名文学评论家杨扬教授，则为本套丛书的编辑、出版提出了诸多建设性意见，并花费了人量时间阅读文本，带领他的团队撰写了一篇又一篇有关纪实文学的评论文章；上海市新闻出版局的阚宁辉副局长和许乃青处长对本套丛书的编辑、出版作了许多重要指导，并给予了很大的鼓励；新华社上海分社副社长叶国标、图片中心副主任金丽莉为本套丛书的图片提供给予了巨大的支持；文汇新民联合报业集团信息中心的姚高东主任和图片中心的高峰主任，则为本套丛书图片的选择提供了有益的建议……在此，对于每一位对本套丛书的编辑、出版予以帮助的前辈、领导和朋友，我们谨表示深深的谢意！

今后，我们每年都会编辑、出版一部《21世纪中国纪实文学大系》的年编，我们将加倍努力，及时推出能够让读者朋友喜爱的读本，为中国的出版事业贡献出我们的绵薄之力。

（编　者）

致作者

编选者在编选本书时，已经获得部分作者授权，谨在此表示衷心的感谢。

同时，因时间仓促，作品来源辗转，故仍有部分作者未能取得联系。在此，我们深表歉意。请未取得联系的作者及时与我社联系，我们将按照国家有关规定支付稿酬，并奉上样书。

文汇出版社

2012 年 8 月 18 日

联系地址：上海市威海路 755 号 18 楼

邮　　编：200041

联系电话：021-52921234 转总编办

图书在版编目(CIP)数据

21世纪中国纪实文学大系.2007年卷:十年回眸 / 桂国强主编.—上海:文汇出版社,2012.9

ISBN 978-7-5496-0609-2

Ⅰ.①2… Ⅱ.①桂… Ⅲ.①纪实文学-作品集-中国-当代 Ⅳ.①I25

中国版本图书馆CIP数据核字(2012)第178977号

21世纪中国纪实文学大系(2007卷:十年回眸)

丛书主编 / 桂国强
责任编辑 / 张 涛
特约编辑 / 严小英
装帧设计 / 周夏萍

出版发行 / 文匯出版社
上海市威海路755号(邮政编码200041)
经 销 / 全国新华书店
排 版 / 南京展望文化发展有限公司
印刷装订 / 上海宝山译文印刷厂
版 次 / 2012年9月第1版
印 次 / 2012年9月第1次印刷
开 本 / 720×960 1/16
字 数 / 250千
印 张 / 19

ISBN 978-7-5496-0609-2
定 价 / 32.00元